IMPOSTURES INTELLECTUELLES

Collection dirigée par Jean-Paul Enthoven

ALAN SOKAL et JEAN BRICMONT

Impostures intellectuelles

ODILE JACOB

À Marina
À Claire, Thomas et Antoine

SOMMAIRE

PRÉFACE À LA DEUXIÈME ÉDITION

Un de nos amis s'est exclamé, après avoir écouté la conférence d'un intellectuel célèbre : « X fut brillant. Bien entendu, je n'ai pas compris un traître mot de ce qu'il a dit. »

Ce genre d'expérience n'est pas rare et pour l'expliquer il y a, en gros, trois possibilités. L'une est que notre ami ne possède pas les connaissances requises pour suivre l'exposé. Une autre est que le célèbre intellectuel est un mauvais pédagogue. Mais il est également possible que la conférence soit du non-sens ou des banalités habilement dissimulées derrière un jargon obscur. À notre avis, aucune de ces possibilités ne doit être exclue *a priori*. Mais comment savoir laquelle est la bonne ?

Sans aucun doute, la plupart des exposés scientifiques sont trop techniques pour être accessibles aux non-experts ; la difficulté est d'habitude réelle (pas toujours). Par contre, des charlatans, des prêtres et des chamans ont pendant des siècles utilisé des formules magiques, des langues inconnues et des signes cabalistiques pour intimider leurs auditoires et cacher l'irrationalité de leurs discours. Des phénomènes semblables peuvent-ils se produire de nos jours dans les milieux intellectuels ? Et comment le savoir ? Ce livre tente d'apporter, dans un contexte limité, une réponse (partielle) à ces questions.

Le moins que l'on puisse dire, c'est que les réactions

lors de sa publication furent contrastées. D'après Jon Henley dans *The Guardian*, nous aurions montré que « la philosophie française contemporaine est du jargon vide de sens [1] ». D'après Robert Maggiori dans *Libération*, nous serions des scientistes pédants qui se contentent de relever les fautes de syntaxe dans les lettres d'amour [2]. Dans cette préface nous voulons expliquer en quoi ces deux caractérisations de notre livre sont erronées et, plus généralement, répondre à nos adversaires ainsi qu'à certains de nos partisans trop enthousiastes. En particulier, nous voulons dissiper bon nombre de malentendus.

Tout a commencé lorsque l'un d'entre nous a publié un article-canular dans la prestigieuse revue américaine d'études culturelles, *Social Text* [3]. Cette parodie était truffée de citations à propos de la physique et des mathématiques, absurdes mais authentiques, dues à des intellectuels célèbres, français et américains. Néanmoins, seule une petite fraction du « dossier » découvert durant les recherches en bibliothèque de Sokal a trouvé place dans la parodie. Après avoir montré ce dossier à des amis scientifiques et non scientifiques, nous sommes devenus (peu à peu) convaincus qu'il ne serait pas dénué d'intérêt de le mettre à la disposition d'un public plus vaste. Dès lors, nous avons cherché à expliquer, en des termes non techniques, pourquoi ces citations sont absurdes ou, dans bien des cas, dénuées de sens ; et nous voulions aussi discuter les circonstances culturelles qui ont permis à ces discours de devenir à la mode et de ne pas être plus ouvertement critiqués, du moins jusqu'à présent. D'où notre livre, et le débat qu'il a suscité.

Qu'affirmons-nous exactement ? Nous montrons que

---

1. Henley (1997).
2. Maggiori (1997).
3. Sokal (1996a), reproduit ici en traduction française dans l'Appendice A. Voir l'introduction pour plus de détails sur ce canular.

des intellectuels célèbres tels que Lacan, Kristeva, Baudrillard et Deleuze ont, de façon répétée, utilisé abusivement des termes et des concepts provenant des sciences physico-mathématiques : soit en les invoquant totalement hors de leur contexte, sans donner la moindre justification empirique ou conceptuelle à cette démarche — soulignons que nous ne sommes nullement opposés aux extrapolations de concepts d'un domaine à l'autre, mais seulement aux extrapolations faites sans donner d'arguments —, soit en jetant des mots savants à la tête des lecteurs non scientifiques sans égard pour leur pertinence ou même leur sens [4].

Mais qu'est-ce que cela prouve ? En particulier, dans quelle mesure cela jette-t-il le discrédit sur le reste de l'œuvre de ces auteurs ? Pour répondre à ces questions, il faut distinguer entre ce que nous prétendons avoir démontré, ce que nous considérons comme des conjectures raisonnables que nous ne prétendons pas avoir démontrées et, finalement, des thèses auxquelles nous ne souscrivons nullement (mais qu'on nous attribue souvent).

Nous pensons avoir démontré, au-delà de tout doute raisonnable, que certains penseurs célèbres ont commis de grossiers abus du vocabulaire scientifique, ce qui, loin de clarifier leurs idées, a encore obscurci leurs

---

4. Soulignons également que nous ne critiquons pas le simple usage de mots tels que « chaos » (qui, après tout, se trouve déjà dans la Bible) ou « énergie » en dehors de leur contexte scientifique. Au contraire, nous nous concentrons sur l'invocation de termes fort techniques tels que « axiome du choix », « ensemble compact » ou « hypothèse du continu ». De même, nous n'avons rien contre l'usage de métaphores. Nous faisons simplement remarquer que le rôle d'une métaphore est généralement d'éclairer un concept peu familier en le reliant à un concept qui l'est plus — pas l'inverse. Ces questions sont discutées plus en détail dans l'introduction.

discours[5]. Personne, dans tous les comptes rendus et débats qui ont suivi la publication de notre livre, n'a présenté le moindre argument rationnel contre cette thèse, et presque personne n'a pris la peine de défendre même un seul des textes que nous critiquons. Remarquons également que la plupart des comptes rendus favorables à notre livre citent certains de ces textes afin d'illustrer de quoi il s'agit, tandis que les commentaires défavorables se limitent le plus souvent à des considérations abstraites (« le droit à la métaphore », « le risque de penser »).

Bien entendu, d'autres abus similaires existent et nous ne prétendons pas que notre liste soit exhaustive. Si nous sommes limités aux abus de la physique et des mathématiques, c'est parce que nous ne nous estimons pas compétents pour discuter d'autres domaines. Soulignons aussi que notre critique porte principalement sur le manque manifeste de pertinence de la terminologie scientifique invoquée et sur les effets d'obscurité que cela entraîne, pas sur les erreurs en tant que telles[6].

Admettons donc l'existence de ces abus. Qu'est-ce que cela démontre concernant le reste de l'œuvre de ces auteurs ? En principe rien. Il est tout à fait possible que Lacan — pour ne prendre que cet exemple — soit un pur charlatan dans ses invocations de la logique mathématique ou de la topologie et qu'il ait néanmoins fait des contributions significatives à l'étude de l'être humain. Pour soutenir une telle thèse, ses défenseurs n'ont qu'à indiquer les travaux qu'ils considèrent valables et à expliquer clairement le raisonnement à l'appui d'un tel jugement, séparant ainsi le bon grain de l'ivraie dans l'œuvre du maître ; on pourrait alors

---

5. Nous ne nous prononçons pas sur la question de savoir s'il s'agit d'incompétence grossière mais sincère ou de fraude délibérée.
6. Cette observation a échappé à de nombreux commentateurs.

évaluer leurs arguments. Cependant, il est naturel, lorsque la malhonnêteté intellectuelle (ou l'incompétence grossière) est découverte dans le travail d'un auteur, d'analyser d'un peu plus près le reste de son œuvre. Au vu des abus détectés en matière de mathématiques ou physique, il est raisonnable de se demander s'il existe de pareils abus basés sur la terminologie ou les concepts appartenant à d'autres champs, qu'ils soient scientifiques, philosophiques ou littéraires. Nous ne sommes pas compétents pour prononcer là-dessus, mais nous nous sentons obligés de poser la question.

Finalement, insistons sur ce que nous ne disons pas. Par exemple, certains commentateurs ont interprété le livre comme une attaque globale contre la philosophiques ou les sciences humaines. Il va sans dire que ce n'est nullement notre intention et que rien dans le livre n'appuie une telle interprétation. Mais ce qui est plus frappant, c'est le mépris envers ces domaines qui est implicite dans de tels commentaires. En effet, ou bien les abus dénoncés dans cet ouvrage sont représentatifs de l'ensemble des travaux dans ces domaines, ou bien ils ne le sont pas. Dans le premier cas, notre livre serait de fait une attaque (du moins implicite) contre le domaine dans son entièreté, mais elle serait justifiée. Mais dans le cas contraire — et à notre avis cette hypothèse-ci est la bonne —, il n'y a aucune raison de critiquer un chercheur pour ce que dit un autre travaillant dans le même domaine. Plus généralement, quiconque interprète notre livre comme une attaque globale contre X — que X soit la philosophie française, la « pensée 68 » ou encore la gauche universitaire américaine — présuppose que l'ensemble de X est caractérisé par les pratiques intellectuelles que nous dénonçons, et c'est à ceux qui soutiennent une telle thèse qu'il incombe de l'établir.

Bien sûr, nous n'avons pas écrit ce livre pour dénoncer des abus isolés. La cible de notre critique est plus large, mais celle-ci vise un certain style d'argumentation (ou, le plus souvent, d'intimidation du lecteur) et pas principalement une forme de pensée. Nous nous proposons d'encourager un esprit critique qui est souvent inhibé par l'usage d'un jargon abscons[7] ; nous ne cherchons nullement à discréditer indirectement une pensée en attaquant le style dans lequel elle est exprimée. Nous critiquons le type d'argumentation, un point c'est tout. Que cette critique ait des effets dévastateurs pour les pensées en question parmi certains de nos lecteurs, c'est possible, mais pour éviter ce résultat les auteurs ou leurs admirateurs n'ont qu'à reformuler clairement leurs thèses et leurs arguments, de façon qu'on puisse les évaluer rationnellement. Comme le dit très bien George Orwell, le principal avantage qu'il y a à écrire clairement, c'est que « lorsque vous faites une remarque stupide, sa stupidité sera évidente pour tout le monde, y compris pour vous-même[8] ».

Une deuxième cible de notre livre est le relativisme cognitif, à savoir l'idée — bien plus répandue d'ailleurs dans le monde anglo-saxon qu'en France — selon laquelle les affirmations de fait, qu'il s'agisse des mythes traditionnels ou des théories scientifiques modernes, ne peuvent être considérées comme vraies ou fausses que « par rapport à une certaine culture ». Soulignons que notre discussion est limitée au relativisme épistémique ou cognitif ; nous n'abordons pas les questions plus difficiles liées aux relativismes moral et esthétique. À part des abus grossiers (par exemple, chez Irigaray), nous disséquons un certain nombre de confusions qui ont pignon sur rue dans certains secteurs des sciences humaines : par exemple, les abus d'idées valides en philosophie des sciences, telles

---

7. Notre ami mentionné plus haut pensait sans doute que, s'il ne comprenait pas l'orateur, c'était dû à ses propres insuffisances — ce qui est peut-être souvent le cas, mais pas toujours.

8. Orwell (1953 [1946], p. 171).

que la sous-détermination des théories par les faits, afin de défendre un relativisme radical.

Ce livre contient donc, sous une seule couverture, deux ouvrages distincts mais reliés. D'une part il y a le recueil des abus grossiers découverts par Sokal lors de la préparation de sa parodie ; ce sont eux et eux seuls qui justifient le terme « impostures » dans le titre du livre. D'autre part il y a notre critique du relativisme cognitif et des confusions liées à la « science postmoderne » ; ces dernières questions sont bien plus subtiles. Le lien entre ces deux critiques est principalement sociologique : les auteurs français discutés ici sont à la mode dans les mêmes cercles universitaires anglo-saxons où le relativisme cognitif est monnaie courante[9]. Il existe aussi un faible lien logique : si l'on accepte le relativisme cognitif, il y a moins de raisons de se préoccuper des déformations des idées scientifiques car celles-ci ne sont de toute façon que des « mythes » ou des « narrations » parmi d'autres.

*

Passons aux critiques. Avant d'y répondre, remarquons que plusieurs de nos adversaires, même parmi les plus virulents, admettent *mezzo voce* la validité de nos thèses principales. Par exemple, Jean-Marc Lévy-Leblond admet que « des philosophes et des sociologues ont pu faire de la physique et des mathématiques des usages *discutables* » et estime que « les métaphores abusivement tirées de la physique peuvent être, non seulement ridicules, mais pernicieuses, dès lors qu'elles tendent à conférer l'autorité de la science

---

9. Cette coïncidence n'est toutefois qu'approximative. Ces auteurs français sont à la mode surtout dans les départements anglo-saxons de littérature, d'études culturelles (*cultural studies*) et d'études féministes (*women's studies*). Le relativisme cognitif est bien plus répandu et on le trouve également en anthropologie, en sociologie des sciences et en pédagogie, là où l'intérêt pour Lacan ou Deleuze est quasi inexistant.

la plus "dure" à des assertions douteuses ou fragiles [10] ». Amy Dahan Dalmedico et Dominique Pestre affirment que « le mimétisme scientiste dénoncé par Sokal et Bricmont est ridicule et à dénoncer [11] ». Daniel Sibony considère que « des auteurs, pris dans un vide de la pensée, se rabattent sur des concepts qu'ils connaissent mal [...] pour sauver la face [12] ». Julia Kristeva, tout en nous accusant de « désinformation », admet : « Je ne suis pas une vraie matheuse, cela va de soi [13]. » Michel Serres, qui avoue ne pas être au courant de notre livre parce qu'il n'a pas le temps de lire les journaux, renchérit, à propos de Baudrillard et Kristeva : « C'est vrai que c'est assez marrant. Moi qui les lisais autrefois, c'était à se rouler par terre de rire [14]. » Et dans un article hostile, publié dans *Les Temps Modernes*, l'auteur concède qu'« afin de ne pas noyer la question qui nous occupe dans des discussions secondaires, nous partirons du principe que toutes les citations accumulées tant par l'article farceur que par le livre produit en son sillage sont fautives et condamnables [15] ». Nous n'en demandions pas tant.

Que nous reproche-t-on ? On peut distinguer, en gros, trois types de critiques. Les premières, largement minoritaires, s'adressent à ce que nous avons écrit et essaient de nous réfuter. Un deuxième type de réactions consiste à faire des objections, souvent parfaitement valables, à des idées qui ne sont nullement les nôtres et que nous avons même parfois explicitement rejetées dans le livre, tout en nous les attribuant expli-

---

10. Lévy-Leblond (1998, p. 27, 41), italiques dans l'original.
11. Dahan Dalmedico et Pestre (1998, p. 93).
12. Sibony (1997).
13. Kristeva (1997). Quand on voit le niveau d'abstraction des concepts mathématiques introduits dans *Séméiotiké*, on ne peut qu'être un peu surpris par cette remarque (dont la première partie est néanmoins tout à fait correcte). Voir le chapitre 2 ci-dessous.
14. Farouki et Serres (1997, p. 14).
15. Guille-Escuret (1998, p. 269).

citement ou implicitement. Dans un troisième genre de critiques, l'auteur prétend parler du livre tout en parlant d'autre chose : par exemple, en s'attaquant aux défauts des scientifiques, à nos prétendues motivations ou à nos personnalités.

Dans la première catégorie, on trouve un article du physicien américain N. David Mermin défendant les idées de Latour sur la théorie de la relativité [16], ainsi que quelques commentaires de psychanalystes et de mathématiciens sur l'usage des mathématiques chez Lacan ou Deleuze [17]. Soulignons que ces objections, bien qu'erronées, sont au moins pertinentes, en ce sens qu'elles tentent de répondre à nos arguments [18]. Mais, sur la partie « impostures » du livre, il n'y a rien d'autre. L'absence relative de critiques pertinentes, dans le concert de protestations suscitées par notre livre, confirme indirectement la validité de nos thèses : car si nous nous trompions, il n'y aurait rien de plus facile pour nous réfuter que de montrer que, contrairement à ce que nous soutenons, les mathématiques ou la physique jouent, dans les textes que nous citons, un rôle intellectuel utile.

Passons maintenant aux critiques, beaucoup plus nombreuses, qui nous attribuent explicitement ou implicitement des idées qui ne sont pas les nôtres. Certains de ces auteurs discourent longuement sur ce que « Sokal et ses amis » pensent (selon eux), sans prendre la peine de citer une seule phrase de notre livre [19].

16. Mermin (1998).

17. Sur Lacan, voir Roudinesco (1998), Darmon et Melman (1998), Charraud (1998) et Sauval (1997-98). Sur Deleuze, voir Salanskis (1998, p. 170-173, 175-176).

18. Les objections qui nous semblent mériter une réponse seront discutées dans les chapitres correspondants.

19. Par exemple, Amy Dahan Dalmedico et Dominique Pestre (1998) parlent à maintes reprises de ce que pensent « Sokal et ses amis » (p. 78, 80, 86, 90, 91, 93, 96) ou encore « Sokal, Weinberg et d'autres » (p. 79, 81, 98), sans citer un seul mot de notre livre à l'appui de ces affirmations et sans différencier nos idées de celles de nos « amis ». De même, Yves Jeanneret (1998) parle sans cesse du « sokalisme » et des « sokaliens ». Notons, par contraste, que

D'autres nous juxtaposent à des courants « scientistes »
qu'ils critiquent ensuite (souvent avec raison), laissant
entendre que nos idées sont semblables mais sans en
donner la moindre preuve[20]. Dans toutes ces critiques,
la démarche générale consiste à appliquer un conseil
donné par Schopenhauer dans *L'Art d'avoir toujours
raison*, à savoir, élargir la cible de l'adversaire de
façon à le rendre ridicule. Par exemple, on nous a
accusés de rejeter toute métaphore, tout transfert de
concept, tout usage poétique du langage, toute philosophie ou même toute pensée critique[21]. Et on nous
« réfute » parfois en exhibant des métaphores utiles ou
des philosophes qui n'abusent pas des sciences. Mais,
comme tout le monde, nous sommes évidemment favorables à l'usage de métaphores et à l'analyse philosophique. Nous sommes simplement opposés aux
mystifications, ce qui est tout différent.

---

nous ne critiquons jamais les auteurs que nous citons pour ce que
disent leurs disciples.

Remarquons d'ailleurs qu'un lecteur attentif n'aura aucun mal à
reconnaître des nuances entre ce que disent Weinberg (1996a,b),
Gross et Levitt (1994) et nous-mêmes. Il est normal que des gens
qui n'ont aucune « ligne » à défendre aient des opinions divergentes sur différents sujets.

20. Par exemple, Amy Dahan Dalmedico et Dominique Pestre
(1998, p. 103) nous attribuent « un refus des études sociales des
sciences » : Patrick Petitjean (1998, p. 120) affirme que « Sokal est
bien dans la tradition d'une certaine gauche, notamment française,
mais aussi anglaise, pour laquelle, depuis les années trente, le
socialisme est basé sur la science et toute analyse critique de la
science rejetée comme potentiellement obscurantiste et préfas-
ciste. » L'article de Petitjean constitue une intéressante histoire des
débats sur la science et la technologie au sein de la gauche française, mais les positions qu'il critique (avec justesse) ne sont nullement les nôtres. Nous avons toujours souligné notre sympathie pour
les analyses critiques de la science et de ses applications sociales,
pourvu que ces analyses soient conduites avec un minimum de
rigueur intellectuelle : voir l'épilogue de ce livre ainsi que Sokal
(1998).

21. Voir, par exemple, Maggiori (1997), Dorra (1997), Bruckner
(1997) et Simont (1998).

D'autres auteurs nous accusent d'être ignorants en philosophie : nous serions des « réalistes naïfs » ou des partisans à outrance du « sens commun » qui négligent un siècle de débats en épistémologie et en philosophie des sciences. Mais ces auteurs se gardent bien de citer un seul mot du long chapitre 3 que nous consacrons à ces questions [22]. Ou bien ils le citent sélectivement afin d'y découvrir des « contradictions » inexistantes [23]. Nous sommes conscients que ces questions philosophiques sont subtiles — bien plus subtiles que la partie « impostures » du livre — et nous serions heureux si nos arguments étaient soumis à une critique rigoureuse. Mais jusqu'à présent, rien de sérieux.

Les réactions du troisième type prennent diverses formes ; passons-en quelques unes en revue.

1. *Nous couvrir d'épithètes.* Certains de nos critiques semblent penser que les épithètes péjoratives peuvent remplacer la réfutation détaillée de nos argu-

---

22. Par exemple, Dahan Dalmedico et Pestre (1998, p. 96) nous accusent de vouloir « oblitérer » le débat sur le travail épistémologique de Duhem, alors qu'en réalité nous citons avec *approbation* les idées de Duhem sur le fait que les observations dépendent des théories (voir note 76, p. 108 ci-dessous).

23. Par exemple, Didier Nordon (1998) prétend voir une contradiction entre notre description de la démarche scientifique (« pas radicalement différente de l'attitude rationnelle dans la vie courante ou dans d'autres domaines de la connaissance humaine », p. 97 ci-dessous) et notre affirmation que la théorie de la relativité décrit des phénomènes fort contre-intuitifs (chapitre 11). Mais il n'y a aucune contradiction entre ces deux énoncés, et l'explication en est donnée à peine trois phrases après celle citée par Nordon : « les résultats scientifiques sont beaucoup plus précis que les observations quotidiennes, permettent de découvrir des phénomènes jusqu'alors inconnus et entrent souvent en conflit avec le sens commun. Mais le conflit est au niveau des conclusions, pas de la démarche. » Nordon n'est d'ailleurs pas le seul à ignorer notre distinction claire entre méthodologie et contenu : Staune (1998, p. 31-32) et Jurdant (1998, p. 15-16) prétendent relever la même « contradiction » inexistante.

ments[24]. Et les insultes pleuvent : « cow-boy et apothicaire[25] », « petits instits[26] », « cavaliers mal entraînés » et « censeurs[27] », « francophobes » et « désinformateurs[28] », « gendarmes[29] », « flics de la pensée » et « adjudants[30] », « valets de chambre[31] », « nains [qui] ressemblent à ces vieux adolescents qui jouent au Game Boy toute la journée[32] » et même, au Brésil, « Monsieur Homais des montagnes rocheuses[33] ». Plus extraordinaire encore, Philippe Sollers affirme, dans une interview paradoxalement intitulée « Réponse aux imbéciles », que nos vies privées « mérite[nt] l'enquête » et se demande : « Qu'est-ce qu'ils aiment ? Quelles reproductions ont-ils sur leurs murs ? Comment est leur femme ? Comment toutes ces belles déclarations abstraites se traduisent-elles dans la vie quotidienne et sexuelle[34] ? » Admettons donc une fois pour toutes que nous sommes des scientifiques médiocres, ignorants en philosophie, sexuellement frustrés, arrogants et prisonniers d'une idéologie scientiste (pro-américaine ou archéo-marxiste au choix).

---

24. Notons, par contraste, que même si nous sommes parfois ironiques, il n'y a dans notre livre ni attaques personnelles, ni calomnies, ni insultes. Nous nous occupons uniquement des textes et de ce qui, à notre avis, peut en être déduit.

25. Lévy-Leblond (1997).

26. Stengers (1997). Remarquons que le thème « ils corrigent les copies » (voir également Droit 1997) passe tout à fait à côté de la question : à l'école, les élèves sont obligés de remettre des copies sur certains sujets, alors qu'aucun des auteurs critiqués ici n'est obligé d'utiliser des notions fort techniques de mathématiques ou de physique dans ses écrits.

27. Derrida (1997).

28. Kristeva (1997).

29. Roudinesco (1998, p. 27).

30. Ragon (1998).

31. Simont (1998, p. 258).

32. Crépu (1997).

33. Prado (1998).

34. Houellebecq et Sollers (1998, p. 56).

Tout cela n'explique toujours pas en quoi nos arguments sont erronés.

2. *Attaquer nos prétendues motivations.* Certains commentateurs, au lieu d'examiner nos raisonnements, s'attaquent aux motivations qu'ils nous attribuent. Par exemple, Julia Kristeva affirme que notre livre fait partie d'une campagne économique et diplomatique antifrançaise [35]. Isabelle Stengers y voit une pure « opération commerciale [36] ». Vincent Fleury et Yun Sun Limet nous accusent de vouloir transférer les crédits de recherche des sciences humaines vers les sciences exactes [37]. Juliette Simont nous attribue une véritable « haine de la philosophie [38] ». De nouveau, cette forme de défense est curieuse : même si les accusations étaient vraies (ce qui n'est certainement pas le cas), en quoi cela affecterait-il la validité ou l'invalidité de nos arguments ?

Il y a néanmoins quelque chose de tragi-comique dans les discours qui nous font passer pour des « scientistes » bornés, ennemis irréductibles de la philosophie et des sciences humaines. C'est au contraire l'intérêt que nous avons pour ces disciplines, intérêt que plusieurs de nos collègues physiciens jugent excessif, qui nous a amenés à découvrir et à dénoncer les « impostures ». Nous ne cherchons nullement à « défendre les sciences exactes » lorsque nous nous livrons à cet exercice ; les scientifiques, dans leur immense majorité, se fichent éperdument des abus des mathématiques chez

---

35. Kristeva (1997).

36. Stengers (1997). Cette accusation est réitérée dans Stengers (1998, p. 268).

37. Fleury et Limet (1997). Plus généralement, ils nous accusent de chercher un bouc émissaire face à la crise cognitive, sociale et économique que rencontre actuellement (à leur avis) la science et surtout la physique. Cette accusation est proférée également par Latour (1997) et Dahan Dalmedico et Pestre (1998, p. 103) et, aux États-Unis, par Nelkin (1996) et Babich (1996, p. 46-51).

38. Simont (1998).

Lacan ou Deleuze. L'effet négatif de ces obscurités (et nous nous gardons bien de juger son ampleur) est uniquement en philosophie et en sciences humaines. D'ailleurs, ce sont précisément ceux qui, assimilant notre critique limitée et précise d'un certain jargon à une attaque généralisée contre les sciences humaines, se révèlent être les pires ennemis de ces dernières. Car c'est faire preuve (implicitement) de dédain pour celles-ci que de leur imposer des normes de clarté et de rationalité bien inférieures à celles qu'on exige dans les sciences de la nature[39]. Par exemple, quand Lévy-Leblond demande que les scientifiques, lorsqu'ils donnent « un sens nouveau aux mots de la tribu », explicitent et maîtrisent ce sens nouveau, nous ne pouvons qu'applaudir[40]. Par contre, lorsqu'il taxe notre critique, qui s'applique à des discours véritablement extravagants mais appartenant en principe aux sciences humaines, de « zèle puriste » et l'assimile à une volonté d'exercer une « prophylaxie absolue », nous ne pouvons que nous demander qui méprise véritablement les sciences humaines[41].

3. *Analyser les « enjeux » du débat sans entrer dans le fond*. Yves Jeanneret consacre tout un livre à l'étude de « l'affaire Sokal ou la querelle des impostures[42] ». Son approche relève d'une démarche sociologique en principe neutre, qui lui permet d'analyser la stratégie et la rhétorique des divers acteurs sans prendre parti sur les questions de fond. Néanmoins, ses propos trahissent une hostilité évidente envers notre livre.

---

39. Voir Sturrock (1998) pour un compte rendu extrêmement hostile de notre livre, basé sur de telles idées.

40. Lévy-Leblond (1998, p. 34). En effet, notre livre s'inscrit parfaitement dans la perspective de la démystification, prônée par Lévy-Leblond, de certains usages du discours scientifique. La mystification peut venir de partout et ne dépend pas du type de diplôme détenu par ceux qui la pratiquent.

41. Lévy-Leblond (1998, p. 42).

42. Jeanneret (1998).

L'avantage de cette « neutralité » sociologique est de pouvoir adopter une attitude condescendante sans jamais devoir énoncer explicitement ses propres idées et encore moins devoir donner des arguments pour les justifier.

4. *Prétendre que les scientifiques font pareil*. Même si c'était vrai[43], en quoi cela justifierait les abus que nous dénonçons ? En tout cas, notre but n'est nullement d'attaquer les philosophes ou de défendre les scientifiques en tant qu'individus ou communautés ; nous nous occupons d'idées, pas de corporatismes.

5. *Renvoyer la balle aux Américains*. Certains commentateurs ne voient dans notre livre que le reflet d'une querelle interne au monde académique américain, dans laquelle des penseurs français sont impliqués à leur corps défendant[44]. Il y a en effet ce qu'on pourrait appeler un malentendu transatlantique. Aux États-Unis, tant les adversaires que les partisans du postmodernisme et du relativisme pensent que ce

---

43. Nous ne discuterons pas en détail dans quelle mesure ce l'est. Il faut distinguer entre différents sens de « faire pareil » : par exemple, utiliser des métaphores (comme tout le monde), ou commettre des erreurs en parlant de philosophie, ou... Mais, à nouveau, ce ne sont pas principalement les erreurs dans les textes cités que nous visons. Et s'il est vrai que les scientifiques utilisent parfois un jargon inutilement obscur, leurs abus atteignent rarement les sommets exhibés ici.

Observons également que les excès les plus graves attribués aux scientifiques par nos adversaires (parfois avec raison) portent sur la mécanique quantique. Mais, contrairement à ce que pensent beaucoup de commentateurs, nous avons *exclu* du livre les abus de concepts reliés à la mécanique quantique (sinon, cet ouvrage aurait été considérablement plus long), précisément parce que les discours des physiciens eux-mêmes sur ce sujet ne sont pas particulièrement clairs. Mais la situation est tout à fait différente en ce qui concerne la théorie de la relativité ou le théorème de Gödel, pour lesquels il existe des exposés très clairs et pédagogiques tant au niveau de la vulgarisation qu'au niveau technique.

44. Voir, par exemple, Stengers (1997) et les propos de Bruno Latour reproduits par Levisalles (1996).

sont des inventions parisiennes, alors qu'en France, le mot « postmodernisme » est peu répandu et que presque tout le monde s'y défend d'être relativiste. La question de l'influence du relativisme en France est assez complexe, mais il faut garder en tête que les idées sont rarement arrêtées par des frontières. Par contre, pour ce qui est des « impostures », la plupart des textes que nous citons sont effectivement dus à des auteurs français. Il existe bien entendu des textes semblables (ou pires, et nous en donnons quelques exemples) dans le monde anglo-saxon, mais leurs auteurs sont bien moins connus internationalement. Et comme notre critique des impostures s'attaque à une forme d'argumentation, la notoriété des auteurs visés, qui est un phénomène purement sociologique, entre inévitablement en ligne de compte (à quoi bon critiquer un style pratiqué par des auteurs inconnus ?).

En résumé, il nous semble que le niveau intellectuel de la plupart des critiques est affligeant. On est constamment surpris par l'habileté qu'ont certains commentateurs à ne pas lire[45]. Notons néanmoins l'existence d'un petit nombre de commentaires critiques qui sont à la fois intéressants et nuancés, même si nous ne sommes pas toujours d'accord avec ce qu'ils disent[46].

Comme l'avenir appartient à la jeunesse, nous terminerons par une note optimiste, en citant Léon Loiseau, l'un des normaliens interrogés par *Le Monde de l'Éducation* :

---

45. Nous pourrions presque reprendre un mot de Feyerabend qui, parlant des réactions faisant suite à la publication de *Contre la méthode*, écrit : « En lisant les critiques, je fus confronté pour la première fois à l'analphabétisme pur et simple. » (Feyerabend 1996, p. 184)

46. Par exemple : Richelle (1998), Khalfa (1998), Pierssens (1998), Traimond (1998).

L'objet d'un texte philosophique est d'éclaircir un problème, alors que les auteurs critiqués par Sokal [et
Bricmont] non seulement embrouillent les choses en se
référant à des concepts que la communauté philosophique (et eux-mêmes) maîtrise mal, mais aussi produisent des textes considérés comme des fragments de
vérité qui, à leur tour, deviennent un nouveau problème. Le recours à une terminologie empruntée aux
sciences dures joue comme argument d'autorité et
amène une perte de l'argumentation solide et rationnelle qu'elle prétend conforter. On ne sait plus de quoi
l'on parle. (Coutty 1998, p. 9)

Et également :

Le relativisme cognitif et son refus constituent le cœur
du livre de Sokal et Bricmont, et, en effet, il est très
présent dans les cours de philosophie. C'est de cela que
nous avons souffert et c'est ce qui me semble grave
car il y a un prolongement politique de ce relativisme
cognitif. Il y a l'idée que toutes les pensées se valent.
(Coutty 1998, p. 9)

Vincent Fleury et Yun Sun Limet terminent leur vio-
lente diatribe contre « L'escroquerie Sokal-Bricmont [47] » par « *Time will tell* ». Sur cela au moins, nous
sommes d'accord.

*

Dans cette deuxième édition, nous avons effectué
beaucoup de petites modifications afin de clarifier le
texte original, de corriger des imprécisions mineures,
de prévenir certains malentendus, et de répondre à des
critiques. Nous remercions les nombreux lecteurs de la
première édition qui nous ont fait part de leurs suggestions.

Dans la confection de ce livre, nous avons béné-
ficié d'un grand nombre de discussions et de débats,

---

47. Fleury et Limet (1997). Voir également notre réponse (Bricmont et Sokal 1997).

d'encouragements et de critiques. Bien que nous ne puissions remercier individuellement tous ceux qui y ont contribué, nous voulons exprimer notre gratitude à ceux qui nous ont aidés en nous signalant des références ou en lisant et en critiquant des parties du manuscrit : Michael Albert, Robert Alford, Roger Balian, Louise Barre, Paul Boghossian, Raymond Boudon, Pierre Bourdieu, Jacques Bouveresse, Georges Bricmont, James Robert Brown, Tim Budden, Noam Chomsky, Nuno Crato, Helena Cronin, Bérangère Deprez, Jean Dhombres, Cyrano de Dominicis, Pascal Engel, Barbara Epstein, Roberto Fernández, Vincent Fleury, Julie Franck, Allan Franklin, Paul Gérardin, Michel Gevers, Michel Ghins, Yves Gingras, Todd Gitlin, Gerald Goldin, Sylviane Goraj, Paul Gross, Étienne Guyon, Michael Harris, Géry-Henri Hers, Gerald Holton, John Huth, Markku Javanainen, Gérard Jorland, Jean-Michel Kantor, Noretta Koertge, Hubert Krivine, Jean-Paul Krivine, Antti Kupiainen, Louis Le Borgne, Gérard Lemaine, Geert Lernout, Jerrold Levinson, Norm Levitt, Jean-Claude Limpach, Andréa Loparic, John Madore, Christian Maes, Francis Martens, Tim Maudlin, Sy Mauskopf, Jean Mawhin, Maria McGavigan, N. David Mermin, Enrique Muñoz, Paul Murphy, Meera Nanda, Michael Nauenberg, Hans-Joachim Niemann, Marina Papa, Patrick Peccatte, Jean Pestieau, Daniel Pinkas, Louis Pinto, Patricia Radelet, Marc Richelle, Benny Rigaux-Bricmont, Ruth Rosen, David Ruelle, Patrick Sand, Mónica Santoro, Roger Scruton, Abner Shimony, Lee Smolin, Philippe Spindel, Hector Sussmann, Jukka-Pekka Takala, Serge Tisseron, Jacques Treiner, Claire Van Cutsem, Jacques Van Rillaer, Loïc Wacquant, M. Norton Wise, Nicolas Witkowski, et Daniel Zwanziger.

Nous soulignons que ces personnes ne sont pas nécessairement d'accord avec le contenu ou même l'intention de cet ouvrage[48].

Finalement, nous remercions nos familles pour nous avoir supportés pendant ce travail.

---

48. Il va sans dire que ce livre n'est nullement une « œuvre collective » dans laquelle « une dizaine de personnes unies dans la même cause » auraient collaboré, comme se l'imagine Jean-Michel Salanskis (1998, p. 175) ; il ne s'agit pas non plus de « [nous] placer sous [l']autorité » de qui que ce soit, contrairement à ce qu'affirme Yves Jeanneret (1998, p. 72).

INTRODUCTION

> Tant que l'autorité inspire une crainte res-
> pectueuse, la confusion et l'absurdité ren-
> forcent les tendances conservatrices de la
> société. En premier lieu, parce que la pensée
> claire et logique entraîne un accroissement
> des connaissances (dont le progrès des
> sciences naturelles donne le meilleur exem-
> ple) et tôt ou tard la progression du savoir
> sape l'ordre traditionnel. La confusion de
> pensée [...] ne conduit nulle part en particu-
> lier et peut être indéfiniment entretenue sans
> avoir d'impact sur le monde.

> Stanislav Andreski,
> *Les sciences sociales :*
> *Sorcellerie des temps modernes ?*
> (1975, p. 98)

L'histoire de ce livre a commencé par un canular.
Depuis quelques années, nous sommes étonnés et
irrités par l'évolution intellectuelle de certains milieux
universitaires américains. De vastes secteurs des études
littéraires et des sciences humaines semblent s'être
convertis à ce que nous appellerons, pour simplifier, le
« postmodernisme », un courant intellectuel caractérisé
par le rejet plus ou moins explicite de la tradition rationaliste des Lumières, par des élaborations théoriques
indépendantes de tout test empirique, et par un relativisme cognitif et culturel qui traite les sciences comme
des « narrations » ou des constructions sociales parmi
d'autres.

Pour réagir à ce phénomène, l'un de nous (Sokal) a décidé de tenter une expérience non scientifique [1] mais originale : soumettre à une revue culturelle américaine à la mode, *Social Text*, une parodie du genre de littérature que nous avons vu proliférer, pour voir s'ils allaient la publier (sans dire aux éditeurs, bien sûr, qu'il s'agissait d'une parodie). L'article, intitulé « Transgresser les frontières : vers une herméneutique transformative de la gravitation quantique [2]», est bourré d'absurdités et d'illogismes flagrants et, de plus, affiche un relativisme cognitif extrême : il commence par tourner en ridicule le « dogme » dépassé selon lequel « il existe un monde extérieur à notre conscience, dont les propriétés sont indépendantes de tout individu et même de l'humanité tout entière » et affirme catégoriquement que « la "réalité" physique, tout autant que la "réalité" sociale, est fondamentalement une construction linguistique et sociale ». Se fondant ensuite sur des raisonnements d'une logique ahurissante, il arrive à la conclusion que « le π d'Euclide et le G de Newton, qu'on croyait jadis constants et universels, sont maintenant perçus dans leur inéluctable historicité ; et l'observateur putatif devient fatalement dé-centré, disconnecté de tout lien épistémique à un point de l'espace-temps qui ne peut plus être défini par la géométrie seule ». Le reste de l'article est du même tonneau.

Et pourtant, l'article a été accepté et publié ! Pire, il a été publié dans un numéro spécial conçu comme une réponse aux critiques émises par certains scientifiques

---

1. Parce que, bien entendu, elle n'est pas reproductible et le manuscrit n'a été envoyé qu'à une seule revue. Cette remarque extrêmement banale semble avoir échappé à Georges Guille-Escuret (1998), qui consacre de longs développements à cette question.

2. Nous reproduisons cet article, en traduction française, dans l'Appendice A, suivi de brefs commentaires dans l'Appendice B.

à l'encontre de l'attitude postmoderne[3]. Il était difficile, pour les éditeurs de *Social Text*, de se livrer à une auto-réfutation pratique plus radicale qu'en publiant cet article, et dans ce numéro spécial !

Le canular a immédiatement été dévoilé par Sokal lui-même et, après que l'affaire eut été amplifiée par les médias, il a suscité un grand nombre de réactions dans le monde anglo-saxon et au-delà[4]. Pas mal de jeunes (et de moins jeunes), travaillant dans le domaine des lettres et des sciences humaines, ont écrit à Sokal pour le remercier et pour exprimer leur rejet des tendances postmodernes et relativistes dominant leurs disciplines. Ils l'ont fait parfois de façon émouvante. Par exemple, un étudiant, qui a financé lui-même ses études, a le sentiment d'avoir dépensé son argent à acheter les habits d'un empereur qui, comme dans le conte, est nu. Un autre étudiant dit que ses collègues et lui se réjouissent, et demande qu'on ne révèle pas son identité parce qu'il espère faire évoluer sa discipline, mais seulement après avoir obtenu un poste permanent.

Toutefois, le fait que la parodie a été publiée ne

---

3. Pour ces critiques, voir par exemple Holton (1993), Gross et Levitt (1994), et Gross, Levitt et Lewis (1996). La réponse est présentée par Ross (1996). La parodie se trouve dans Sokal (1996a). Les motivations de la parodie sont discutées plus en détail dans Sokal (1996c) et dans Sokal (1997a). Pour des critiques antérieures du postmodernisme et du constructivisme social — critiques provenant explicitement d'un point de vue politique de gauche, mais qui ne sont pas discutées dans le numéro de *Social Text* — voir Albert (1992-3), Chomsky (1992-3) et Ehrenreich (1992-3).

4. Le canular est dévoilé dans Sokal (1996b). Parmi les réactions, voir en particulier les analyses de Frank (1996), Pollitt (1996), Willis (1996), Albert (1996), Weinberg (1996a,b), Boghossian (1996) et Epstein (1997). En France, le canular, repris initialement par *Libération* (Levisalles 1996), a suscité une longue controverse dans *Le Monde* : voir Weill (1996), Duclos (1997), Bricmont (1997), Guerlain (1997), Latour (1997), Sokal (1997b), Salomon (1997) et Rio (1997).

prouve pas grand-chose en soi ; tout au plus, cela est révélateur des normes intellectuelles d'*un seul* journal en vogue. L'important, c'est plutôt son *contenu*[5]. Or, si l'on y regarde de plus près, on s'aperçoit qu'elle a été construite autour de citations d'auteurs éminents concernant les implications philosophiques et sociales des sciences naturelles et des mathématiques. Les propos cités sont absurdes ou dénués de sens, mais ils sont néanmoins authentiques. En fait, tout l'article de Sokal n'est qu'un « ciment » (dont la « logique » est intentionnellement fantaisiste) reliant ces citations entre elles. Parmi les auteurs cités, on trouve Gilles Deleuze, Jacques Derrida, Félix Guattari, Luce Irigaray, Jacques Lacan, Bruno Latour, Jean-François Lyotard, Michel Serres et Paul Virilio, qui figurent parmi les intellectuels français les plus renommés de notre époque et dont l'œuvre a été un important produit d'exportation, surtout vers les États-Unis[6]. On trouve également dans l'article un grand nombre d'auteurs américains, mais ceux-ci sont souvent, au moins en partie, des disciples ou des commentateurs des auteurs français.

Comme les citations reproduites dans la parodie étaient relativement brèves, Sokal a ensuite rassemblé

---

5. Voir Sokal (1998) pour une discussion plus détaillée.

6. Dans le présent ouvrage nous avons ajouté Jean Baudrillard et Julia Kristeva à cette liste. Cinq des dix philosophes français « les plus importants » identifiés par Lamont (1987, note 4) sont Baudrillard, Deleuze, Derrida, Lyotard et Serres. Trois des six philosophes français choisis par Mortley (1991) sont Derrida, Irigaray et Serres. Cinq des huit philosophes français interviewés par Rötzer (1994) sont Baudrillard, Derrida, Lyotard, Serres et Virilio. Ces mêmes auteurs figurent parmi les 39 penseurs occidentaux interviewés par *Le Monde* (1984a,b) et l'on retrouve Baudrillard, Deleuze, Derrida, Irigaray, Kristeva, Lacan, Lyotard et Serres parmi les 50 penseurs occidentaux contemporains choisis par Lechte (1994).

L'appellation « philosophe » est utilisée ici dans un sens large ; plus précisément on devrait parler d'« intellectuels philosophico-littéraires » ou d'« intellectuels des sciences humaines ».

une série de textes plus longs permettant de mieux juger la façon dont les sciences sont traitées par les auteurs en question et il a fait circuler ces extraits parmi ses collègues. Leur réaction a été un mélange d'hilarité et d'incrédulité : ils pouvaient à peine croire qu'on puisse écrire ce qu'ils avaient sous les yeux. En même temps, plusieurs lecteurs non scientifiques ont suggéré d'expliquer précisément en quoi les textes cités sont absurdes. À partir de ce moment-là, nous avons collaboré pour en faire des analyses et des commentaires, dont le résultat est le présent ouvrage.

Que voulons-nous montrer ?

Le but de cet essai est d'apporter une contribution, limitée mais originale, à la critique de la nébuleuse postmoderne. Nous ne prétendons pas analyser celle-ci en général mais plutôt attirer l'attention sur des aspects relativement peu connus, atteignant néanmoins le niveau de l'imposture, à savoir l'abus réitéré de concepts et de termes provenant des sciences physico-mathématiques. Plus généralement, nous analyserons certaines confusions intellectuelles, fort répandues dans les écrits postmodernes, qui portent à la fois sur le contenu du discours scientifique et sur sa philosophie.

Pour être précis, le mot « abus » désigne une ou plusieurs des caractéristiques suivantes.

1) Parler abondamment de théories scientifiques dont on n'a, au mieux, qu'une très vague idée. Dans la plupart des cas, ces auteurs ne font qu'utiliser une terminologie scientifique (ou apparemment scientifique) sans trop se soucier de ce qu'elle signifie.

2) Importer des notions de sciences exactes dans les sciences humaines sans donner la moindre justification empirique ou conceptuelle à cette démarche. Un biologiste qui voudrait utiliser dans son domaine de recherche des notions élémentaires de topologie (telles

que le tore), de la théorie des ensembles ou encore de la géométrie différentielle, serait prié de donner quelques explications. Une vague analogie ne serait pas prise très au sérieux par ses collègues. Ici, par contre, on apprend avec Lacan que la structure du névrosé est exactement le tore (c'est la réalité elle-même ! cf. p. 57), avec Kristeva que le langage poétique relève de la puissance du continu (p. 77) et avec Baudrillard que les guerres modernes se déroulent dans un espace non euclidien (p. 203-204).

3) Exhiber une érudition superficielle en jetant sans vergogne des mots savants à la tête du lecteur, dans un contexte où ils n'ont aucune pertinence. Le but est sans doute d'impressionner et surtout d'intimider le lecteur non scientifique. Certains commentateurs s'y laissent d'ailleurs prendre : Barthes fait l'éloge de l'exactitude du travail de Julia Kristeva (p. 75) et *Le Monde* admire l'érudition de Paul Virilio (p. 229).

4) Manipuler des phrases dénuées de sens et se livrer à des jeux de mots. Il s'agit là d'une véritable intoxication verbale, combinée à une superbe indifférence pour la signification des termes utilisés[7].

Ces auteurs parlent avec une assurance que leur compétence ne justifie nullement. Lacan se vante d'utiliser « le plus récent développement de la topologie » (p. 59) et Latour se demande s'il n'a pas appris quelque chose à Einstein (p. 183). Ils pensent sans doute pouvoir utiliser le prestige des sciences exactes pour don-

---

7. Salanskis (1998, p. 174) fait observer correctement qu'il est très difficile, voire impossible, de *prouver* qu'un texte est dénué de sens, car pour cela il faudrait en contrôler toutes les interprétations possibles. Quand nous utilisons l'expression « dénué de sens », nous voulons dire précisément que le texte en question n'a aucun sens si l'on attribue aux termes techniques employés leur sens usuel, et qu'aucune autre définition plus ou moins précise n'est proposée par l'auteur. Soulignons qu'il ne suffit pas de nous répondre que ces textes *pourraient* avoir un sens ; la charge de la preuve incombe aux auteurs ou à leurs défenseurs.

ner un vernis de rigueur à leur discours. De plus, ils semblent assurés que personne ne remarquera leur usage abusif des concepts scientifiques. Personne ne va s'écrier que le roi est nu.

Notre but est justement de dire que le roi est nu. Nous ne voulons nullement attaquer les sciences humaines ou la philosophie en général ; au contraire, nous pensons que ces domaines sont fort importants et nous voulons mettre en garde ceux qui travaillent dans ces domaines (surtout les jeunes) contre des exemples manifestes de charlatanerie[8]. En particulier, nous voulons « déconstruire » la réputation qu'ont ces textes d'être difficiles parce que profonds. Dans bien des cas, nous pouvons démontrer que s'ils semblent incompréhensibles, c'est pour la bonne raison qu'ils ne veulent rien dire.

Soulignons qu'il y a différents degrés dans les abus. D'un côté, il existe un certain nombre d'extrapolations de concepts scientifiques en dehors de leur domaine de validité qui sont erronées, mais pour des raisons subtiles. À l'autre extrême, on trouve de nombreux textes dénués de sens mais parsemés de terminologie savante. Et il existe, évidemment, un continuum de discours qui se situent quelque part entre les deux. Bien qu'ici nous nous concentrions sur les abus manifestes, nous aborderons brièvement quelques confusions moins évidentes à propos de la théorie du chaos (chapitre 6).

Soulignons également qu'il n'y a rien de honteux à ignorer le calcul infinitésimal ou la mécanique quantique. Ce que nous critiquons, c'est la prétention à tenir des propos profonds sur des sujets qui ne sont compris, au mieux, qu'au niveau de la vulgarisation.

---

8. Si nous évitons de donner des exemples de travaux de bonne qualité dans ces domaines — ce que certains lecteurs nous ont conseillé de faire — c'est parce qu'établir une liste exhaustive dépasserait de loin nos capacités et toute liste partielle nous entraînerait dans des débats inutiles (pourquoi mentionnez-vous X et non Y ?).

Nous ne nous prononcerons pas de façon catégorique sur une question que le lecteur peut légitimement se poser : s'agit-il de fraudes conscientes ou d'auto-aveuglement, ou bien d'un mélange des deux ? Indépendamment du manque de preuves à ce sujet — du moins, de preuves publiquement disponibles —, nous devons dire que cette question ne nous intéresse pas outre mesure. Notre but est d'éveiller une attitude critique, non seulement envers certains individus mais également à l'égard d'une partie de l'intelligentsia, en Europe comme aux États-Unis, qui a toléré et même encouragé ce type de discours.

Oui, mais...

Répondons immédiatement à quelques objections qui viendront sans doute à l'esprit du lecteur :

1. *Le caractère marginal des citations.* On pourrait nous objecter que nous cherchons « la petite bête » chez des gens qui, évidemment, n'ont pas de formation scientifique et qui ont peut-être eu tort de s'aventurer sur ce terrain, mais dont la contribution à la philosophie ou aux sciences humaines reste importante et n'est, en tout cas, nullement invalidée par les « petites inexactitudes » dévoilées dans cet essai. Nous répondrons qu'il s'agit de bien plus que d'inexactitudes ou d'erreurs : il s'agit d'une profonde indifférence, sinon d'un mépris, pour les faits et la logique. Nous essayerons dès lors d'expliquer, pour chaque auteur, en quoi consistent précisément les abus commis en matière de sciences exactes et pourquoi ceux-ci nous semblent symptomatiques d'un manque de rigueur et de rationalité du discours dans son ensemble. Notre but n'est donc pas de nous moquer des littéraires qui s'emmêlent les pinceaux lorsqu'ils parlent d'Einstein ou de Gödel, mais de défendre les canons de la rationalité et de l'honnêteté intellectuelle qui sont (ou

devraient être) communs aux sciences exactes et aux sciences humaines.

Il va sans dire que nous ne sommes pas compétents pour juger l'ensemble de l'œuvre de ces auteurs. Nous savons bien que les « interventions » de ceux-ci en sciences exactes ne constituent pas l'essentiel de leurs écrits. Mais lorsqu'une imposture intellectuelle (ou une incompétence grossière) est découverte dans les travaux de quelqu'un, il est naturel d'examiner de plus près le reste de son œuvre. Nous ne voulons pas préjuger les résultats d'une telle analyse, mais simplement retirer l'aura de profondeur qui a parfois empêché les étudiants (et les professeurs) de l'entreprendre.

Par exemple, Bertrand Russell explique que, ayant été influencé par la tradition philosophique hégélienne, il s'en est détaché, entre autres, grâce à la lecture des passages consacrés au calcul infinitésimal dans la *Science de la Logique*, qu'il considérait, à juste titre, comme « un non-sens brouillon[9] ». Lorsqu'on se trouve confronté à des textes, tels que ceux de Hegel ou de Lacan, dont le sens n'est, pour le moins, pas évident, il n'est pas sans intérêt d'évaluer ce que disent ces auteurs lorsqu'ils abordent des domaines (comme les mathématiques) où les concepts ont un sens précis et les énoncés sont rigoureusement vérifiables. Et si, après analyse, on constate que leur discours, là où il est aisément vérifiable, n'est qu'un « non-sens brouillon », on est en droit de se poser des questions sur le reste de leur œuvre, qui est peut-être profond mais surtout moins facile à évaluer. Nous serions comblés si cet essai pouvait contribuer à renforcer une telle attitude critique[10].

---

9. Russell (1951, p. 11).

10. Comme plusieurs commentateurs (p. ex. Salanskis 1998, p. 180 ; Simont 1998, p. 252) ont mal compris cette remarque, soulignons que nous n'exprimons aucun jugement sur l'œuvre strictement philosophique de Hegel ni sur la justesse ou non de la critique globale que Russell lui adressait ; nous critiquons unique-

Les croyances qui sont acceptées sur la base d'un dogme (religieux ou non) ou d'une mode sont particulièrement vulnérables lorsqu'on met en question même une partie infime de celles-ci. Par exemple, les découvertes géologiques faites aux dix-huitième et dix-neuvième siècles ont montré que la Terre est bien plus vieille que les 5000 ans qui lui sont attribués par la Bible ; et bien que ces découvertes ne contredisaient directement qu'une petite partie de la Bible, elles eurent pour effet de mettre en cause la crédibilité globale de celle-ci en tant que récit historique, ce qui fait que peu de gens aujourd'hui (en dehors des États-Unis) croient *littéralement* à la Bible comme le faisait la majorité des Européens d'il y a quelques siècles. Contrastons cela avec l'œuvre de Newton : on estime que 90 % de ses écrits sont du mysticisme ou de l'alchimie. Et alors ? Le reste est basé sur des considérations empiriques et rationnelles solides et survit pour cette raison. Une remarque similaire peut être faite pour Descartes : sa physique est en grande partie fausse, mais certaines des questions philosophiques qu'il a soulevées restent intéressantes. Si l'on peut soutenir la même chose pour les auteurs cités dans ce livre, alors nos critiques auront une importance marginale. Mais si, par contre, ces auteurs sont devenus des stars internationales principalement pour des raisons sociologiques plutôt qu'intellectuelles, et en partie parce qu'ils sont des maîtres du langage et peuvent impressionner leurs auditoires grâce à une terminologie savante (scientifique et non scientifique), alors les révélations contenues dans ce livre peuvent avoir un certain intérêt.

---

ment les graves confusions de Hegel à propos du calcul infinitésimal (confusions qui ont été répétées 150 ans plus tard par Deleuze, voir p. 217-223 ci-dessous). Cependant, nous pensons que la réaction de Russell, consistant à regarder *de façon plus critique* le reste de l'œuvre de Hegel après s'être rendu compte du caractère confus de ses écrits sur les mathématiques, est en principe saine.

Il faut néanmoins souligner qu'il y a une grande diffé-rence entre les auteurs cités dans leur attitude envers la science et l'importance qu'ils lui accordent. En effet, notre présentation risque d'encourager un amalgame entre les démarches, fort différentes, de ces auteurs, et nous voulons prévenir le lecteur contre une telle inter-prétation. Par exemple, bien que la citation de Derrida reprise dans la parodie de Sokal soit assez amusante [11], elle semble être isolée dans son œuvre ; nous n'avons donc pas inclus de chapitre sur Derrida dans ce livre. En revanche, l'œuvre de Serres est truffée d'allusions plus ou moins poétiques à la science et à son histoire ; mais ses assertions, bien que fort vagues, ne sont en général ni dénuées de sens ni complètement fausses, et nous ne les discuterons pas en détail [12]. Les premiers travaux de Kristeva s'appuient fortement (et abusivement) sur les mathématiques, mais depuis vingt ans elle a abandonné cette approche ; nous les critiquons uniquement parce qu'ils nous semblent symptomatiques d'un certain style intellectuel. Par contre, les écrits de Latour apportent pas mal d'eau au moulin du relativisme contemporain et sont fondés sur une analyse, supposée rigoureuse, du dis-cours scientifique. Les œuvres d'autres auteurs — dont Baudrillard, Deleuze, Guattari et Virilio — sont riches en références apparemment érudites à la relativité, à la mécanique quantique, à la théorie du chaos, etc. Il n'est donc pas inutile d'établir que cette érudition est fort superficielle. Par ailleurs, nous donnerons des réfé-rences à des textes de certains auteurs où le lecteur pourra trouver quantité d'autres abus.

2. *Vous ne comprenez pas le contexte.* Les défen-seurs de Lacan ou Deleuze pourraient soutenir que leur

---

11. La citation complète se trouve dans Derrida (1970, p. 265-268).

12. Voir néanmoins le chapitre 10 et p. 318-319, 373, pour quelques exemples d'abus manifestes dans l'œuvre de Serres.

usage de concepts scientifiques est valable et même profond, et que nos critiques ratent leurs cibles parce que nous ne comprenons pas le contexte. Après tout, nous reconnaissons volontiers que nous ne comprenons pas toujours le reste de leur œuvre. Ne serions-nous pas des scientifiques bornés, incapables de comprendre quelque chose de subtil et de profond ?

Nous répondrions, tout d'abord, que lorsque des concepts mathématiques ou physiques sont invoqués dans un autre domaine, il faut donner un argument qui justifie leur pertinence. Dans tous les cas cités ici, nous avons vérifié qu'aucun argument n'est fourni, ni là où l'extrait cité apparaît, ni ailleurs dans l'ouvrage.

De plus, il existe des points de repères qui permettent de voir si des mathématiques sont introduites pour de bonnes raisons intellectuelles ou simplement pour impressionner le lecteur. Tout d'abord, dans le premier cas, l'auteur doit posséder une bonne connaissance des mathématiques employées — en particulier, il doit éviter de commettre de grossières erreurs — et il devrait expliquer les notions techniques requises, aussi clairement que possible, en des termes qui soient accessibles au lecteur présumé (qui est sans doute un non-scientifique). Deuxièmement, comme les concepts mathématiques ont des sens précis, les mathématiques sont utiles principalement dans des domaines où les concepts ont eux aussi des sens plus ou moins précis. Il est difficile de voir comment la notion mathématique d'espace compact peut être appliquée utilement à quelque chose d'aussi mal défini que « l'espace de la jouissance » en psychanalyse. Enfin, il faut être particulièrement sceptique lorsque des concepts mathématiques extrêmement abstraits (tels que l'axiome du choix en théorie des ensembles), qui ne sont presque jamais utilisés en physique — et sûrement pas en chimie ou en biologie —, deviennent subitement pertinents en sciences humaines.

3. *La licence poétique.* Si un poète utilise des mots

tels que « trou noir » ou « degré de liberté » en dehors de leur contexte, sans savoir très bien de quoi il s'agit, cela ne nous dérange pas. De même, si un auteur de science-fiction trouve commode d'emprunter des passages secrets dans l'espace-temps pour envoyer ses personnages à l'époque des croisades, on peut aimer ou non ce genre de littérature, ce n'est là qu'une question de goût.

Néanmoins, nous soutenons qu'en l'occurrence, il ne s'agit nullement de licence poétique. Ces auteurs tiennent des discours tout à fait sérieux sur la philosophie, la psychanalyse, la sémiotique ou l'histoire des sciences. Leurs œuvres sont l'objet d'innombrables commentaires, analyses, séminaires et thèses de doctorat[13]. Leur intention est clairement de faire œuvre théorique et c'est sur ce terrain-là que nous les critiquons[14]. Par ailleurs, leur style est le plus souvent lourd et pompeux, ce qui rend très peu vraisemblable l'idée que leur but soit principalement littéraire ou poétique.

4. *Le rôle des métaphores.* Certains lecteurs nous objecteront, sans doute, que nous interprétons ces auteurs trop littéralement et qu'il s'agit de métaphores et non de raisonnements précis. Dans certains cas, c'est probable ; mais à quoi servent ces métaphores ? Le rôle d'une métaphore est généralement d'éclairer un concept peu familier en le reliant à un concept qui l'est plus — pas l'inverse. Si, dans un séminaire de physique théorique, nous essayions d'expliquer un concept très technique en théorie quantique des champs en le comparant au concept d'aporie dans la théorie littéraire

---

13. Pour mieux illustrer que leurs propos sont pris au sérieux, nous citerons des travaux secondaires qui amplifient et analysent, par exemple, la topologie et la logique mathématique selon Lacan, la mécanique des fluides selon Irigaray, et les discours pseudo-scientifiques de Deleuze et Guattari.

14. Andrée Bergeron (1998, p. 148), qui assimile les impostures critiquées dans ce livre à des erreurs de géologie commises dans un *roman*, n'a évidemment pas lu ou pas compris cette remarque.

derridienne, nos auditeurs physiciens se demanderaient avec raison quel est le but de cette métaphore (qu'elle soit raisonnable ou non), si ce n'est tout simplement d'étaler notre érudition. De la même façon, nous voyons mal l'utilité qu'il peut y avoir à invoquer, même métaphoriquement, des notions scientifiques qu'on maîtrise très mal à l'intention d'un public non spécialisé. Ne s'agit-il pas plutôt de faire passer pour profonde une affirmation philosophique ou sociologique banale en l'habillant d'une terminologie savante ?

5. *Le rôle des analogies*. Plusieurs auteurs prétendent procéder par analogie. Nous n'avons rien contre la tentative d'établir des analogies entre divers domaines de la pensée humaine ; en effet, la mise en évidence d'une analogie valide entre deux théories existantes peut être très utile pour leur développement ultérieur. Nous pensons qu'ici, par contre, on se trouve en face d'analogies entre des théories bien établies (en sciences exactes) et des théories trop vagues pour être testées empiriquement (par exemple, la psychanalyse lacanienne). On ne peut s'empêcher de pressentir que le recours à ces analogies a pour fonction d'occulter les faiblesses de la théorie plus vague.

Soulignons qu'on ne peut nullement suppléer au manque de rigueur d'une théorie vague — que ce soit en physique, en biologie ou en sciences humaines — en plaquant sur celle-ci un symbole ou une formule. Le sociologue Stanislav Andreski a exprimé cette idée avec ironie :

> Pour accéder à la qualité d'auteur dans ce genre d'entreprise, la recette est aussi simple que payante : prenez un manuel de mathématique, copiez-en les parties les moins compliquées, ajoutez-y quelques références à la littérature traitant d'une ou deux branches des études sociales, sans vous inquiéter outre mesure de savoir si les formules que vous avez notées ont un quelconque rapport avec les actions humaines réelles, et donnez à

votre produit un titre bien ronflant qui suggère que
vous avez trouvé la clé d'une science exacte du
comportement collectif. (Andreski 1975, p. 143)

La critique d'Andreski s'adressait originellement à la
sociologie quantitative américaine, mais elle s'applique
tout aussi bien à certains des textes que nous citons,
notamment ceux de Lacan et de Kristeva.

6. *La question des compétences.* On nous a souvent
tenu les propos suivants : vous voulez empêcher les
philosophes de parler de sciences parce qu'ils n'ont pas
les diplômes requis, mais quels titres avez-vous pour
parler de philosophie ? Il y a là plusieurs malentendus.
Tout d'abord, nous ne voulons empêcher personne de
parler de quoi que ce soit. Ce qui compte est le contenu
de l'intervention, pas l'identité de celui qui l'énonce,
et encore moins ses titres [15]. Par ailleurs, il y a une asy-

---

15. Un récit du linguiste Noam Chomsky illustre bien cette idée :
Dans mon travail scientifique, j'ai touché à une grande
variété de champs différents. J'ai beaucoup travaillé en linguistique mathématique, sans avoir de « références » intellectuelles en mathématiques : je suis complètement autodidacte
en la matière. Mais j'ai souvent été invité par des universités
à parler de linguistique mathématique dans des séminaires
de mathématiques. À Harvard par exemple. Personne ne m'a
jamais demandé si j'avais des références intellectuelles
appropriées pour parler de ces sujets : les mathématiciens
s'en moquent, ce qu'ils veulent savoir c'est ce que j'ai à dire.
Personne n'est venu, après la conférence, me demander si
j'avais un doctorat de mathématiques ou si j'avais suivi des
cours d'anthropologie. Cela ne leur venait même pas à l'esprit. Ils voulaient savoir si j'avais tort ou raison, si le sujet
était ou non intéressant, s'il y avait moyen de faire mieux —
la discussion portait sur le sujet, non sur des certificats. En
revanche, constamment, dans les débats politiques concernant
l'état de la société ou de la politique étrangère américaine, le
Vietnam ou le Moyen-Orient, on m'objectait : quels certificats avez-vous pour parler de ces choses ? Selon les docteurs
en sciences politiques, des gens comme moi, considérés
comme des outsiders d'un point de vue professionnel, ne sont
pas habilités pour en parler. Comparez les mathématiques et
les sciences politiques : c'est frappant. En mathématiques, en

métrie : nous ne prétendons pas juger la psychanalyse de Lacan, la philosophie de Deleuze ou les travaux concrets de Latour en sociologie. Nous nous limitons aux énoncés qui se rapportent soit aux sciences physiques et mathématiques, soit à des problèmes élémentaires de philosophie des sciences.

7. *N'utilisez-vous pas également l'argument d'autorité ?* En effet, lorsque nous affirmons que les mathématiques de Lacan sont dénuées de sens, comment le lecteur non scientifique peut-il juger ? Ne doit-il pas nous croire sur parole ?

Pas tout à fait. Tout d'abord, nous avons essayé tant bien que mal de donner des explications détaillées du contexte scientifique afin que le lecteur non spécialiste puisse voir *pourquoi* une affirmation est erronée ou dépourvue de sens. Nous n'y sommes sans doute pas arrivés dans tous les cas : ces concepts sont difficiles d'expliquer et le faire en détail allongerait considérablement le livre. Le lecteur est parfaitement en droit de suspendre son jugement là où nos explications scientifiques semblent inadéquates. Mais, ce qui est plus important, c'est de garder en tête que notre critique ne porte pas principalement sur les erreurs, mais surtout sur l'absence manifeste de *pertinence* de la terminologie scientifique invoquée [16]. Dans tous les comptes ren-

---

physique, on se soucie de ce que vous dites, non de vos certificats. Mais pour parler de la réalité sociale, il vous faut des certificats : on ne se soucie pas de ce que vous dites. Bien entendu, c'est parce que les mathématiques et la physique sont des disciplines ayant un contenu intellectuel significatif, ce qui n'est pas le cas des sciences politiques. (Chomsky 1977, p. 35-36)

À notre avis, Chomsky exagère dans cette dernière phrase. Il faut toutefois se rappeler qu'il fait référence aux branches des sciences politiques qui sont étroitement liées au pouvoir et à ses mystifications.

16. Yves Jeanneret (1998, p. 177) semble ne pas comprendre cette remarque lorsqu'il écrit que le « lecteur moyen » de notre livre « n'a aucun moyen de savoir qui a raison entre Virilio et Sokal ». Peut-être, mais il faut se demander ce qu'un lecteur moyen

dus, débats et échanges de correspondance qui ont suivi la publication du livre, personne ne nous a indiqué comment établir cette pertinence.

8. *Mais ces auteurs ne sont pas « postmodernes ».* Il est vrai que les auteurs français discutés ici ne se considèrent pas tous comme « postmodernes » ou « poststructuralistes ». Certains des textes furent publiés avant l'émergence de ces courants intellectuels et certains de ces auteurs rejettent tout lien avec ces courants. De plus, les abus intellectuels critiqués dans ce livre ne sont pas homogènes ; ils peuvent être classés, très approximativement, en deux catégories distinctes, correspondant à peu près à deux étapes distinctes de la vie intellectuelle française. La première est celle d'un structuralisme extrême, qui va jusqu'au début des années 70 : les auteurs tentent de donner à des discours vagues en sciences humaines un vernis de « scientificité » en faisant appel à l'apparat des mathématiques. Les travaux de Lacan et les premiers travaux de Kristeva rentrent dans cette catégorie. La deuxième phase est celle du poststructuralisme, qui commence au milieu des années 70 : toute prétention à la « scientificité » est abandonnée, et la philosophie sous-jacente (pour autant qu'on puisse la cerner) se rapproche de l'irrationalisme ou du nihilisme. Les textes de Baudrillard, Deleuze et Guattari illustrent cette attitude.

De plus, l'idée même qu'il existe une forme de pensée appelée « postmoderne » est bien moins répandue en France que dans le monde anglo-saxon. Si nous employons néanmoins, par commodité, ce terme, c'est parce que tous les auteurs analysés ici sont des références fondamentales dans le discours postmoderne de langue anglaise et parce que certains aspects de leurs écrits (jargon obscur, rejet implicite de la pensée rationnelle, abus de la science comme métaphore) sont des

---

d'un livre de Virilio comprend aux intervalles de genre lumière « appliqués » à la géographie.

traits distinctifs du postmodernisme anglo-américain. De toute façon, la validité de nos critiques ne peut en aucun cas dépendre de l'usage d'un mot ; nos arguments doivent être évalués, pour chaque auteur, indépendamment de son lien — qu'il soit conceptuel ou simplement sociologique — avec le courant « postmoderne ».

9. *Pourquoi critiquez-vous ces auteurs-là et pas d'autres ?* Un longue liste « d'autres auteurs » nous a été suggérée, à la fois par écrit et en privé : celle-ci comprend pratiquement toutes les applications des mathématiques aux sciences humaines (par exemple en économie), les spéculations de physiciens tels que Penrose ou Hawking dans leurs livres destinés au grand public, la sociobiologie, les sciences cognitives, la théorie de l'information, l'interprétation de Copenhague de la mécanique quantique, ainsi que l'emploi de formules et de concepts mathématiques par Hume, La Mettrie, D'Holbach, Helvetius, Condillac, Comte, Durkheim, Pareto, Engels et quelques autres[17].

Pour commencer, il faut remarquer que cette question est sans pertinence aucune en ce qui concerne la validité de nos arguments ; au mieux, elle peut être utilisée pour mettre en cause nos intentions. Supposons qu'il existe d'autres abus aussi graves que ceux de Lacan ou de Deleuze ; en quoi cela pourrait-il justifier ces derniers ?

Néanmoins, comme la question des bases sur lesquelles s'est opérée notre « sélection » est si souvent soulevée, répondons-y brièvement. Tout d'abord, nous n'avons aucun désir d'écrire un ouvrage en dix volumes sur « les bêtises proférées depuis Platon » et nous ne sommes nullement compétents pour le faire. Nous nous limitons aux abus dans les domaines scientifiques dans lesquels nous pouvons prétendre avoir une certaine compétence, à savoir les mathématiques

---

17. Voir, par exemple, Lévy-Leblond (1998) et Fuller (1998).

et la physique[18] ; aux abus qui sont actuellement à la mode dans des cercles intellectuels influents ; et finalement aux abus qui n'ont pas déjà été analysés en détail. Néanmoins, même à l'intérieur de ces contraintes, nous ne prétendons pas que notre travail soit exhaustif ni que l'ensemble des textes visés forme une « espèce naturelle ». Tout simplement, Sokal est tombé sur la plupart de ces textes en préparant sa parodie et nous avons décidé, après pas mal d'hésitations, de les rendre publics.

De plus, nous maintenons qu'il y a une grande différence entre les textes analysés ici et la plupart des autres exemples qui nous ont été suggérés. Les auteurs cités dans ce livre n'ont visiblement qu'une idée très vague des concepts scientifiques qu'ils invoquent et, ce qui est plus important, ils ne donnent aucun argument pour justifier la pertinence de ces concepts pour les sujets qu'ils prétendent étudier. Il ne s'agit pas simplement d'erreurs de raisonnement, mais plutôt de jeter de la poudre aux yeux des lecteurs. Par conséquent, bien qu'il soit très important d'évaluer de façon critique l'usage des mathématiques dans les sciences sociales ainsi que les assertions philosophiques et spéculatives faites par les praticiens des sciences exactes, ces projets sont très différents du nôtre, et bien plus subtils[19].

---

18. Il serait intéressant d'entreprendre un travail analogue sur les abus de la biologie, de l'informatique ou de la linguistique, mais nous laissons cette tâche à des personnes plus qualifiées que nous.

19. Mentionnons au passage deux exemples de ce deuxième type de critique, faite par l'un d'entre nous : une analyse détaillée des livres de vulgarisation de Prigogine et Stengers sur le chaos, l'irréversibilité et la flèche du temps (Bricmont 1995a) ainsi qu'une critique de l'interprétation de Copenhague de la mécanique quantique (Bricmont 1995b). À notre avis, Prigogine et Stengers donnent au grand public une image déformée des sujets qu'ils traitent, mais leurs abus ne sont pas comparables à ceux analysés dans ce livre. Et les problèmes de l'interprétation de Copenhague sont encore bien plus délicats.

Pour finir, une question similaire :

10. *Pourquoi écrire un livre sur ce sujet et pas sur des questions plus importantes ? Le postmodernisme est-il un tel danger pour la civilisation ?* Tout d'abord, remarquons que la question est bizarre. Supposons qu'un historien trouve des documents intéressants concernant Napoléon et écrive un livre à ce sujet. Lui demanderait-on si la deuxième guerre mondiale ne serait pas un sujet plus important ? Sa réponse, ainsi que la nôtre, serait qu'un auteur aborde un sujet en fonction de deux critères : qu'il soit compétent pour en parler et qu'il ait quelque chose d'original à dire là-dessus. Ce sujet ne sera pas, sauf s'il est particulièrement chanceux, le problème le plus important dans le monde.

Bien sûr, nous ne pensons pas que le postmodernisme soit un danger majeur pour la civilisation. Vu d'un point de vue global, c'est un phénomène plutôt marginal, et il existe des formes d'irrationalisme bien plus dangereuses — le fondamentalisme religieux, par exemple. Nous pensons néanmoins qu'une critique du postmodernisme peut être utile pour des raisons intellectuelles, pédagogiques, culturelles et politiques ; nous reviendrons sur ce thème dans l'épilogue.

Finalement, pour éviter des polémiques et des réfutations faciles, insistons sur le fait que ceci n'est pas un pamphlet de droite contre des intellectuels de gauche, ou une attaque provinciale contre l'intelligentsia parisienne, ou encore un simple appel poujadiste au « bon sens ». Au contraire, la rigueur scientifique s'oppose souvent au « bon sens » ; l'obscurantisme, la confusion mentale et les attitudes antiscientifiques ne sont nullement de gauche, pas plus que la vénération quasi-religieuse pour les « grands intellectuels » ; et l'engouement d'une partie de l'intelligentsia américaine pour le « post modernisme » montre que le phénomène est international. Soulignons en particulier qu'il ne s'agit nullement ici de « ce nationalisme et ce protectionnisme théoriques » que Didier Éribon croit détecter dans l'œuvre de certains critiques américains[20]. Nous voulons, tout simplement, dénoncer l'imposture intellectuelle, d'où qu'elle vienne. Si, aux États-Unis, une partie importante du « discours » postmoderne est d'inspiration française, il est également vrai que les intellectuels américains lui ont depuis longtemps donné un accent autochtone.

Plan de l'ouvrage

Nous procéderons à une analyse de texte, auteur par auteur. Pour la commodité des lecteurs non spécialistes, nous avons fourni de brèves explications des concepts scientifiques au moyen de notes de bas de page et donné des références à de bons ouvrages de vulgarisation.

Certains penseront sans doute que nous prenons ces textes trop au sérieux. C'est vrai, dans un certain sens. Mais comme ils *sont* pris au sérieux par un grand nombre de gens, nous pensons qu'il faut les analyser avec la plus grande rigueur. Dans plusieurs cas, nous citerons des extraits plutôt longs, au risque d'ennuyer le lecteur, afin de le convaincre que nous n'en avons pas déformé le sens en prenant des phrases hors de leur contexte.

En dehors des impostures au sens strict, nous avons également analysé certaines confusions scientifiques et philosophiques qui sous-tendent le discours postmoderne. Tout d'abord, nous envisagerons le problème du relativisme cognitif ; nous montrerons qu'une série d'idées provenant de l'histoire et de la philosophie des sciences n'impliquent nullement les conséquences radicales qui leur sont souvent attribuées (chapitre 3).

---

20. Éribon (1994, p. 70).

Ensuite, nous aborderons certains malentendus à propos de la théorie du chaos et de la soi-disant « science postmoderne » (chapitre 6). Nous jetterons finalement un coup d'œil sur un épisode de l'histoire des rapports entre science et philosophie, à savoir les confusions à propos de la théorie de la relativité chez Bergson, Merleau-Ponty et d'autres, épisode qui illustre bien les dangers d'une démarche intellectuelle présentant certaines affinités avec le postmodernisme (chapitre 11). Dans l'épilogue, nous situerons notre critique dans un cadre culturel plus large.

Plusieurs des textes cités ici (même ceux d'auteurs français) sont parus originellement en anglais. Lorsqu'il existe une traduction française publiée, nous l'avons utilisée dans la plupart des cas ; elle sera mentionnée dans la bibliographie. Dans les autres cas, la traduction est la nôtre ; nous nous sommes efforcés de rester le plus fidèles possible au texte original et, dans les cas douteux, nous avons reproduit celui-ci entre crochets. Nous assurons au lecteur que si l'extrait semble incompréhensible en français, c'est parce que l'original l'est également.

1

JACQUES LACAN

> Il suffit, à cette fin, de reconnaître que
> Lacan confère enfin à la pensée de Freud,
> les concepts scientifiques qu'elle exige.
>
> Louis Althusser,
> *Écrits sur la psychanalyse* (1993, p. 50)

> Lacan est, comme il le dit lui-même, un
> auteur cristallin.
>
> Jean-Claude Milner,
> *L'Œuvre claire* (1995, p. 7)

Jacques Lacan fut l'un des psychanalystes les plus
célèbres et les plus influents de notre siècle. Chaque
année, des dizaines de livres et d'articles sont
consacrés à l'analyse de son œuvre. Selon ses disciples, il a rénové la théorie et la pratique psychanalyti-
ques ; selon ses détracteurs, c'est un charlatan et ses
écrits sont du pur verbiage. Nous n'entrerons pas dans
le débat sur la partie proprement psychanalytique de
ses travaux. Nous nous contenterons d'analyser certaines de ses nombreuses références aux mathématiques, afin de montrer que Lacan illustre parfaitement,
dans différentes parties de son œuvre, les abus énu-
mérés dans notre introduction.

La « topologie psychanalytique »

L'intérêt de Lacan pour les mathématiques s'est centré surtout sur la topologie, branche qui concerne les propriétés des surfaces[21] qui restent inchangées lorsqu'on déforme celles-ci sans les déchirer[22]. Dans les écrits de Lacan, on trouve déjà dans les années 50 quelques références à la topologie ; mais l'une des premières discussions développées (et publiquement disponibles) remonte à un congrès célèbre sur *Les Langages critiques et les sciences de l'homme*, qui s'est tenu à l'université Johns Hopkins (États-Unis) en 1966. En voici un extrait :

> Ce diagramme [le ruban de Möbius[23]] peut être considéré comme la base d'une sorte d'inscription essentielle à l'origine, dans le nœud qui constitue le sujet. Ceci va bien plus loin que vous ne pourriez le penser à première vue, car vous pouvez chercher le type de surface capable de recevoir de telles inscriptions. Vous verrez peut-être que la sphère, ce vieux symbole de la totalité, n'est pas approprié. Un tore, une bouteille de Klein, une surface cross-cut[24], sont capables de recevoir une telle coupure. Et cette diversité est très importante car elle explique beaucoup de choses sur la structure de la maladie men-

---

21. Et, plus généralement, des objets mathématiques appelés « variétés ».

22. Selon la plaisanterie classique, un topologiste ne sait pas distinguer un anneau d'une tasse, les deux étant des objets solides avec un seul orifice à travers lequel on peut passer son doigt.

23. Un ruban de Möbius peut être construit en prenant une bande rectangulaire de papier dont on fait tourner de 180 degrés un des petits côtés qu'on recolle ensuite sur l'autre petit côté. On produit ainsi une surface à une seule face, que l'on peut parcourir entièrement de façon continue, et où l'on ne peut distinguer ni dessus, ni dessous.

24. Un exemple de tore est donné par la surface extérieure d'un pneu. Une bouteille de Klein est un peu comme un ruban de Möbius, mais sans bord ; elle ne peut être représentée que dans un espace géométrique de dimension plus élevée (au moins égale à quatre). Le cross-cap (appelé « cross-cut » par Lacan, ce qui est probablement dû à une erreur de transcription) est un autre type de surface.

tale. Si l'on peut symboliser le sujet par cette coupure fondamentale, de la même façon on peut montrer qu'une coupure sur un tore correspond au sujet neurotique, et sur une surface cross-cut à une autre sorte de maladie mentale. (Lacan 1970, p. 192-193)

Le lecteur n'arrivera probablement pas à comprendre ce que ces différents objets topologiques ont à voir avec la structure des maladies mentales. Nous non plus ; et la suite du texte de Lacan ne clarifie nullement cette question. Pourtant, Lacan insiste : cela « explique beaucoup de choses ». Dans la discussion qui suivit son exposé, on peut lire le dialogue suivant :

HARRY WOOLF : Puis-je demander si cette arithmétique fondamentale et cette topologie ne sont pas elles-mêmes un mythe ou au mieux une analogie pour expliquer la vie de l'esprit ?

JACQUES LACAN : Analogie à quoi ? « S » désigne quelque chose qui peut être écrit exactement comme cet S. Et j'ai dit que le « S » qui désigne le sujet est instrument, matière, pour symboliser une perte [*loss*]. Une perte dont vous avez l'expérience comme sujet (et moi aussi). En d'autres termes, cette béance [*gap*] entre une chose qui a des significations marquées et cette autre chose qui est mon discours réel que j'essaie de mettre à la place où vous êtes, vous non comme autres sujets, mais comme personnes qui êtes capables de me comprendre. Où est l'analogue [*analogon*] ? Ou bien cette perte existe ou bien elle n'existe pas. Si elle existe, il est seulement possible de désigner cette perte par un système de symboles. En tout cas, la perte n'existe pas avant que cette symbolisation n'indique sa place. Ce n'est pas une analogie. C'est vraiment dans une partie des réalités, cette sorte de tore. Ce tore existe vraiment et il est exactement la structure du névrosé. Ce n'est pas un analogue ; ce n'est pas même une abstraction, car une abstraction est une sorte de diminution de la réalité, et je pense que c'est la réalité elle-même. (Lacan 1970, p. 195-196, italiques dans l'original)

De nouveau, Lacan ne fournit aucun argument pour soutenir son affirmation péremptoire selon laquelle le tore est « exactement la structure du névrosé ». De plus, quand on lui pose explicitement la question, il nie qu'il s'agisse seulement d'une analogie !

Dans les années qui suivirent, Lacan devint de plus en plus friand de topologie. Un texte remontant à 1972 commence en jouant sur l'étymologie :

> Dans cet espace de la jouissance, prendre quelque chose de borné, fermé, c'est un lieu, et en parler, c'est une topologie. (Lacan 1975a, p. 14)

Dans cette phrase Lacan utilise quatre termes mathématiques (« espace », « borné », « fermé », « topologie ») mais sans tenir compte de leur *signification* ; cette phrase ne veut rien dire d'un point de vue mathématique. Par ailleurs, Lacan n'explique nullement la pertinence de ces concepts mathématiques pour la psychanalyse. Même si le concept de « jouissance » avait une signification claire et précise, Lacan ne donne aucune raison permettant de considérer la jouissance comme un « espace » dans le sens technique de ce mot en topologie. Pourtant, il poursuit :

> Dans un écrit que vous verrez paraître en pointe de mon discours de l'année dernière, je crois démontrer la stricte équivalence de topologie et structure [25].

---

25. Selon Roustang (1986, p. 91), la référence au « discours de l'année dernière » est à Lacan (1973). Nous avons donc relu cet article et cherché la « démonstration » promise de « la stricte équivalence de topologie et structure » (à supposer que cela ait un sens). Cet article contient de longues méditations (franchement fantasques) où se mêlent topologie, logique, psychanalyse, philosophie grecque et presque tout autre sujet auquel on peut songer — nous en citerons un bref extrait ci-dessous, p. 70-72 — mais à propos de l'équivalence supposée entre topologie et « structure », on trouve seulement le passage suivant :

> La topologie n'est pas « faite pour nous guider » dans la structure. Cette structure, elle l'est — comme rétroaction de l'ordre de chaîne dont consiste le langage.

Si nous nous guidons là-dessus, ce qui distingue l'ano-
nymat de ce dont on parle comme jouissance, à savoir ce
qu'ordonne le droit, c'est une géométrie. Une géométrie,
c'est l'hétérogénéité du lieu, à savoir qu'il y a un lieu de
l'Autre [26]. De ce lieu de l'Autre, d'un sexe comme Autre,
comme Autre absolu, que nous permet d'avancer le plus
récent développement de la topologie ?

J'avancerai ici le terme de compacité [27]. Rien de plus

La structure, c'est l'asphérique recelé dans l'articulation
langagière en tant qu'un effet de sujet s'en saisit.

Il est clair que, quant à la signification, ce « s'en saisit » de
la sous-phrase, pseudo-modale, se répercute de l'objet même
que comme verbe il enveloppe dans son sujet grammatical, et
qu'il y a faux effet de sens, résonance de l'imaginaire induit de
la topologie, selon que l'effet de sujet fait tourbillon d'asphère
ou que le subjectif de cet effet s'en « réfléchit ».

Il y a ici à distinguer l'ambiguïté qui s'inscrit de la signification, soit de la boucle de la coupure, et la suggestion de
trou, c'est-à-dire de structure, qui de cette ambiguïté fait sens.
(Lacan 1973, p. 40)

Si nous laissons de côté les mystifications de Lacan, la relation
entre topologie et structure est facile à comprendre, mais elle
dépend de ce qu'on entend par « structure ». Si on l'entend au
sens large — c'est-à-dire comprenant les structures linguistiques,
sociales, etc., aussi bien que les structures mathématiques —
alors évidemment cette notion ne peut nullement être réduite à
celle purement mathématique de « topologie ». Si, par contre, on
entend « structure » dans son sens strictement mathématique, on
voit aisément que la topologie constitue *un* type de structure,
mais il en existe bien d'autres : structure d'ordre, structure de
groupe, structure d'espace vectoriel, structure de variété, etc.

26. Si ces deux phrases ont un sens, elles n'ont en tout cas rien
à voir avec la géométrie.

27. La compacité est un concept technique important en topologie, mais un peu difficile à expliquer. Disons seulement qu'au
dix-neuvième siècle, les mathématiciens (Cauchy, Weierstrass et
d'autres) ont mis l'analyse mathématique sur des bases solides
en donnant un sens précis au concept de *limite*. Au départ, ces
limites étaient utilisées pour des suites de *nombres réels*. Peu à
peu, on s'est rendu compte qu'il fallait étendre cette notion à
des *espaces de fonctions* (par exemple, pour étudier les équations
différentielles ou intégrales). La topologie est née vers 1900 en
partie de ces études. Or, parmi les *espaces topologiques*, on peut
distinguer les *espaces compacts*, qui sont (nous simplifions un

> compact qu'une faille, s'il est bien clair que, l'intersection de tout ce qui s'y ferme étant admise comme existante sur un nombre infini d'ensembles, il en résulte que l'intersection implique ce nombre infini. C'est la définition même de la compacité. (Lacan 1975a, p. 14)

Pas du tout : bien que Lacan utilise plusieurs mots-clés de la théorie mathématique de la compacité (voir note 27), il les mélange arbitrairement et sans se préoccuper le moins du monde de leur signification. Sa « définition » de la compacité n'est pas simplement fausse : elle est dépourvue de sens. Par ailleurs, ce « plus récent développement de la topologie » remonte aux années 1900-1930.

Il continue ainsi :

> Cette intersection dont je parle est celle que j'ai avancée tout à l'heure comme étant ce qui couvre, ce qui fait obstacle au rapport sexuel supposé.
>
> Seulement supposé, puisque j'énonce que le discours analytique ne se soutient que de l'énoncé qu'il n'y a pas, qu'il est impossible de poser le rapport sexuel. C'est en cela que tient l'avancée du discours analytique, et c'est de par là qu'il détermine ce qu'il en est réellement du statut de tous les autres discours.
>
> Tel est, dénommé, le point qui couvre l'impossibilité

---

peu, en nous limitant aux *espaces métriques*) ceux dans lesquels toute *suite* d'éléments admet une *sous-suite* qui possède une limite. Une autre définition, plus générale mais dont on peut démontrer l'équivalence à la première dans le cas des espaces métriques, dit qu'un espace est compact si toute famille d'ensembles *fermés* dont l'*intersection* est *vide* possède une sous-famille *finie* dont l'intersection est également vide. Une troisième définition, équivalente à la deuxième, dit qu'un espace est compact si tout *recouvrement* par des ensembles *ouverts* possède un *sous-recouvrement* fini. Dans le cas particulier des *sous-ensembles* des *espaces euclidiens* de *dimension finie*, un ensemble est compact si et seulement s'il est *fermé* et *borné*. Soulignons que tous les mots écrits ci-dessus en italiques sont des termes techniques avec des définitions fort précises, qui reposent en général sur une chaîne assez longue d'autres définitions et théorèmes.

du rapport sexuel comme tel. La jouissance, en tant que sexuelle, est phallique, c'est-à-dire qu'elle ne se rapporte pas à l'Autre comme tel.

Suivons là le complément de cette hypothèse de compacité.

Une formule nous est donnée par la topologie que j'ai qualifiée de la plus récente, prenant son départ d'une logique construite sur l'interrogation du nombre, qui conduit à l'instauration d'un lieu qui n'est pas celui d'un espace homogène. Prenons le même espace borné, fermé, supposé institué — l'équivalent de ce que tout à l'heure j'ai avancé de l'intersection s'étendant à l'infini. À le supposer recouvert d'ensembles ouverts, c'est-à-dire excluant leur limite — la limite est ce qui se définit comme plus grand qu'un point, plus petit qu'un autre, mais en aucun cas égal ni au point de départ, ni au point d'arrivée, pour vous l'imager rapidement [28] — il se démontre qu'il est équivalent de dire que l'ensemble de ces espaces ouverts s'offre toujours à un sous-recouvrement d'espaces ouverts, constituant une finitude, à savoir que la suite des éléments constitue une suite finie.

Vous pouvez remarquer que je n'ai pas dit qu'ils sont comptables. Et pourtant, c'est ce que le terme *fini* implique. Finalement, on les compte, un par un. Mais avant d'y arriver, il faudra qu'on y trouve un ordre, et nous devons marquer un temps de supposer que cet ordre soit trouvable [29].

Qu'est-ce qu'implique en tout cas la finitude démontrable des espaces ouverts capables de recouvrir l'espace borné, fermé en l'occasion, de la jouissance sexuelle ? que lesdits espaces peuvent être pris un par

---

28. Dans cette phrase Lacan donne une définition incorrecte d'*ensemble ouvert* et une soi-disant « définition » dépourvue de sens de *limite*. Mais ce sont des points mineurs par rapport à la confusion globale du discours.

29. Ce paragraphe est de la pure pédanterie : évidemment, si l'ensemble est fini, on peut, en principe, le « compter » et l'« ordonner ». Toutes les discussions en mathématiques sur le dénombrable (voir note 42 ci-dessous) ou sur la possibilité d'ordonner les ensembles sont motivées par les ensembles *infinis*.

un — et puisqu'il s'agit de l'autre côté, mettons-les au féminin — une par une.

C'est bien cela qui se produit dans l'espace de la jouissance sexuelle — qui de ce fait s'avère compact. (Lacan 1975a, p. 14-15, italiques dans l'original)

Ce texte illustre parfaitement deux « failles » dans le discours de Lacan. D'une part, tout est fondé — au mieux — sur des analogies entre topologie et psychanalyse qui ne sont justifiées par aucun raisonnement. Mais en fait, même les énoncés mathématiques sont dénués de sens.

Au milieu des années 70, les préoccupations topologiques de Lacan se déplacèrent vers la théorie des nœuds : voir, par exemple, Lacan (1975a, p. 107-123) et surtout Lacan (1975b-e). Pour une histoire détaillée de ses obsessions topologiques, voir Roudinesco (1993, p. 463-496). Ses disciples ont donné des exposés complets de sa *topologie psychanalytique* : voir, par exemple, Granon-Lafont (1985, 1990), Vappereau (1985, 1995), Nasio (1987, 1992), Darmon (1990) et Leupin (1991).

Les nombres imaginaires

L'intérêt de Lacan pour les mathématiques n'est pas du tout marginal dans son œuvre. Déjà dans les années 50, ses écrits étaient remplis de graphes, de formules et de soi-disant « algorithmes ». Parmi les références mathématiques, citons par exemple cet extrait d'un séminaire tenu en 1959 :

Si vous me permettez d'utiliser l'une de ces formules qui me viennent quand j'écris mes notes, la vie humaine pourrait être définie comme un calcul dans lequel le zéro serait irrationnel. Cette formule n'est qu'une image, une métaphore mathématique. Quand je dis « irrationnel », je ne me réfère pas à quelque état émotionnel insondable mais précisément à ce qu'on appelle un nombre imaginaire. La racine carrée de moins un ne correspond à rien qui soit sujet de notre intuition, rien de réel — au sens mathématique du mot — et néanmoins, il doit être conservé, avec toute sa fonction. (Lacan 1977, p. 28-29, séminaire originellement tenu en 1959 [30])

Dans ce passage, Lacan confond les nombres irrationnels et les nombres imaginaires, tout en prétendant être « précis ». Les uns n'ont rien à voir avec les autres [31]. Il faut souligner, aussi, que la signification mathématique des termes « irrationnel » et « imaginaire » est très différente de leurs sens dans le langage ordinaire ou philosophique. Certes, Lacan parle ici prudemment de métaphore, même si l'on voit mal quelle fonction théorique celle-ci (la vie humaine comme « calcul dans lequel le zéro serait irrationnel ») peut bien remplir. Pourtant, l'année suivante il développa encore le rôle psychanalytique des nombres imaginaires :

> Pour nous, nous partirons de ce que le sigle S (Ⱥ) articule, d'être d'abord un signifiant. [...] Or la batterie des signifiants, en tant qu'elle est, étant par là même

---

30. Que nous sachions, ce séminaire n'est publiquement disponible qu'en traduction anglaise. Nous l'avons donc retraduit en français.

Selon Roudinesco (1998, p. 27), des versions dactylographiées existent en français. Toutefois, nous ne pouvons pas être surpris par sa malhonnêteté lorsqu'elle nous reproche d'« affirm[er] à tort que la version française n'existe pas » ; nous avons clairement écrit que ce texte n'est pas *publiquement disponible* en français, ce qui est tout à fait exact. D'ailleurs, elle ne se donne pas la peine de relever une seule erreur dans notre traduction, et encore moins de défendre les propos de Lacan.

31. Un nombre réel est dit « irrationnel » s'il n'est pas rationnel, c'est-à-dire s'il ne peut s'exprimer comme une fraction de deux nombres entiers : par exemple, la racine carrée de deux, ou π. (Évidemment, zéro est un nombre entier, donc forcément *rationnel*.) Les nombres « imaginaires », par contre, sont introduits comme solutions d'équations polynomiales qui n'ont pas de solutions parmi les nombres réels : par exemple $x^2 + 1 = 0$, dont une solution sera notée $i = \sqrt{-1}$ et l'autre $-i$.

complète, ce signifiant ne peut être qu'un trait qui se trace de son cercle sans pouvoir y être compté. Symbolisable par l'inhérence d'un (-1) à l'ensemble des signifiants.

Il est comme tel imprononçable, mais non pas son opération, car elle est ce qui se produit chaque fois qu'un nom propre est prononcé. Son énoncé s'égale à sa signification.

D'où résulte qu'à calculer celle-ci, selon l'algèbre dont nous faisons usage, à savoir :

$$\frac{S \text{ (signifiant)}}{s \text{ (signifié)}} = s \text{ (l'énoncé)},$$

$$\text{avec } S = (-1), \text{ on a} : s = \sqrt{-1}.$$

(Lacan 1971a, p. 181, séminaire originellement tenu en 1960)

Ici Lacan se moque du monde. Même si son « algèbre » avait un sens, manifestement le « signifiant », le « signifié » et l'« énoncé » qui y figurent ne sont pas des nombres, et sa barre horizontale (symbole arbitrairement choisi) ne dénote pas la division de deux nombres. Par conséquent, ses « calculs » sont de la pure fantaisie[32]. Néanmoins, deux pages plus loin, Lacan reprend ce thème :

> Sans doute Claude Lévi-Strauss, commentant Mauss, a-t-il voulu y reconnaître l'effet d'un symbole zéro. Mais c'est plutôt du signifiant du manque de ce symbole zéro qu'il nous paraît s'agir en notre cas. Et c'est pourquoi nous avons indiqué, quitte à encourir quelque disgrâce, jusqu'où nous avons pu pousser de

---

32. Pour une exégèse de l'« algorithme » de Lacan, presque aussi ridicule que l'original, voir Nancy et Lacoue-Labarthe (1990, partie I, chapitre 2).

Après la parution de la première édition de ce livre, Roger Scruton a attiré notre attention sur son essai d'il y a vingt ans, où ce passage est également critiqué (Scruton 1981, p. 196-197).

détournement de l'algorithme mathématique à notre usage : le symbole $\sqrt{-1}$, encore écrit i dans la théorie des nombres complexes, ne se justifie évidemment que de ne prétendre à aucun automatisme dans son emploi subséquent.

[...]

C'est ainsi que l'organe érectile vient à symboliser la place de la jouissance, non pas en tant que lui-même, ni même en tant qu'image, mais en tant que partie manquante à l'image désirée : c'est pourquoi il est égalable au $\sqrt{-1}$ de la signification plus haute produite, de la jouissance qu'il restitue par le coefficient de son énoncé à la fonction de manque de signifiant : (-1). (Lacan 1971a, p. 183-185)

Là, nous reconnaissons qu'il est préoccupant de voir notre organe érectile identifié à $\sqrt{-1}$. Cela nous fait penser à Woody Allen qui, dans *Woody et les robots*, s'oppose à la réprogrammation de son cerveau : « Vous ne pouvez pas toucher à mon cerveau, c'est mon deuxième organe préféré ! »

La logique mathématique

Dans certains textes, Lacan fait moins violence aux mathématiques. Par exemple, dans l'extrait suivant, il mentionne deux problèmes fondamentaux de la philosophie des mathématiques : la nature des objets mathématiques, en particulier les nombres naturels (1, 2, 3, ...), et la validité des raisonnements par « induction mathématique » (si une propriété est vraie pour le nombre 1 et si l'on peut montrer que le fait qu'elle est vraie pour le nombre n implique qu'elle est vraie pour le nombre $n + 1$, alors on peut en déduire que la propriété est vraie pour tous les nombres naturels).

Après quinze ans j'ai appris à mes élèves à compter au plus jusqu'à cinq, ce qui est difficile (quatre est plus facile) et ils ont compris au moins cela. Mais ce soir permettez-moi de rester à deux. Évidemment, ce dont nous nous occupons ici est la question de l'entier, et la question des entiers n'est pas simple, comme, je pense, beaucoup de personnes ici le savent. Il est seulement nécessaire d'avoir, par exemple, un certain nombre d'ensembles et une correspondance un-à-un. Il est vrai par exemple qu'il y a exactement autant de gens assis dans cette salle qu'il y a de chaises. Mais il est nécessaire d'avoir une collection composée d'entiers pour constituer un entier, ou ce qui est appelé un nombre naturel. Il est, bien sûr, en partie naturel mais seulement dans le sens que nous ne comprenons pas pourquoi il existe. Compter n'est pas un fait empirique et il est impossible de déduire l'acte de compter à partir de données empiriques seulement. Hume a essayé mais Frege a démontré parfaitement l'ineptie de la tentative. La vraie difficulté vient de ce que chaque entier est lui-même une unité. Si je prends deux comme unité, les choses sont très agréables, homme et femme par exemple — l'amour plus l'unité ! Mais après un certain temps, c'est fini, après ces deux il n'y a personne, peut-être un enfant, mais c'est un autre niveau et engendrer trois c'est une autre affaire. Quand vous essayez de lire les théories des mathématiciens concernant les nombres vous trouvez la formule « *n* plus 1 » ($n + 1$) comme base de toutes les théories. (Lacan 1970, p. 190-191)

Jusqu'ici, rien de grave : ceux qui connaissent déjà le sujet peuvent reconnaître les vagues allusions aux débats classiques (Hume/Frege, induction mathématique) et les séparer des affirmations plutôt discutables (par exemple, que veut dire « la vraie difficulté vient de ce que chaque entier est lui-même une unité » ?). Mais à partir d'ici, le raisonnement est de plus en plus obscur :

C'est cette question du « un de plus » qui est la clé de la genèse des nombres et au lieu de cette unité unificatrice qui constitue deux dans le premier cas, je propose que vous considériez deux dans la véritable genèse numérique de deux.

Il est nécessaire que ce deux constitue le premier entier qui n'est pas encore né comme nombre avant que le deux n'apparaisse. Vous avez rendu cela possible car le *deux* est là pour donner existence au premier *un* : mettez *deux* à la place de *un* et par conséquent à la place de *deux* vous voyez *trois* apparaître. Ce que nous avons ici est quelque chose que je peux appeler la *marque*. Vous avez déjà quelque chose qui est marqué ou quelque chose qui n'est pas marqué. C'est avec la première marque que nous avons le statut de la chose. C'est exactement de cette façon que Frege explique la genèse du nombre ; la classe qui est caractérisée par aucun élément est la première classe ; vous avez un à la place de zéro et ensuite il est facile de comprendre comment la place du un devient la deuxième place qui fait place pour deux, trois et ainsi de suite [33]. (Lacan 1970, p. 191, italiques dans l'original)

Et c'est à ce moment d'obscurité que Lacan introduit, sans explication, le prétendu lien avec la psychanalyse :

La question du deux est pour nous la question du sujet, et ici nous atteignons un fait de l'expérience psychanalytique, étant donné que le deux ne complète pas le un pour faire deux, mais doit répéter le un pour permettre au un d'exister. Cette première répétition est la seule nécessaire pour expliquer la genèse du nombre et une seule répétition est nécessaire pour constituer le statut du sujet. Le sujet inconscient est quelque chose qui tend à se répéter, mais une seule répétition est nécessaire pour le constituer. Cependant, regardons plus précisément ce qui est nécessaire pour que le second répète le premier afin que nous puissions avoir une

---

33. Cette dernière phrase est peut-être une allusion, plutôt confuse, à un procédé technique utilisé en logique mathématique pour définir en termes d'ensembles les nombres naturels : on identifie 0 avec l'ensemble vide Ø (c'est-à-dire l'ensemble n'ayant aucun élément) ; puis on identifie 1 avec l'ensemble {Ø} (c'est-à-dire l'ensemble ayant Ø comme unique élément) ; puis on identifie 2 avec l'ensemble {Ø, {Ø}} (c'est-à-dire l'ensemble ayant les deux éléments Ø et {Ø}) ; et ainsi de suite.

répétition. On ne peut répondre à cette question trop
vite. Si vous répondez trop vite, vous répondrez qu'il
est nécessaire qu'ils soient les mêmes. Dans ce cas, le
principe du deux serait celui de jumeaux — et pourquoi pas de triplés ou de quintuplés ? De mon temps,
on apprenait aux enfants qu'ils ne devaient pas additionner, par exemple, des microphones et des dictionnaires ; mais c'est absolument absurde, car nous
n'aurions pas d'addition si nous n'étions pas capables
d'additionner des microphones et des dictionnaires ou,
comme le dit Lewis Carroll, des choux et des rois.
L'identité [*sameness*] n'est pas dans les *choses* mais
dans la *marque* qui rend possible l'addition de choses
sans considération pour leurs différences. La marque a
pour effet d'effacer la différence, et c'est la clé de ce
qui arrive au sujet, le sujet inconscient dans la répétition ; parce que vous savez que ce sujet répète quelque
chose de particulièrement significatif, le sujet est ici,
par exemple, dans cette chose obscure que nous appelons dans certains cas trauma ou plaisir exquis.
(Lacan 1970, p. 191-192, italiques dans l'original)

Ensuite, Lacan tente de relier la logique mathématique
à la linguistique :

J'ai seulement considéré le début de la série des
entiers, parce que c'est un point intermédiaire entre le
langage et la réalité. Le langage est constitué par le
même genre de traits unitaires que j'ai utilisé pour
expliquer l'un et l'un de plus. Mais ce trait dans le
langage n'est pas identique au trait unitaire, puisque
dans le langage nous avons une collection de traits différentiels. En d'autres termes, nous pouvons dire que
le langage est constitué par un ensemble de signifiants
— par exemple *ba, ta, pa*, etc., etc. — un ensemble
qui est fini. Chaque signifiant est capable de soutenir
le même processus par rapport au sujet, et il est très
probable que le processus des entiers est seulement un
cas particulier de cette relation entre signifiants. La
définition de cette collection de signifiants est qu'ils
constituent ce que j'appelle l'Autre. La différence
offerte par l'existence du langage est que chaque signi-

fiant (contrairement au trait unitaire du nombre entier)
est, dans la plupart des cas, non identique à lui-même
— précisément parce que nous avons une collection de
signifiants, et dans cette collection un signifiant peut
ou peut ne pas se désigner lui-même. Ceci est bien
connu et est le principe du paradoxe de Russell. Si
vous prenez l'ensemble de tous les éléments qui ne
sont pas membres d'eux-mêmes,

$$x \notin x$$

l'ensemble que vous constituez avec de tels éléments
conduit à un paradoxe qui, comme vous le savez, mène
à une contradiction [34]. En termes simples, cela signifie
seulement que dans un univers de discours rien ne
contient tout [35], et ici vous trouvez de nouveau la béance
qui constitue le sujet. Le sujet est l'introduction d'une
perte dans la réalité, mais rien ne peut introduire cela,
car, par statut, la réalité est aussi pleine que possible. La
notion d'une perte est l'effet produit par l'exemple du
trait qui est ce que, avec l'intervention de la lettre que
vous déterminez, place — disons a_1 a_2 a_3 — et les places
sont des espaces, pour un manque. [The notion of a loss
is the effect afforded by the instance of the trait which is
what, with the intervention of the letter you determine,

---

34. Le paradoxe auquel Lacan fait allusion est dû à Bertrand
Russell (1872-1970). Notons d'abord que la plupart des ensembles
« normaux » ne se contiennent pas eux-mêmes comme élément. Par
exemple, l'ensemble de toutes les chaises n'est pas une chaise,
l'ensemble de tous les nombres naturels n'est pas un nombre naturel, etc. Par contre, l'ensemble de toutes les idées abstraites est une
idée abstraite, etc. Considérons maintenant l'ensemble de tous les
ensembles qui ne se contiennent pas eux-mêmes comme élément.
Se contient-il lui-même ? Si la réponse est oui, alors il ne peut pas
appartenir à l'ensemble de tous les ensembles qui *ne se contiennent
pas* eux-mêmes, et par conséquent la réponse doit être non. Mais
si elle est non, alors il *doit* appartenir à l'ensemble de tous les
ensembles qui ne se contiennent pas eux-mêmes, et donc la réponse
devrait être oui. Pour sortir de ce paradoxe, les logiciens ont remplacé la conception naïve des ensembles par différentes théories
axiomatiques.
35. C'est peut-être une allusion au paradoxe *différent* (mais
relié) dû à Georg Cantor (1845-1918), sur la non-existence de
« l'ensemble de tous les ensembles ».

places — say $a_1\ a_2\ a_3$ — and the places are spaces, for a lack.] (Lacan 1970, p. 193)

Notons, d'abord, qu'à partir du moment où Lacan prétend s'exprimer « en termes simples », tout devient obscur. Mais le plus important, c'est qu'aucun argument n'est donné pour relier ces paradoxes appartenant aux fondements de la mathématique et « la béance qui constitue le sujet » en psychanalyse. Peut-on suggérer qu'il s'agit plutôt d'impressionner l'auditoire avec une érudition superficielle ?

En résumé, ce texte illustre parfaitement les abus 2 et 3 de notre liste : Lacan exhibe devant des non-experts ses connaissances en logique mathématique ; mais son exposé n'est ni original ni pédagogique du point de vue mathématique, et le lien avec la psychanalyse n'est étayé par aucun raisonnement[36].

Dans d'autres textes, même le contenu prétendument « mathématique » n'a aucun sens. Par exemple, dans un article écrit en 1972, Lacan énonce sa célèbre maxime — « il n'y a pas de rapport sexuel » — et traduit cette vérité évidente dans ses fameuses « formules de la sexuation » :

> Tout peut être maintenu à se développer autour de ce que j'avance de la corrélation logique de deux formules qui, à s'inscrire mathématiquement $\forall\, x \cdot \Phi x$, et $\exists\, x \cdot \Phi x$, s'énoncent[37] :
> la première, pour tout x, Φx est satisfait, ce qui peut se traduire d'un V notant valeur de vérité. Ceci, traduit dans le discours analytique dont c'est la pratique de faire sens, « veut dire » que tout sujet en tant que tel,

---

36. Voir par exemple Miller (1977/78) et Ragland-Sullivan (1990) pour des commentaires révérencieux sur la logique mathématique de Lacan.

37. En logique mathématique, le symbole $\forall x$ veut dire « pour tout x », et le symbole $\exists x$ veut dire « il existe au moins un x tel que » ; ils sont appelés, respectivement, le « quantificateur universel » et le « quantificateur existentiel ». Plus loin Lacan écrit Ax et Ex pour désigner les mêmes concepts.

puisque c'est là l'enjeu de ce discours, s'inscrit dans la fonction phallique pour parer à l'absence du rapport sexuel (la pratique de faire sens, c'est justement de se référer à cet ab-sens) ;

la seconde, il y a par exception le cas, familier en mathématique (l'argument $x = 0$ dans la fonction exponentielle $1/x$), le cas où il existe un x pour lequel Φx, la fonction, n'est pas satisfaite, c'est-à-dire ne fonctionnant pas, est exclue de fait.

C'est précisément d'où je conjugue le tous de l'universelle, plus modifié qu'on ne s'imagine dans le *pourtout* du quanteur, à l'*il existe un* que le quantique lui apparie, sa différence étant patente avec ce qu'implique la proposition qu'Aristote dit particulière. Je les conjugue de ce que l'*il existe un* en question, à faire limite au *pourtout*, est ce qui l'affirme ou le confirme (ce qu'un proverbe objecte déjà au contradictoire d'Aristote).

[...]

Que j'énonce l'existence d'un sujet à la poser d'un dire que non à la fonction propositionnelle Φx, implique qu'elle s'inscrive d'un quanteur dont cette fonction se trouve coupée de ce qu'elle n'ait en ce point aucune valeur qu'on puisse noter de vérité, ce qui veut dire d'erreur pas plus, le faux seulement à entendre *falsus* comme du chu, ce où j'ai déjà mis l'accent.

En logique classique, qu'on y pense, le faux ne s'aperçoit pas qu'à être de la vérité l'envers, il la désigne aussi bien.

Il est donc juste d'écrire comme je le fais : $\mathrm{E}x \cdot \overline{\Phi x}$.

[...]

De deux modes dépend que le sujet ici se propose d'être dit femme. Les voici :

$$\mathrm{E}x \cdot \overline{\Phi x} \text{ et } \mathrm{A}x \cdot \overline{\Phi x}.$$

Leur inscription n'est pas d'usage en mathématique [38]. Nier, comme la barre mise au-dessus du quan-

---

38. C'est exact. La barre $\overline{}$ indique la négation (« il est faux que ») et par conséquent ne s'applique qu'aux propositions complètes et non à des quantificateurs ($\mathrm{E}x$ ou $\mathrm{A}x$) isolés. On pourrait supposer qu'ici Lacan veuille dire $\mathrm{E}x \cdot \overline{\Phi x}$ et $\mathrm{A}x \cdot \overline{\Phi x}$ — qui

teur le marque, nier qu'*existe un* ne se fait pas, et moins
encore que *pourtout* se pourpastoute.

C'est là pourtant que se livre le sens du dire, de ce
que, s'y conjuguant le *nyania* qui bruit des sexes en
compagnie, il supplée à ce qu'entre eux, de rapport
nyait pas.

Ce qui est à prendre non pas dans le sens qui, de
réduire nos quanteurs à leur lecture selon Aristote, éga-
lerait le *nexistun* au *nulnest* de son universelle négative, ferait revenir le μή πάντες, le *pastout* (qu'il a
pourtant su formuler), à témoigner de l'existence d'un
sujet à dire que non à la fonction phallique, ce à le
supposer de la contrariété dite de deux particulières.

Ce n'est pas là le sens du dire, qui s'inscrit de ces
quanteurs.

Il est : que pour s'introduire comme moitié à dire
des femmes, le sujet se détermine de ce que, n'existant
pas de suspens à la fonction phallique, tout puisse ici
s'en dire, même à provenir du sans raison. Mais c'est
un tout d'hors univers, lequel se lit tout de go du
second quanteur comme *pastout*.

Le sujet dans la moitié où il se détermine des quanteurs niés, c'est de ce que rien d'existant ne fasse limite
de la fonction, que ne saurait s'en assurer quoi que ce
soit d'un univers. Ainsi à se fonder de cette moitié,
« elles » ne sont *pastoutes*, avec pour suite et du même
fait, qu'aucune non plus n'est toute. (Lacan 1973,
p. 14-15, 22, italiques dans l'original)

Parmi les autres exemples de mots savants jetés à la
tête du lecteur, citons dans Lacan (1971b) : *réunion*
(en logique mathématique) (p. 206), *théorème de
Stokes* (un cas où Lacan est particulièrement sans vergogne) (p. 213). Dans Lacan (1975a) : *Bourbaki* (p. 30-
31, 46), *quark* (p. 37), *Copernic et Kepler* (p. 41-43),

---

d'ailleurs seraient logiquement équivalentes aux propositions de
départ Ax · Φx et Ex · $\overline{\Phi x}$ — mais il laisse entendre que cette
réécriture banale n'est pas du tout son intention. Chacun est libre
d'introduire une nouvelle notation, mais à charge d'en expliquer la
signification.

inertie, lois de groupe, formalisation mathématique
(p. 118). Dans Lacan (1975c) : *gravitation* (« inconscient de la particule » !) (p. 100). Et dans Lacan
(1978) : *théorie du champ unifié* (p. 280).

Conclusion

Comment évaluer les mathématiques lacaniennes ?
Différents commentateurs sont en désaccord à propos
des intentions de Lacan : dans quelle mesure cherchait-
il à « mathématiser » la psychanalyse ? Nous n'apporterons aucune réponse à cette question qui, en fin de
compte, n'a pas beaucoup d'importance, car les mathématiques de Lacan sont si fantaisistes qu'elles ne peuvent jouer aucun rôle fécond dans une analyse
psychologique sérieuse.

Certes, Lacan possède une vague idée des mathématiques dont il parle (mais pas beaucoup plus). Ce n'est
pas chez lui qu'un étudiant va apprendre ce qu'est un
nombre naturel ou un ensemble compact, mais ses
affirmations, quand elles sont compréhensibles, ne sont
pas toujours fausses. Néanmoins, il se rattrape, si l'on
peut dire, surtout sur le deuxième type d'abus mentionné dans notre introduction : ses analogies entre
psychanalyse et mathématiques sont les plus arbitraires
qu'on puisse imaginer, et il n'en donne (ni ici, ni ailleurs dans son œuvre) absolument aucune justification
empirique ou conceptuelle. Finalement, pour ce qui est
de faire étalage d'une érudition superficielle et de
manipuler des phrases dénuées de sens, nous pensons
que les textes ci-dessus sont suffisamment éloquents.

Pour conclure, faisons quelques remarques générales
sur l'œuvre de Lacan, tout en soulignant que ces
remarques vont bien au-delà de ce que nous prétendons
avoir démontré dans ce chapitre et que nous les considérons comme des conjectures plausibles qui mériteraient une analyse plus approfondie.

L'aspect le plus frappant de Lacan et de ses disciples est sans doute leur attitude envers la science, privilégiant, à un point difficile à imaginer, la « théorie » (c'est-à-dire en fait le formalisme et les jeux de langage) au détriment de l'observation et de l'expérience. Après tout, la psychanalyse, en supposant qu'elle ait une base scientifique, est une science relativement jeune. Avant de se lancer dans de grandes généralisations théoriques, il serait peut-être prudent de vérifier l'adéquation empirique d'au moins certaines de ses propositions. Or, dans les écrits de Lacan, on trouve principalement des citations et des analyses de textes et de concepts.

Face à ces critiques, les défenseurs de Lacan (et des autres auteurs discutés ici) ont tendance à se replier sur une stratégie que nous qualifierons de ni/ni : ces écrits ne doivent être évalués ni comme discours scientifique, ni comme raisonnement philosophique, ni comme œuvre poétique, ni... On se trouve alors en face de ce qu'on pourrait appeler un « mysticisme laïc » : mysticisme, parce que le discours cherche à produire des effets mentaux qui ne sont pas purement esthétiques, tout en ne s'adressant nullement à la raison ; laïc parce que les références culturelles (Kant, Hegel, Marx, Freud, mathématiques, littérature contemporaine...) n'ont rien à voir avec les religions traditionnelles et permettent d'attirer le lecteur moderne. Par ailleurs, les écrits de Lacan deviennent, avec le temps, de plus en plus cryptiques — caractéristique commune à beaucoup de textes sacrés — en combinant les jeux de mots et la syntaxe fracturée ; et ils servent de base à l'exégèse révérencieuse de ses disciples. On peut alors légitimement se demander si l'on n'a pas quand même affaire à une nouvelle religion.

2

JULIA KRISTEVA

> Julia Kristeva change la place des choses : elle détruit toujours le dernier préjugé, celui dont on croyait pouvoir se rassurer et s'enorgueillir ; ce qu'elle déplace, c'est le déjà-dit, c'est-à-dire l'insistance du signifié, c'est-à-dire la bêtise ; ce qu'elle subvertit, c'est l'autorité, celle de la science monologique, de la filiation. Son travail est entièrement neuf, exact [...].
>
> Roland Barthes (1970, p. 19,
> à propos de *Séméiotiké :
> Recherches pour une sémanalyse*)

L'œuvre de Julia Kristeva touche à un grand nombre de domaines, allant de la critique littéraire à la psychanalyse et la philosophie politique. Ses premiers travaux, dont nous analyserons ici quelques extraits, portent sur la linguistique et la sémiotique. Il s'agit de textes relativement anciens, qu'on ne peut pas qualifier de poststructuralistes. Il faudrait plutôt les ranger parmi les pires excès du structuralisme. L'objectif de Kristeva est de construire une théorie formelle du langage poétique. Cet objectif est cependant ambigu parce que, d'une part, elle dit que le langage poétique est « un système formel dont la théorisation peut relever de la théorie [mathématique] des ensembles », d'autre part elle note en bas de page que ce « n'est que métaphorique ».

Métaphore ou pas, cette entreprise se heurte à un sérieux problème : quelle relation existe-t-il entre le langage poétique et la théorie mathématique des ensembles ? Kristeva ne donne aucune réponse claire à cette question essentielle. Elle invoque des notions techniques se rapportant à des ensembles infinis dont on voit mal la relation avec le langage poétique, d'autant moins qu'aucun argument n'est donné. D'ailleurs, sa présentation des mathématiques comporte de grossières erreurs, par exemple sur le théorème de Gödel. Soulignons que Kristeva a abandonné cette approche depuis longtemps ; néanmoins, sa démarche était trop typique de ce que nous critiquons pour que nous la passions sous silence.

Les extraits ci-dessous sont tirés principalement du livre *Séméiotiké : Recherches pour une sémanalyse* (1969)[39]. Un des interprètes de Kristeva écrit à propos de ce travail :

> Ce qui est le plus frappant à propos du travail de Kristeva [...] est la compétence avec laquelle il est présenté, l'intense unité d'intention avec lequel il est poursuivi, et finalement, sa rigueur subtile. Aucune ressource n'est épargnée : les théories existantes en logique sont invoquées et, à un moment, même la mécanique quantique [...]. (Lechte 1990, p. 109)

---

39. Une commentatrice de Kristeva, Toril Moi, explique le contexte :

> En 1966 Paris fut témoin non seulement de la publication des *Écrits* de Lacan et de *Les Mots et les choses* de Michel Foucault, mais aussi de l'arrivée d'une jeune linguiste venue de Bulgarie. Âgée de 25 ans, Julia Kristeva [...] s'empara rapidement de la Rive Gauche. [...] Les recherches linguistiques de Kristeva menèrent bientôt à la publication de deux livres importants, *Le Texte du roman* et *Séméiotiké*, et culminèrent avec la publication en 1974 de son énorme thèse de doctorat, *La Révolution du langage poétique*. Cette production théorique lui valut une chaire en linguistique à l'université de Paris VII. (Moi 1986, p. 1)

Voyons donc quelques exemples de cette compétence et de cette rigueur[40] :

> [...] la démarche scientifique est une démarche logique fondée sur la phrase grecque (indo-européenne) qui se construit comme sujet-prédicat et qui procède par identification, détermination, causalité[41]. La logique moderne de Frege et Peano, jusqu'à Lukasiewicz, Ackermann ou Church, qui évolue dans les dimensions 0-1, et même celle de Boole qui, partie de la théorie des ensembles, donne des formalisations plus isomorphes au fonctionnement du langage, sont inopérantes dans la sphère du langage poétique où le 1 n'est pas une limite.
>
> On ne saurait donc formaliser le langage poétique avec les procédés logiques (scientifiques) existants sans le dénaturer. Une sémiotique littéraire est à faire à partir d'une *logique poétique*, dans laquelle le concept de *puissance du continu*[42] engloberait l'inter-

40. Après la parution de la première édition de ce livre, Paul Murphy a attiré notre attention sur les articles de Roubaud et Lusson (1969) et Lusson et Roubaud (1970), où l'usage des mathématiques dans *Séméiotiké* est également critiqué. Voir aussi Murphy (1980).

41. Cette assertion semble faire implicitement appel à la thèse dite « de Sapir-Whorf » en linguistique, c'est-à-dire, *grosso modo*, à l'idée que notre langage conditionne radicalement notre vision du monde. Cette thèse est aujourd'hui très critiquée par certains linguistes : voir, par exemple, Pinker (1995, p. 57-67).

42. La « puissance du continu » est un concept de la théorie mathématique des ensembles infinis, développée par Georg Cantor et d'autres mathématiciens à partir des années 1870. Il existe des ensembles infinis de différentes « tailles ». Pour commencer, il y a l'infini dit « dénombrable », par exemple, l'ensemble des nombres entiers positifs : 1, 2, 3,... Tous les ensembles tels qu'on puisse mettre leurs éléments en correspondance « un-à-un » avec les nombres entiers sont eux aussi dénombrables. En revanche, Georg Cantor a démontré en 1873 qu'il *n'existe pas* de correspondance « un-à-un » entre les nombres entiers et les nombres réels. Donc ceux-ci sont « plus nombreux » que les entiers. On dit que les nombres réels ont la « cardinalité (ou puissance) du continu », ainsi que tous les ensembles qui peuvent être mis en correspondance un-à-un avec eux. Remarquons qu'on peut établir (ce qui est peut-être surprenant à première vue) une correspondance un-à-un entre les nombres réels et les nombres réels compris dans un intervalle : par

valle de 0 à 2, un continu où le 0 dénote et le 1 est implicitement transgressé. (Kristeva 1969, p. 150-151, italiques dans l'original)

Dans ce passage, Kristeva énonce une vérité et commet deux erreurs. La vérité est que les phrases poétiques ne peuvent pas en général être évaluées selon les critères vrai/faux. Or, en logique mathématique, on emploie les symboles 0 et 1 pour désigner « faux » et « vrai » ; c'est en ce sens que la logique de Boole utilise l'ensemble $\{0, 1\}$. Évidemment, cette allusion à la logique mathématique est correcte mais n'ajoute rien à l'observation initiale. Cependant, dans la suite, Kristeva semble confondre l'*ensemble* $\{0, 1\}$, qui est constitué par les deux éléments 0 et 1, avec l'*intervalle* $[0, 1]$, qui est constitué par tous les nombres réels compris entre 0 et 1. Ce dernier, contrairement au premier, est un ensemble *infini* qui, de plus, a la puissance du continu (voir note 42). Par ailleurs, Kristeva attache une grande importance au fait d'avoir un ensemble (l'intervalle de 0 à 2) qui « transgresse » le 1, mais du point de vue qu'elle prétend adopter — celui de la cardinalité (ou puissance) des ensembles — il n'y a aucune différence entre l'intervalle $[0, 1]$ et l'intervalle $[0, 2]$: tous deux ont la puissance du continu.

Dans la suite du texte, ces deux erreurs deviennent plus manifestes :

Dans cette « puissance du continu » du zéro au double spécifiquement poétique, on s'aperçoit que « l'interdit » (linguistique, psychique, social), c'est le 1 (Dieu, la loi, la définition), et que la seule pratique linguistique qui « échappe » à cet interdit, c'est le discours poétique. Ce n'est pas par hasard que les insuffisances de la logique aristotélicienne dans son

_____

exemple ceux supérieurs à zéro et inférieurs à un, ou encore ceux supérieurs à zéro et inférieurs à deux, etc. Plus généralement, chaque ensemble infini peut être mis en correspondance un-à-un avec certains de ses sous-ensembles.

application au langage ont été signalées : d'une part par le philosophe chinois Chang Tung-sun qui venait d'un autre horizon linguistique (celui des idéogrammes) où à la place de Dieu on voit se déployer le « dialogue » Yin-Yang, d'autre part par Bakhtine qui tentait de dépasser les formalistes par une théorisation dynamique faite dans une société révolutionnaire. Pour lui, le discours narratif, qu'il assimile au discours épique, est un interdit, un « *monologisme* », une subordination du code au 1, à Dieu. Par conséquent, l'épique est religieux, théologique, et tout récit « réaliste » obéissant à la logique 0-1 est dogmatique. Le roman réaliste que Bakhtine appelle monologique (Tolstoï) tend à évoluer dans cet espace. La description réaliste, la définition d'un « caractère », la création d'un « personnage », le développement d'un « sujet » : tous ces éléments du récit narratif descriptifs appartiennent à l'intervalle 0-1, donc sont *monologiques*. Le seul discours dans lequel la logique poétique 0-2 se réalise intégralement serait celui du carnaval : il transgresse les règles du code linguistique, de même que celle de la morale sociale, en adoptant une logique de rêve.

[...] Une nouvelle approche des textes poétiques se dessine à partir de ce terme [*dialogisme*] que la sémiotique littéraire peut adopter. La logique que « le dialogisme » implique est à la fois : [...] 3) Une logique du « *transfini* [43] », concept que nous empruntons à Cantor, et qui introduit à partir de la « puissance du continu » du langage poétique (0-2) un second principe de formation, à savoir : une séquence poétique est « immédiatement supérieure » (non déduite causalement) à toutes les séquences précédentes de la suite aristotélicienne (scientifique, monologique, narrative). Alors, l'espace ambivalent du roman se présente comme ordonné par deux principes de formation : le monologique (chaque séquence suivante est déterminée par la précédente) et le dialogique (séquences transfinies

43. En mathématiques, le mot « transfini » est plus ou moins synonyme de « infini », utilisé le plus souvent pour caractériser un « nombre cardinal » ou un « nombre ordinal ».

> immédiatement supérieures à la suite causale précé-
> dente). [Elle précise, en note en bas de page :] Souli-
> gnons que l'introduction de notions de la théorie des
> ensembles dans une réflexion sur le langage poétique
> n'est que métaphorique : elle est possible parce qu'une
> analogie peut être établie entre les rapports logique
> aristotélicienne/logique poétique d'une part, et dénom-
> brable/infini, de l'autre. (Kristeva 1969, p. 151-153,
> italiques dans l'original)

À la fin du texte, Kristeva admet que sa « théorie » n'est
qu'une métaphore. Mais même à ce niveau-là, elle
n'offre aucune justification : loin d'avoir établi une analogie entre « logique aristotélicienne/logique poétique »
et « dénombrable/infini », elle n'a fait qu'invoquer les
noms de ces derniers sans donner la moindre explication
de ce qu'ils *signifient* et surtout quelle relation (même
métaphorique) ils peuvent avoir avec la « logique poétique ». Par ailleurs, la théorie des nombres transfinis n'a
rien à voir avec la déduction causale.

Plus loin, Kristeva retourne à la logique mathématique :

> Pour nous le langage poétique n'est pas un code englo-
> bant les autres, mais une classe A qui a la même puis-
> sance que la fonction φ $(x_1... x_n)$ de l'infini du code
> linguistique (voir le théorème de l'existence, cf.
> p. 189), et tous les « autres langages » (le langage
> « usuel », les « méta-langages », etc.) sont des quo-
> tients de A sur des étendues plus restreintes (limitées
> par les règles de la construction sujet-prédicat, par
> exemple, comme étant à la base de la logique for-
> melle), et camouflant, par suite de cette limitation, la
> morphologie de la fonction φ $(x_1... x_n)$.
>
> Le langage poétique (que nous désignerons désormais
> par les initiales lp) contient le code de la logique linéaire.
> En plus, nous pouvons trouver en lui toutes les figures
> combinatoires que l'algèbre a formalisées dans un sys-
> tème de signes artificiels et qui ne sont pas extériorisées
> au niveau de la manifestation du langage usuel. [...]

> Le lp ne peut pas être, par conséquent, un sous-code.
> Il est le code infini ordonné, un système complémen-
> taire de codes dont on peut isoler (par abstraction opé-
> ratoire et en guise de démonstration d'un théorème) un
> langage usuel, un métalangage scientifique et tous les
> systèmes artificiels de signes — qui, tous, ne sont que
> des sous-ensembles de cet infini, extériorisant les
> règles de son ordre sur un espace restreint (leur puis-
> sance est moindre par rapport à celle du lp qui leur est
> surjecté). (Kristeva 1969, p. 178-179)

Ces paragraphes sont vides de sens, bien que Kristeva
ait assemblé habilement des termes mathématiques.
Mais on trouve encore mieux :

> Ayant admis que le langage poétique est un système
> formel dont la théorisation peut relever de la *théorie
> des ensembles*, nous pouvons constater, en *même
> temps*, que le fonctionnement de la signification poé-
> tique obéit aux principes désignés par l'*axiome du
> choix*. Celui-ci stipule qu'il existe une correspondance
> univoque, représentée par une classe, qui associe à cha-
> cun des ensembles non vides de la théorie (du système)
> un de ses éléments.
>
> $(\exists A) \{ Un(A) \cdot (x)[{\sim}Em(x) \cdot \supset \cdot (\exists y)[y \in x \cdot \langle yx \rangle \in A]]\}$
>
> [*Un (A)* − « *A* est univoque » ; *Em (x)* − « la classe *x*
> est vide ».]
>
> Autrement dit, on peut choisir simultanément un élé-
> ment dans chacun des ensembles non vides dont on
> s'occupe. Ainsi énoncé, l'axiome est applicable dans
> notre univers $\mathscr{E}$ du *lp*. Il précise comment toute
> séquence comporte le message du livre. (Kristeva
> 1969, p. 189, italiques dans l'original)

Ces paragraphes (ainsi que les suivants) illustrent brillamment les propos acerbes du sociologue Stanislav
Andreski que nous avons cités dans l'introduction
(p. 46-47). Kristeva n'explique nullement quelle pertinence l'axiome du choix peut avoir pour la linguistique
(aucune selon nous). L'axiome du choix dit que si l'on
a une collection d'ensembles, dont chacun contient au

moins un élément, alors il existe un ensemble qui contient exactement un élément « choisi » dans chacun des ensembles de départ. Cet axiome permet d'affirmer l'existence de certains ensembles sans les construire explicitement (on ne dit pas comment le « choix » s'effectue). L'introduction de cet axiome dans la théorie mathématique des ensembles est motivée par l'étude des ensembles infinis, ou de collections infinies d'ensembles. Où trouve-t-on de tels ensembles en poésie ? Dire que l'axiome du choix « précise comment toute séquence comporte le message du livre » est absurde — nous ne savons pas si cette affirmation fait plus violence aux mathématiques ou à la littérature.

Pourtant, elle poursuit :

> La compatibilité de l'axiome du choix et de l'hypothèse généralisée du continu [44] avec les axiomes de la théorie des ensembles nous place au niveau d'un raisonnement à propos de la théorie, donc dans une *métathéorie* (et tel est le statut du raisonnement sémiotique) dont les métathéorèmes ont été mis au point par Gödel. (Kristeva 1969, p. 189, italiques dans l'original)

Ici, de nouveau, Kristeva tente d'impressionner le lecteur avec des mots savants. Elle cite en effet de très importants (méta)théorèmes de logique mathématique, mais elle n'explique pas au lecteur le *contenu* de ces

---

44. Comme nous l'avons vu dans la note 42, il existe des ensembles infinis de différentes « tailles » (appelés *cardinaux*). Le plus petit cardinal infini, dit « dénombrable », est celui de l'ensemble des nombres entiers. Un cardinal plus grand, appelé « cardinal du continu », est celui de l'ensemble de tous les nombres réels. L'hypothèse du continu, introduite par Cantor vers la fin du dix-neuvième siècle, affirme qu'il n'existe pas de cardinal « intermédiaire » entre le dénombrable et le continu. L'hypothèse généralisée du continu étend cette idée à des ensembles infinis bien plus grands. En 1964, Cohen démontra que l'hypothèse du continu (ainsi que l'hypothèse généralisée du continu) est indépendante des autres axiomes de la théorie des ensembles, en ce sens que ni elle ni sa négation n'est démontrable en utilisant ces autres axiomes.

théorèmes ni leur pertinence en linguistique. Remarquons que l'ensemble de tous les textes jamais écrits, dans l'entièreté de l'histoire humaine, est un ensemble *fini*. D'ailleurs, une langue naturelle — par exemple, le français ou le chinois — a un alphabet fini ; une phrase, ou même un livre, est une succession finie de lettres. Par conséquent, même l'ensemble de *toutes* les successions finies de lettres dans *tous* les livres imaginables, sans restriction de longueur, est un ensemble infini *dénombrable*. On voit mal comment l'hypothèse du continu — et encore moins celle généralisée —, qui traite des ensembles infinis non dénombrables, peuvent avoir une application en linguistique.

Tout cela n'empêche pas l'auteur de continuer :

> On y retrouve précisément les *théorèmes d'existence* que nous n'avons pas l'intention de développer ici, mais qui nous intéressent dans la mesure où ils fournissent des *concepts* permettant de poser de façon nouvelle et sans eux impossible, l'*objet* qui nous intéresse : le langage poétique. Le théorème généralisé de l'existence postule, on le sait, que :
> « Si $\varphi(x_1,..., x_n)$ est une fonction propositionnelle primitive qui ne contient pas d'autre variable libre que $x_1,..., x_n$, sans qu'il soit nécessaire qu'elle les contienne toutes, il existe une classe A telle que, quels que soient les *ensembles* $x_1,..., x_n$, $\langle x_1,...,x_n \rangle \in A$. $\equiv$. $\varphi(x_1,...,x_n)$ [45]. »
> Dans le langage poétique ce théorème dénote les différentes séquences comme équivalentes à une fonction les englobant toutes. Deux conséquences en découlent : 1° il stipule l'enchaînement non causal du langage poétique et l'expansion de la lettre dans le livre ; 2° met l'accent sur la portée de cette littérature qui élabore

---

45. C'est un résultat technique de la théorie des ensembles de Gödel-Bernays (une des variantes de la théorie axiomatique des ensembles). Kristeva n'explique nullement quelle pertinence il peut avoir pour le langage poétique. Remarquons que faire précéder un énoncé aussi technique de l'expression « on le sait » est un exemple typique de terrorisme intellectuel.

son message dans les plus petites séquences : la signification (φ) est contenue dans le mode de jonction des
mots, des phrases [...].

Lautréamont était un des premiers à pratiquer
consciemment ce théorème[46].

La notion de constructibilité qu'implique l'axiome
du choix associé à tout ce que nous venons de poser
pour le langage poétique, explique l'impossibilité
d'établir une contradiction dans l'espace du langage
poétique. Cette constatation est proche de la constatation de Gödel concernant l'impossibilité d'établir la
contradiction d'un système par des moyens formalisés
dans ce système. (Kristeva 1969, p. 189-190, italiques
dans l'original)

Dans ce passage, Kristeva montre qu'elle ne comprend
pas les concepts mathématiques qu'elle invoque. Premièrement, l'axiome du choix n'implique aucune
« notion de constructibilité » : tout au contraire, il permet d'énoncer l'existence de certains ensembles *sans*
avoir une règle pour les « construire » (voir ci-dessus).
Deuxièmement, Gödel a montré exactement le contraire
de ce que prétend Kristeva, à savoir l'impossibilité
d'établir la *non*-contradiction[47].

---

46. Il est fort improbable que Lautréamont (1846-1870) ait pu
« pratiquer consciemment » un théorème de la théorie des
ensembles de Gödel-Bernays (développée entre 1937 et 1940) ou
même de la théorie des ensembles tout court (développée à partir
des années 1870 par Cantor et d'autres).

47. Gödel, dans son célèbre article (1931), démontre deux théorèmes à propos de l'incomplétude de certains systèmes formels au
moins aussi complexes que celui de l'arithmétique. Le premier théorème exhibe une proposition qui n'est ni démontrable ni réfutable
dans le système formel donné, à condition que ce système soit non
contradictoire. On peut néanmoins voir, au moyen de raisonnements
non formalisables dans le système, que la proposition en question est
vraie. Le second théorème affirme que, si le système est non contradictoire, il est impossible de démontrer cette non-contradiction par
des moyens formalisables dans le système lui-même.

En revanche, il est très facile d'inventer des systèmes d'axiomes
contradictoires ; et, quand un système est contradictoire, il existe
toujours une démonstration de cette contradiction par des moyens

Kristeva a également tenté d'appliquer la théorie des ensembles à la philosophie politique. L'extrait suivant est tiré de son livre *La Révolution du langage poétique* (1974) :

> Une découverte de Marx s'esquisse ici sur laquelle on n'a pas assez insisté. Si chaque individu ou chaque organisme social représente un ensemble, l'ensemble de tous les ensembles que devait être l'État n'existe pas. L'État comme ensemble de tous les ensembles est une fiction, il ne peut pas exister, comme il n'existe pas d'ensemble de tous les ensembles dans la théorie des ensembles [48]. [Elle ajoute, en note de bas de page :] Cf. à ce sujet Bourbaki [49], mais aussi, à propos des relations entre la théorie des ensembles et le fonctionnement de l'inconscient, D. Sibony, « L'infini et la castration », in *Scilicet*, n° 4, 1973, p. 75-133. [Puis, elle reprend :] L'État n'est, à la rigueur, qu'une collection de tous les ensembles finis. Mais pour que celle-ci existe, et pour que des ensembles finis existent aussi, il faut qu'il y ait de l'infini : les deux propositions sont équivalentes. Le désir de former l'ensemble de tous les ensembles finis fait entrer en scène l'infini, et réciproquement. Marx, qui a constaté l'illusion de l'État d'être l'ensemble de tous les ensembles, a vu dans l'unité sociale telle que la présente la République bourgeoise, une collection qui n'en forme pas moins, pour elle-même, un ensemble (comme la collection des ordinaux

formalisés dans le système. Bien que cette démonstration puisse être difficile à trouver, elle existe, presque trivialement, par définition de « contradictoire ».

Pour une excellente introduction au théorème de Gödel, voir Nagel *et al.* (1989).

48. Voir note 35 ci-dessus. Il faut souligner qu'aucun problème ne se pose pour les ensembles finis, tel que l'ensemble des individus dans une société.

49. Nicolas Bourbaki, pseudonyme d'un collectif regroupant plusieurs générations de mathématiciens français qui, depuis l'avant-guerre, ont publié une trentaine de tomes de la série *Éléments de mathématique*. Mais si ce sont des « éléments », ces ouvrages sont loin d'être élémentaires. Que Kristeva ait lu ou non Bourbaki, cette référence n'a d'autre fonction que d'impressionner le lecteur.

finis est un ensemble si on le pose) auquel il manque quelque chose : en effet, son *existence* ou, si l'on veut, son *pouvoir* est tributaire de l'existence de l'infini qu'aucun des autres ensembles ne peut contenir. (Kristeva 1974, p. 379-380, italiques dans l'original)

Mais l'érudition mathématique de Kristeva ne se limite pas à la théorie des ensembles. Dans son article « Du sujet en linguistique », elle applique l'analyse mathématique et la topologie à la psychanalyse :

> [D]ans les opérations syntaxiques succédant au stade du miroir, le sujet est déjà assuré de son unicité : sa fuite vers le « point ∞ » dans la signifiance est stoppée. On pense par exemple à un ensemble C_0 sur un espace usuel R^3 où pour toute fonction F continue dans R^3 et tout entier $n > 0$, l'ensemble des points X où $F(X)$ dépasse n, soit *borné*, les fonctions de C_0 tendant vers 0 quand la variable X recule vers l'« autre scène ». Dans ce topos, le sujet placé dans C_0 n'atteint pas ce « centre extérieur du langage » dont parle Lacan et où il se perd comme sujet, situation qui traduirait le groupe relationnel que la topologie désigne comme *anneau*. (Kristeva 1977, p. 313, italiques dans l'original)

C'est un des meilleurs exemples où Kristeva essaie d'impressionner le lecteur avec des mots savants qu'elle ne comprend manifestement pas. Andreski « conseille » de *copier* les parties les moins compliquées d'un manuel de mathématique ; mais la définition ci-dessus de l'ensemble de fonctions $C_0(R^3)$ n'est même pas correctement recopiée et les erreurs sautent aux yeux de quiconque comprend le sens de la formule [50]. Mais le véritable problème est que la prétendue

---

50. L'espace $C_0(R^3)$ comprend toutes les fonctions continues sur R^3, à valeurs réelles, qui « tendent vers zéro à l'infini ». Mais, dans la définition précise de ce concept, Kristeva aurait dû dire : (a) $|F(X)|$ au lieu de $F(X)$; (b) « dépasse $1/n$ » ; au lieu de « dépasse n » ; et (c) « comprenant toutes les fonctions F continues dans R^3 telles que » au lieu de « où pour toute fonction F continue dans R^3 ».

application à la psychanalyse n'a aucun sens. Comment un « sujet » pourrait-il être « placé en C_0 » ?

Parmi les autres exemples de terminologie mathématique utilisée sans explication ni justification, citons dans Kristeva (1969) : *analyse stochastique* (p. 177), *finitisme de Hilbert* (p. 180), *espace topologique* et *anneau abélien* (p. 192), *réunion* (p. 197), *lois d'idempotence, commutativité, distributivité...* (p. 258-264), *structure de Dedekind avec orthocompléments* (p. 265-266), *espaces infinis fonctionnels de Hilbert* (p. 267), *géométrie algébrique* (p. 296), *calcul différentiel* (p. 297-8). Et dans Kristeva (1977) : *ensemble d'articulation* en théorie des graphes (p. 291), *logique des prédicats* (qu'elle appelle bizarrement « logique proportionnelle moderne »[51]). (p. 327)

En résumé, notre évaluation des abus scientifiques de Kristeva est similaire à celle que nous avons donnée pour Lacan. On constate qu'elle a en général au moins une vague idée des mathématiques auxquelles elle se réfère, même si elle ne comprend manifestement pas toujours la signification des termes qu'elle emploie. Mais le principal problème suscité par ces textes, c'est qu'elle ne justifie aucunement la pertinence de ces concepts mathématiques dans les domaines qu'elle prétend étudier — linguistique, critique littéraire, philosophie politique, psychanalyse — et, à notre avis, c'est pour la bonne raison qu'il n'y en a pas. Ses phrases ont plus de sens que celles de Lacan, mais elle surpasse même celui-ci pour ce qui est de la superficialité de l'érudition.

---

51. Cette bévue résulte probablement de la combinaison de deux erreurs : d'une part, il semble que Kristeva ait confondu la logique des prédicats avec la logique propositionnelle ; et d'autre part, elle ou ses éditeurs auraient introduit l'erreur typographique « proportionnelle » à la place de « propositionnelle ».

3

INTERMEZZO : LE RELATIVISME COGNITIF
EN PHILOSOPHIE DES SCIENCES

> Je n'ai pas fait ce travail uniquement pour mettre un certain nombre de choses au point. Je vise plus généralement ceux parmi mes contemporains qui — prenant fréquemment leurs désirs pour des réalités — se sont approprié certaines idées de la philosophie des sciences et les ont mises au service de causes sociales et politiques pour lesquelles ces idées sont mal adaptées. Des féministes, des propagandistes religieux (y compris des « scientifiques créationnistes »), des gens venant de la contre-culture, des néoconservateurs et un grand nombre d'autres compagnons de route surprenants ont prétendu que l'incommensurabilité et la sous-détermination des théories scientifiques apportaient de l'eau à leur moulin. Le remplacement de l'idée que les données et les faits ont de l'importance par celle selon laquelle tout dépend d'intérêts individuels et de perspectives subjectives est — après les campagnes politiques américaines — la manifestation la plus visible et la plus pernicieuse d'anti-intellectualisme à notre époque.
>
> Larry Laudan, *Science and Relativism*
> (1990a, p. x)

Comme plusieurs auteurs postmodernes flirtent avec une forme ou l'autre de relativisme cognitif ou invoquent à l'occasion des arguments qui pourraient encourager ce relativisme, il nous a semblé utile d'interrompre cet ouvrage par une discussion épistémologique. Nous savons que nous abordons des problèmes difficiles sur la nature de la connaissance et de l'objectivité, qui ont préoccupé les philosophes depuis des siècles. Nous avertissons d'emblée le lecteur qu'il n'a nullement besoin d'être d'accord avec nos positions philosophiques pour approuver le reste de notre démarche. Nous allons critiquer des idées qui nous semblent erronées, mais dont certaines (pas toutes) le sont de façon subtile, contrairement aux textes que nous critiquons ailleurs dans ce livre. De plus, notre argumentation philosophique sera plutôt minimaliste ; nous ne rentrerons pas dans des débats épistémologiques plus délicats qui opposent par exemple des versions modérées de l'instrumentalisme et du réalisme.

Ce qui nous intéresse ici est un pot-pourri d'idées, souvent mal formulées, qu'on peut appeler génériquement « relativisme » et qui sont actuellement assez influentes dans certains secteurs des sciences humaines et de la philosophie. Ce *zeitgeist* est en partie issu d'une lecture de certains ouvrages contemporains de philosophie des sciences, tels que *La Structure des révolutions scientifiques* de Thomas Kuhn ou *Contre la méthode* de Paul Feyerabend, et en partie d'extrapolations abusives commises par leurs successeurs [52]. Nous ne prétendons pas examiner l'ensemble de l'œuvre de ces auteurs : ce serait une tâche impossible. Nous nous bornerons plutôt à analyser certains textes qui illustrent des idées assez répandues. Nous montrerons que ces textes sont souvent ambigus et qu'il est possible d'en faire au moins deux lectures : une modérée menant à des assertions qui, soit méritent d'être discutées, soit sont vraies mais banales ; l'autre radicale menant à des assertions surprenantes mais fausses.

---

52. Il y a évidemment beaucoup d'autres sources du *zeitgeist* relativiste, allant du romantisme à Heidegger, mais nous ne les aborderons pas ici.

Malheureusement, c'est l'interprétation radicale qui est souvent prise non seulement comme l'interprétation soi-disant « correcte » du texte original mais aussi comme un fait établi (« X a démontré que... »), conclusion que nous voulons vivement critiquer. On pourrait nous rétorquer que personne ne soutient cette interprétation radicale, et tant mieux si c'est vrai ; mais les nombreuses discussions que nous avons eues, au cours desquelles la « thèse de Quine-Duhem », le fait que « l'observation dépend de la théorie[53] » ou la prétendue incommensurabilité des paradigmes ont été avancés pour soutenir des positions relativistes, nous laissent sceptiques. Par ailleurs, pour éviter que le lecteur ne pense que nous nous attaquons à un fantôme, nous donnerons à la fin de ce chapitre quelques illustrations du relativisme qui sévit particulièrement aux États-Unis mais qu'on peut observer également en Europe et dans le Tiers Monde.

Grosso modo, nous entendons par « relativisme » toute philosophie qui prétend que la véracité ou la fausseté d'une affirmation est relative à un individu et/ou à un groupe social. On distingue plusieurs types de relativisme selon la nature de l'énoncé : le relativisme *cognitif* ou *épistémique* lorsqu'il s'agit d'une affirmation de fait (c'est-à-dire, de ce qui est ou est prétendu être) ; le relativisme *éthique* ou *moral* lorsqu'il s'agit d'une affirmation de valeur (de ce qui est bon ou mauvais, désirable ou déplorable) ; et le relativisme *esthétique* lorsqu'il s'agit d'un jugement de valeur artistique (de ce qui est beau ou laid, plaisant ou déplaisant). Nous nous attacherons ici exclusivement à la question du relativisme *cognitif* et non à celles du relativisme éthique ou esthétique, qui nécessiteraient une discussion très différente.

Nous sommes conscients qu'on nous reprochera

---

53. C'est-à-dire ce qu'on appelle en anglais « theory-ladenness of observations ».

sans doute notre absence de « formation philosophique » ou de titres formels dans ce domaine. Nous avons déjà expliqué dans l'introduction pourquoi ce genre d'objections nous laissent froids, mais elles sont, en l'occurrence, particulièrement peu pertinentes. En effet, il n'y a aucun doute que l'attitude philosophique relativiste entre en contradiction avec l'idée que les scientifiques se font de leur pratique. Alors que ceux-ci cherchent à obtenir, tant bien que mal, une connaissance objective du monde [54], les philosophes relativistes leur disent en substance qu'ils perdent leur temps et qu'une telle entreprise est, par principe, une illusion. Il s'agit donc d'une question de fond. Et, en tant que physiciens qui réfléchissent depuis longtemps sur les fondements philosophiques de leur discipline et de la connaissance scientifique en général, il nous semble important de tenter d'apporter une réponse raisonnée aux objections relativistes, même sans être titulaires de diplômes en philosophie.

Nous commencerons par esquisser notre attitude générale à l'égard du savoir scientifique [55] et nous passerons ensuite brièvement en revue certaines étapes de l'épistémologie du vingtième siècle (Popper, Quine, Kuhn, Feyerabend) ; notre but sera principalement de dissiper certaines confusions concernant, par exemple, la « sous-détermination » et « l'incommensurabilité ».

---

54. Avec des nuances, bien entendu, sur le sens du mot « objectif », qui se reflètent par exemple dans l'opposition entre des doctrines telles que réalisme, conventionalisme ou positivisme. Néanmoins, aucun chercheur ne serait prêt à admettre que l'ensemble du discours scientifique soit « une construction sociale parmi d'autres ». Comme l'a écrit l'un d'entre nous (Sokal 1996c), nous ne voulons pas être les Emily Post de la théorie quantique des champs (Emily Post étant l'auteur d'un manuel américain d'étiquette mondaine).

55. En nous limitant aux sciences naturelles et en prenant la plupart des exemples dans notre domaine, à savoir la physique. Nous n'aborderons pas la question délicate de la scientificité des diverses sciences humaines.

Finalement, nous envisagerons de façon critique certaines tendances en sociologie des sciences (Barnes, Bloor, Latour) et nous donnerons quelques exemples pratiques du relativisme contemporain.

Solipsisme et scepticisme radical

> Quand mon cerveau excite dans mon ame la sensation d'un arbre ou d'une maison, je prononce hardiment, qu'il existe réellement hors de moi un arbre ou une maison, dont je connois même le lieu, la grandeur ou d'autres propriétés. Aussi ne trouve-t-on ni homme ni bête qui doutent de cette vérité. Si un paysan en vouloit douter ; s'il disoit, par exemple, qu'il ne croyoit pas que son baillif existe, quoiqu'il fut devant lui, on le prendroit pour un fou et cela avec raison : mais dès qu'un philosophe avance de tels sentimens, il veut qu'on admire son esprit et ses lumières, qui surpassent infiniment celles du peuple.

> Leonhard Euler (1911 [1761], p. 220)

Commençons par le commencement. Comment pouvons-nous espérer atteindre une connaissance objective (même approximative et partielle) du monde ? Nous n'avons pas accès direct à celui-ci, mais seulement à travers nos sensations. Comment savons-nous qu'il *existe* quelque chose en dehors de celles-ci ?

La réponse est que nous n'en avons aucune *preuve* ; c'est simplement une hypothèse parfaitement raisonnable. La façon la plus naturelle d'expliquer la permanence de nos sensations (en particulier celles qui sont déplaisantes) est de supposer qu'elles proviennent d'agents extérieurs à notre conscience. Nous pouvons presque toujours ajuster à notre guise les sensations qui sont purement des produits de notre imagination, mais on n'arrête pas une guerre, on ne fait pas disparaître un lion et on ne fait pas démarrer une voiture en panne par un simple exercice de pensée. Évidemment, et c'est important de le souligner, cet argument *ne réfute pas* le solipsisme. Si quelqu'un s'acharnait à prétendre qu'il est un « clavecin qui joue tout seul » (Diderot), il n'y aurait aucun moyen de le convaincre de son erreur. Néanmoins, nous n'avons jamais rencontré de solipsistes sincères et nous doutons qu'il en existe vraiment[56]. Cela illustre un principe important que nous utiliserons plusieurs fois par la suite : *le simple fait qu'une opinion ne peut pas être réfutée n'implique nullement qu'il y ait la moindre raison de croire qu'elle est vraie.*

Une position qu'on rencontre parfois à la place du solipsisme est le scepticisme radical. Bien sûr, dit-on, il existe un monde extérieur à ma conscience, mais il m'est impossible d'en acquérir une connaissance fiable. Toujours le même argument : je n'ai accès, de façon immédiate, qu'à mes sensations ; comment puis-je être certain qu'elles reflètent fidèlement la réalité ? Pour cela, il me faudrait recourir à un argument *a priori*, tel que la preuve de l'existence d'une divinité bienveillante chez Descartes, et ces arguments sont devenus (pour de bonnes raisons, sur lesquelles nous ne reviendrons pas) hautement suspects dans la philosophie moderne.

Le problème, comme beaucoup d'autres, a été très bien formulé par Hume :

> C'est une question de fait, de savoir si les perceptions des sens sont produites par des objets extérieurs qui leur ressemblent : comment cette question sera-t-elle résolue ? Par l'expérience assurément, comme toutes

---

56. Bertrand Russell (1948, p. 196) raconte cette histoire amusante : « J'ai un jour reçu une lettre d'une éminente logicienne, Mme Christine Ladd Franklin, disant qu'elle était une solipsiste et qu'elle était surprise qu'il n'y en eût pas d'autres. » Nous devons cette référence à Devitt (1997, p. 64).

les autres questions de pareille nature. Mais ici l'expérience reste et ne peut que rester entièrement silencieuse. L'esprit n'a jamais autre chose qui lui soit présent, que les perceptions, et il n'est pas possible qu'il n'obtienne une expérience quelconque de leur connexion avec des objets. La supposition d'une telle connexion est donc sans aucun fondement dans le raisonnement. (David Hume, *Enquête sur l'entendement humain*, 1982 [1748], p. 160)

Quelle attitude prendre face au sceptique radical ? L'essentiel de la réponse est que le scepticisme humien s'applique à *toutes* nos connaissances : pas seulement à l'existence des atomes, des électrons ou des gènes, mais au fait que le sang circule dans nos veines, que la Terre est (approximativement) ronde, et qu'à la naissance nous sommes sortis du ventre de notre mère. En effet, même les connaissances les plus banales de la vie quotidienne — il y a un verre devant moi sur la table — dépendent entièrement de l'hypothèse selon laquelle nos perceptions ne nous trompent pas *systématiquement* et sont bien produites par des objets extérieurs à nos sensations et qui, d'une certaine façon, leur ressemblent[57].

L'universalité du scepticisme humien fait également sa faiblesse. Bien sûr, il est irréfutable. Mais comme personne n'est sceptique (quand il ou elle est sincère) pour la connaissance ordinaire, il faut se demander *pourquoi* le scepticisme est rejeté dans ce domaine et *pourquoi* il serait néanmoins valable quand il est appliqué ailleurs, par exemple à la connaissance scientifique. Or, la raison pour laquelle nous rejetons le scepticisme systématique dans la vie quotidienne est plus ou moins évidente et repose sur des considérations similaires à celles qui nous mènent à rejeter le solip-

---

57. Soutenir cela ne signifie nullement que nous prétendons avoir une réponse entièrement satisfaisante à la question de savoir *comment* une telle correspondance s'établit.

sisme. La meilleure façon d'expliquer la cohérence de notre expérience est de supposer que le monde extérieur correspond au moins approximativement à l'image que nous en donnent nos sens[58].

La science comme pratique

> Je ne doute pas que, bien qu'on doive s'attendre à des changements progressifs en physique, les doctrines actuelles sont probablement plus proches de la vérité que n'importe quelle théorie rivale existante. La science n'est jamais tout à fait correcte, mais elle est rarement tout à fait fausse et a, en général, plus de chance d'être correcte que les théories non scientifiques. Il est, par conséquent, rationnel de l'accepter à titre provisoire.
>
> Bertrand Russell, *My Philosophical Development* (1995 [1959], p. 13)

Une fois que les problèmes généraux du solipsisme et du scepticisme radical sont mis de côté, on peut commencer à réfléchir. Admettons que nous puissions obtenir une certaine connaissance plus ou moins fiable du monde, au moins dans la vie quotidienne. On se posera alors la question : *dans quelle mesure* nos sens nous trompent-ils ou sont-ils fiables ? Pour y répondre, on peut essayer de comparer les impressions entre elles et de varier certains paramètres de notre expérience quotidienne. On élabore ainsi, peu à peu, une rationa-

---

58. Cette hypothèse reçoit une explication plus profonde avec le développement ultérieur de la science, en particulier de la théorie de l'évolution. Manifestement, la possession d'organes sensoriels qui reflètent plus ou moins *fidèlement* le monde extérieur (ou du moins certains aspects importants de celui-ci) confère un avantage évolutif. Soulignons que cet argument ne réfute pas le scepticisme radical, mais il accroît la cohérence du point de vue opposé au scepticisme.

lité de la vie pratique. Lorsqu'on est arrivé à le faire systématiquement et de façon suffisamment précise, la science est née.

Pour nous, la démarche scientifique n'est pas radicalement différente de l'attitude rationnelle dans la vie courante ou dans d'autres domaines de la connaissance humaine. Les historiens, les détectives et les plombiers — en fait, tous les êtres humains — utilisent les mêmes méthodes d'induction, de déduction et d'évaluation des données que les physiciens ou les biochimistes. La science moderne essaie de le faire d'une façon beaucoup plus systématique, en utilisant des tests statistiques, en répétant les expériences, etc. D'ailleurs, les résultats scientifiques sont beaucoup plus précis que les observations quotidiennes, permettent de découvrir des phénomènes jusqu'alors inconnus et entrent souvent en conflit avec le sens commun. Mais le conflit est au niveau des conclusions, pas de la démarche [59, 60].

---

59. Par exemple : l'eau nous apparaît comme un fluide continu, mais des expériences chimiques et physiques nous enseignent qu'elle est faite d'atomes.

60. Dans tout ce chapitre, nous insistons sur la continuité méthodologique entre la connaissance scientifique et la connaissance ordinaire. À notre avis, c'est la meilleure façon de répondre à différentes attaques sceptiques ainsi et de dissiper les confusions engendrées par les interprétations radicales d'idées philosophiques correctes telles que la sous-détermination des théories par les faits. Mais il serait naïf de pousser trop loin ce lien. En science, en particulier dans la physique fondamentale, on introduit des concepts difficiles à comprendre intuitivement ou à relier aux notions du sens commun (par exemple : des forces agissant instantanément à travers tout l'univers dans la mécanique de Newton, des champs électromagnétiques « oscillant » dans le vide dans la théorie de Maxwell, un espace-temps courbe dans la relativité générale d'Einstein). Et c'est dans les discussions au sujet de la signification de ces concepts théoriques que différents courants réalistes et antiréalistes (par exemple, instrumentalistes, pragmatistes) se séparent. Les relativistes se rabattent parfois sur des positions instrumentalistes lorsqu'on discute avec eux, mais il y a une profonde différence entre les deux attitudes. Les instrumentalistes peuvent soutenir qu'il n'existe aucun moyen de savoir si les quantités théo-

En fin de compte, la principale raison que nous avons de croire à la véracité des résultats scientifiques (du moins ceux qui sont les mieux établis) tient au fait qu'ils expliquent la cohérence de notre expérience. Il faut préciser : ici « expérience » signifie *toutes* les observations dont nous disposons, y compris les résultats des expériences faites en laboratoire et dont le but est de tester quantitativement (parfois jusqu'à une précision incroyable) les prévisions des théories scientifiques. Pour ne donner qu'un exemple, l'électrodynamique quantique prédit que le moment magnétique de l'électron a la valeur[61].

$$1,001\ 159\ 652\ 201 \pm 0,000\ 000\ 000\ 030,$$

où le « ± » désigne les incertitudes dans le calcul théorique (qui utilise plusieurs approximations). Une expérience récente donne le résultat

$$1,001\ 159\ 652\ 188 \pm 0,000\ 000\ 000\ 004,$$

où le « ± » désigne les incertitudes expérimentales[62]. Cet accord, et bien d'autres moins spectaculaires mais similaires, seraient des miracles si la science ne disait rien de vrai — ou au moins d'approximativement vrai — sur le monde. L'ensemble des confirmations

---

riques « inobservables » existent réellement ou encore affirmer que la signification de ces termes est définie exclusivement à travers des quantités mesurables ; mais cela n'implique nullement qu'ils considèrent ces quantités comme « subjectives », en ce sens que leur signification serait fortement influencée par des facteurs extra-scientifiques (tels que la personnalité des scientifiques ou les caractéristiques sociales des groupes auxquels ils appartiennent). En effet, les instrumentalistes peuvent fort bien considérer nos théories scientifiques comme étant simplement la compréhension du monde la plus satisfaisante à laquelle l'esprit humain puisse accéder, vu ses limitations biologiques intrinsèques.

61. Mesuré dans une certaine unité bien définie, qui n'a pas d'importance pour la présente discussion.

62. Voir Kinoshita (1995) pour la théorie, et Van Dyck *et al.* (1987) pour l'expérience. Crane (1968) fournit une introduction non technique à ce problème.

expérimentales des théories scientifiques les mieux établies témoigne du fait que nous avons vraiment acquis une connaissance objective, bien qu'approximative et partielle, de la nature[63].

Arrivé à ce point de la discussion, le sceptique radical ou le relativiste demandera ce qui distingue la science d'autres types de discours sur la réalité — les religions ou les mythes, par exemple, ou bien les pseudo-sciences comme l'astrologie — et, en particulier, quels sont les *critères* utilisés pour opérer cette distinction. Notre réponse est nuancée. Tout d'abord, il existe des principes épistémologiques généraux, mais essentiellement négatifs, qui remontent au moins au dix-septième siècle : on se méfie des arguments *a priori*, de la révélation, des textes sacrés et de l'argument d'autorité. De plus, l'expérience accumulée durant trois siècles de pratique scientifique nous a fourni toute une série de principes méthodologiques plus ou moins généraux — par exemple, répéter les expériences, utiliser des « témoins », tester les médicaments en « double aveugle », etc. — qu'on peut justifier par des arguments rationnels. Toutefois, nous ne prétendons pas que ces principes soient codifiables de façon définitive ni qu'ils soient exhaustifs. Autrement dit, il n'existe pas (du moins à présent) de codification complète de la rationalité scientifique et nous doutons qu'il puisse y en avoir. Après tout, l'avenir est imprévisible ; la rationalité est toujours une adaptation à une situation nouvelle. Néanmoins — et là est toute la différence entre nous et les sceptiques radicaux — nous pensons que les théories scientifiques développées sont fondées sur toute une série de bonnes raisons, mais

---

63. Avec des nuances, bien entendu, sur le sens exact des phrases « approximativement vrai » et « connaissance objective de la nature », qui se reflètent dans les diverses versions du réalisme et de l'anti-réalisme (voir note 60 ci-dessus). Pour ce débat, voir par exemple Leplin (1984).

dont la rationalité est difficile à apprécier sans s'intéresser à chaque cas particulier[64].

Pour illustrer ces idées, considérons un exemple
intermédiaire entre la connaissance scientifique et la
connaissance ordinaire, à savoir les enquêtes policières. Au moins dans certains cas, même le sceptique
le plus endurci aura du mal à douter, en pratique, qu'on
ait *réellement* trouvé le coupable. Il y a parfois ce
qu'on appelle des « preuves » : l'arme du crime, des
empreintes digitales, des analyses d'ADN, des aveux,
un mobile, etc. Toutefois, le chemin de l'enquête peut
en général s'avérer assez complexe : l'enquêteur doit
prendre des décisions (sur les pistes à suivre, sur les
preuves à chercher) et tirer des conclusions provisoires,
dans des conditions d'information incomplète. Soulignons que presque toute enquête revient à inférer ce
qui est inobservé (le crime) à partir de ce qui est
observé. Et ici, comme en sciences, il existe des inférences rationnelles et irrationnelles ou, pour nuancer,
des inférences plus rationnelles et moins rationnelles.
L'enquête peut avoir été mal menée, ou même les soi-
disant « preuves » peuvent tout simplement avoir été
forgées par la police. Mais il n'y a pas moyen de déci-
der *a priori*, indépendamment des circonstances, ce qui
distingue une bonne d'une mauvaise enquête. Personne
ne peut donner une garantie absolue qu'une enquête
policière a donné le bon résultat. De plus, personne ne
peut écrire un traité définitif sur *La Logique de l'enquête policière*. Néanmoins, et c'est là l'important, personne ne doute que, pour certaines enquêtes au moins
(les meilleures), le résultat obtenu corresponde vraiment à la réalité. Par ailleurs, l'histoire nous a permis
d'élaborer certaines règles pour mener une enquête :
plus personne ne croit à l'épreuve du feu et l'on se

---

64. C'est aussi en procédant au cas par cas que l'on peut voir
l'immense écart qui sépare les sciences des pseudo-sciences.

méfie des aveux obtenus sous la torture. Il faut comparer les témoignages, procéder à des confrontations,
chercher des preuves physiques, etc. Même s'il
n'existe pas de méthodologie fondée sur des raisonnements *a priori*, indubitables, les règles mentionnées ci-
dessus (et bien d'autres) ne sont pas arbitraires. Elles
sont rationnelles et fondées sur une analyse détaillée
de l'expérience antérieure. À notre avis, ce qu'on
appelle la « méthode scientifique » n'est pas radicalement différente de ce genre de démarche.

L'absence de réponse de type « absolutiste », indépendante des circonstances, implique également qu'il
n'y a pas et qu'il ne peut pas y avoir de réponses à des
questions telles qu'une justification *générale* du principe d'induction (autre problème légué par Hume). Il
y a des inductions qui sont justifiées et d'autres qui
ne le sont pas ou, pour nuancer une fois de plus, des
inductions qui sont plus raisonnables et d'autres qui le
sont moins. Tout dépend du cas considéré : pour
reprendre un exemple philosophique classique, le fait
que nous avons vu le soleil se lever tous les jours,
combiné à toutes nos connaissances en astronomie,
nous donne de bonnes raisons de croire qu'il se lèvera
demain. Mais cela n'implique nullement qu'il se lèvera
dans 10 milliards d'années (en effet, les théories astrophysiques contemporaines prédisent qu'il aura épuisé
son combustible avant cette date).

On revient toujours au problème de Hume : aucune
assertion sur le monde réel ne peut jamais être littéralement *prouvée*, mais pour reprendre l'expression très
juste du droit anglo-saxon, elle peut être au-delà de
tout doute *raisonnable*. Le doute déraisonnable subsiste.

En fin de compte, le sceptique est orphelin des certitudes absolues mais illusoires de la philosophie spéculative. Ce qui a disparu au dix-huitième siècle, ce sont
bien ces certitudes-là, et on n'y reviendra plus.

Pourquoi passer tant de temps à des arguments

somme toute élémentaires ? Parce qu'une bonne part
de la dérive relativiste que nous voulons critiquer a une
double origine :

— une partie de l'épistémologie du vingtième
siècle (le Cercle de Vienne, Popper et d'autres)
a tenté de formaliser la démarche scientifique ;
— l'échec partiel de cette tentative a mené à un
scepticisme déraisonnable.

Nous montrerons, dans la suite de ce chapitre, que
toute une série d'arguments relativistes à propos de la
connaissance scientifique, soit sont des critiques
valables de certaines tentatives de codification de la
méthode scientifique qui, néanmoins, ne permettent
pas de mettre en question la rationalité du discours
scientifique, soit ne font que reformuler d'une façon
ou d'une autre le scepticisme radical humien.

L'épistémologie en crise

> La science sans épistémologie — à sup-
> poser qu'elle soit pensable — est primitive
> et brouillonne. Néanmoins, dès que l'épisté-
> mologue, qui cherche un système clair, en a
> trouvé un, il est enclin à interpréter le
> contenu de la science à travers son système
> et à rejeter ce qui n'y rentre pas. Le scienti-
> fique, par contre, ne peut pas se permettre
> de pousser si loin son désir de systématicité
> épistémologique. [...] Il doit donc paraître
> aux yeux de l'épistémologue systématique
> comme un opportuniste sans scrupule.
>
> Albert Einstein (1949, p. 684)

Une grande partie du scepticisme contemporain prétend trouver des arguments chez des auteurs tels que
Quine, Kuhn ou Feyerabend qui ont mis en question
l'épistémologie de la première moitié du vingtième
siècle. Celle-ci est effectivement en crise. Pour

comprendre la nature et l'origine de cette crise, et l'impact qu'elle peut avoir sur l'attitude scientifique, nous remonterons à Popper[65]. Bien sûr, Popper n'est pas un relativiste, au contraire. Il constitue néanmoins un bon point de départ, en premier lieu parce qu'une grande partie des développements modernes en épistémologie (Kuhn, Feyerabend) s'est faite en réaction à lui ; en second lieu, parce que, bien que nous soyons en profond désaccord avec certaines conclusions auxquelles arrivent des critiques de Popper tels que Feyerabend, il est vrai qu'une bonne partie de nos problèmes remontent à certaines ambiguïtés ou inexactitudes contenues dans *La Logique de la découverte scientifique* de Popper[66]. Il est important de comprendre les limitations de cet ouvrage pour mieux affronter les dérives irrationalistes auxquelles ont mené les critiques qu'il a suscitées.

Les idées de base de Popper sont bien connues. Il cherche un critère de démarcation entre théories scientifiques et non scientifiques. Il pense le trouver dans la *falsifiabilité* : pour être scientifique, une théorie doit faire des prédictions qui peuvent, en principe, être fausses dans le monde réel. Pour Popper, des théories comme l'astrologie ou la psychanalyse évitent de se soumettre à cette épreuve, soit en ne faisant pas de prédictions précises, soit en arrangeant leurs énoncés de façon *ad hoc* pour accomoder les résultats empiriques lorsque ceux-ci les contredisent[67].

Si une théorie est falsifiable, donc scientifique, elle

---

65. Nous pourrions commencer avec le Cercle de Vienne, mais cela nous mènerait trop loin. Notre analyse dans cette section est en partie inspirée par Putnam (1974), Stove (1982) et Laudan (1990b). Après la parution de la première édition de ce livre, Tim Budden a attiré notre attention sur l'ouvrage de Newton-Smith (1981), où l'on trouve une critique similaire de l'épistémologie de Popper.

66. Popper (1978).

67. Comme on le verra plus loin, qu'une explication soit *ad hoc* ou non dépend fortement du contexte.

peut être soumise à des tests de *falsification*. C'est-à-dire qu'on peut comparer les prédictions empiriques de la théorie avec les observations ; et si les observations contredisent les prédictions, il s'ensuit que la théorie est fausse et doit être rejetée. L'emphase sur la falsification (par opposition à la vérification) souligne, selon Popper, une asymétrie cruciale : on ne peut jamais prouver qu'une théorie est *vraie* car elle fait, en général, une infinité de prédictions empiriques dont on ne peut tester qu'un sous-ensemble fini ; mais on peut néanmoins prouver qu'une théorie est *fausse* car il suffit pour cela d'une seule observation (fiable) qui la contredise [68].

Le schéma poppérien — falsifiabilité et falsification — n'est pas mauvais, s'il est pris avec un grain de sel. Mais on rencontre plusieurs difficultés lorsqu'on essaie de prendre la doctrine falsificationniste à la lettre. Il peut paraître attrayant d'abandonner l'incertitude de la vérification en faveur de la certitude de la falsification. Mais cette démarche se heurte à deux problèmes : en abandonnant la vérification, on paye un prix trop élevé ; de plus, on n'obtient pas ce qui nous est promis, car la falsification est bien moins certaine qu'il ne le paraît.

La première difficulté concerne le statut de l'induction scientifique. Lorsqu'une théorie se soumet à un test de falsification *sans être réfutée*, un scientifique considérera qu'elle est partiellement confirmée et lui accordera une vraisemblance ou une probabilité subjective plus grande. Le degré de vraisemblance dépend évidemment des circonstances : qualité de l'expé-

---

68. Dans ce bref résumé, nous avons évidemment omis de distinguer entre les observations, la notion d'énoncés observationnels propre au Cercle de Vienne (notion que Popper critique), et l'idée poppérienne d'énoncés de base ; nous avons également omis, entre autres, la précision faite par Popper que seuls des effets reproductibles peuvent mener à une falsification. Néanmoins, rien de ce qui suit ne dépendra de ces simplifications.

rience, caractère surprenant ou non des prédictions, etc. Mais Popper ne l'entend nullement de cette oreille : toute sa vie, il a été un farouche adversaire de toute idée de « confirmation » d'une théorie, voire même de sa « probabilité ». Il écrit :

> *Est-il rationnellement justifié de raisonner en partant de cas dont nous avons l'expérience pour arriver à des cas dont nous n'avons eu aucune expérience ?* La réponse incessante de Hume est : non, ce n'est pas justifié [...] À mon avis la réponse de Hume à ce problème est correcte. (Popper 1974, p. 1018-1019 [69], italiques dans l'original)

Évidemment, toute induction est une inférence de l'observé à l'inobservé et aucune inférence de ce type n'est justifiable en utilisant seulement la logique *déductive*. Mais, comme on l'a vu, si cet argument devait être pris au sérieux — si la rationalité se bornait à la seule logique déductive — il impliquerait aussi qu'il n'y a aucune bonne raison de croire que le soleil se lèvera demain, alors que personne ne s'attend *réellement* à ce qu'il ne se lève pas.

Avec la falsifiabilité, Popper pense avoir résolu le problème de Hume [70], mais sa solution, prise à la lettre, est purement négative : nous pouvons être sûrs que certaines théories sont fausses, jamais qu'elles sont vraies ou même probables. Il est évident que cette « so-

---

69. Voir aussi Stove (1982, p. 48) pour d'autres citations similaires dans les écrits de Popper. Notons que Popper dit qu'une théorie est « corroborée » lorsqu'elle passe avec succès des tests de falsification. Mais le sens de ce terme n'est pas clair : il ne peut pas être simplement synonyme de « confirmée », sinon toute la critique poppérienne de la démarche inductive perdrait son sens. Voir Putnam (1974) pour une discussion plus approfondie.

70. Par exemple, il écrit : « Le critère de démarcation proposé nous conduit également à une solution du problème humien de l'induction : le problème de la validité des lois naturelles. [...] La méthode de la falsification ne présuppose donc aucune inférence inductive mais seulement les transformations tautologiques de la logique déductive dont la validité n'est pas en question. » (Popper 1978, p. 39)

lution » n'a rien de satisfaisant d'un point de vue scientifique. En particulier, un des rôles de la science est de faire des prédictions sur lesquelles d'autres personnes (ingénieurs, médecins, ...) peuvent baser leur pratique, et toutes ces prédictions se fondent sur une forme ou une autre d'induction.

Par ailleurs, l'histoire montre que ce qui fait accepter une théorie scientifique, ce sont surtout ses succès. Par exemple, en se fondant sur la mécanique de Newton, on est arrivé à déduire un grand nombre de phénomènes astronomiques et de mouvements terrestres, en excellent accord avec l'observation. De plus, la crédibilité de cette théorie s'est trouvée renforcée par des prédictions telle que le retour de la comète de Halley en 1759 [71] et par des découvertes spectaculaires telle que celle de Neptune en 1846, trouvé là où Le Verrier et Adams l'avaient prédit [72]. Il est invraisemblable qu'une théorie si simple puisse prédire si précisément des phénomènes *inédits* si elle n'était pas au moins approximativement vraie.

La seconde difficulté de l'épistémologie de Popper, c'est que la falsification d'une théorie est bien plus compliquée qu'il n'y paraît [73]. Pour le comprendre, considérons justement la mécanique newtonienne [74]. Entendons par là la combinaison de deux lois, la loi du

---

71. Comme l'écrivait Laplace : « Le monde savant attendit avec impatience ce retour qui devait confirmer l'une des plus grandes découvertes que l'on eût faites dans les sciences. » (Laplace 1986 [1825], p. 34)

72. Pour une histoire détaillée, voir par exemple Grosser (1962) ou Moore (1996, chapitres 2 et 3).

73. Soulignons que Popper lui-même est parfaitement conscient des ambiguïtés liées à la falsification. Mais il ne fournit pas, à notre avis, une alternative satisfaisante au « falsificationnisme naïf », qui corrige les défauts de cette doctrine tout en conservant au moins certaines de ses vertus.

74. Notre discussion suit, en partie, Putnam (1974). Voir aussi la réponse de Popper (1974, p. 993-999) et la réplique de Putnam (1978).

mouvement selon laquelle la force est égale à la masse multipliée par l'accélération et la loi de la gravitation universelle selon laquelle la force d'attraction entre deux corps est proportionnelle au produit de leurs masses et inversement proportionnelle au carré de leur distance. En quel sens cette théorie est-elle falsifiable ? Comme telle, elle ne prédit pas grand-chose ; en effet, une grande quantité de mouvements sont compatibles avec ces lois et peuvent même en être déduits, si l'on fait des hypothèses appropriées sur les masses des différents corps célestes. En fait, la célèbre déduction par Newton des lois de Kepler présuppose certaines hypothèses additionnelles, logiquement indépendantes des lois mentionnées ci-dessus, principalement que les masses des planètes sont petites par rapport à la masse du Soleil, ce qui entraîne que l'interaction des planètes entre elles peut être négligée (en première approximation). Mais évidemment cette hypothèse, bien que raisonnable, n'est nullement évidente : les planètes pourraient être faites d'une matière très lourde et l'hypothèse additionnelle s'effondrerait. Ou encore, il pourrait exister une grande quantité de matière invisible qui affecterait le mouvement des planètes[75]. De plus, toutes nos observations astronomiques dépendent, pour pouvoir être interprétées, de certains énoncés théoriques, en particulier d'hypothèses optiques sur le fonctionnement des télescopes et sur la propagation de la lumière dans l'espace. Il en va de même pour n'importe quelle observation : lorsqu'on mesure un courant électrique, par exemple, on voit en réalité la position d'une aiguille sur un cadran (ou des chiffres sur un compteur), qui est interprétée, grâce à nos théories,

---

75. Remarquons que l'existence d'une telle matière dite « sombre », donc invisible (mais non nécessairement indétectable par d'autres moyens), est postulée dans certaines théories cosmologiques actuelles, et ces dernières ne sont pas déclarées non scientifiques *ipso facto*.

comme indiquant la présence et l'intensité d'un courant[76].

Il s'ensuit que les propositions scientifiques ne sont
pas falsifiables une par une car, pour arriver à en
déduire une quelconque prédiction empirique, on doit
faire un grand nombre d'hypothèses additionnelles, ne
serait-ce que sur la façon dont fonctionnent les appareils de mesure, hypothèses qui, de plus, sont souvent
implicites. Le philosophe américain Quine a exprimé
cette idée de façon assez radicale :

> [N]os énoncés à propos du monde extérieur font face
> au tribunal de l'expérience sensorielle non pas indivi-
> duellement mais dans leur ensemble. [...] Prise collecti-
> vement, la science a une double dépendance, à la fois
> par rapport au langage et par rapport à l'expérience ;
> mais cette dualité ne peut être repérée de façon signifi-
> cative dans les énoncés scientifiques pris un à un. [...]
> L'unité de signification empirique est la science toute
> entière[77]. (Quine 1980 [1953], p. 41-42)

Comment répondre à ce genre d'objections ? Tout
d'abord, il faut souligner que les scientifiques sont,
dans leur pratique, parfaitement conscients du problème. Chaque fois qu'une expérience contredit une
théorie, ils se posent toutes sortes de questions : est-ce
la façon dont l'expérience est faite ou analysée qui est
en cause ? Est-ce la théorie elle-même ou l'une des
hypothèses additionnelles ? A-t-on implicitement supposé quelque chose d'erroné qui pourrait être la source
du problème ? Ce n'est jamais l'expérience en question

---

76. L'importance de la théorie dans l'interprétation des expériences a été soulignée par Duhem (1914, seconde partie, chapitre VI).

77. Soulignons que, dans l'avant-propos de l'édition de 1980
(p. VIII), Quine rejette la lecture la plus radicale de ce passage,
disant (correctement à notre avis) que « le contenu empirique est
partagé par des groupes d'énoncés et ne peut pas, pour l'essentiel,
être réparti parmi ces énoncés. Mais, en pratique, ce groupe
d'énoncés n'est jamais l'ensemble de la science ».

qui, à elle seule, dicte ce qu'il faut faire. L'idée (ce que Quine appelle le « dogme empiriste ») selon laquelle on peut tester les propositions scientifiques une à une fait partie d'une image d'Épinal de la science.

Mais il faut nuancer sérieusement les propos de Quine [78]. En pratique, l'expérience n'est pas *donnée* ; nous ne sommes pas simplement en train de contempler le monde pour ensuite l'interpréter. On fait des expériences spécifiques, en fonction de nos théories, justement pour en tester les différentes parties ou hypothèses, si possible indépendamment les unes des autres ou, au moins, en les combinant de différentes façons. On utilise un *ensemble* de tests, dont certains servent simplement à vérifier que les appareils de mesure fonctionnent bien comme prévu (en les appliquant à des situations bien connues). Et, de même que c'est l'ensemble des propositions théoriques pertinentes qui est soumis à un test de falsification, c'est aussi l'ensemble de nos observations empiriques qui exerce des contraintes sur nos interprétations théoriques. Par exemple, s'il est vrai que nos connaissances astronomiques dépendent d'hypothèses optiques, celles-ci ne peuvent être modifiées arbitrairement car elles sont

---

78. Ainsi que d'autres assertions reliées aux précédents, telles que : « Toute proposition peut être maintenue comme étant vraie quoi qu'il advienne, si nous faisons des changements suffisamment drastiques ailleurs dans le système. Même un énoncé très proche de la périphérie [c'est-à-dire proche de l'expérience directe] peut être maintenu comme vrai face à une expérience récalcitrante en plaidant l'hallucination ou en amendant certains énoncés d'une espèce appelée "lois logiques". » (p. 43) Bien que ce passage, cité hors du contexte, puisse être vu comme une apologie d'un relativisme radical, la discussion de Quine (p. 43-44) suggère que ce n'est *pas* son intention, et qu'il pense (de nouveau, correctement à notre avis) que certaines modifications de nos systèmes de croyances face à des « expériences récalcitrantes » sont bien plus raisonnables que d'autres.

susceptibles d'être testées, du moins en partie, par beaucoup d'expériences *indépendantes*.

Mais nous ne sommes pas au bout des difficultés du poppérisme. En le suivant à la lettre, on devrait dire que la théorie de Newton était falsifiée depuis longtemps par le comportement anomal de l'orbite de Mercure[79]. Pour un strict poppérien, l'idée de mettre de côté certaines difficultés (comme l'orbite de Mercure) dans l'espoir qu'elles seront temporaires, devrait être considérée comme une stratégie illégitime tendant à éluder la falsification. Toutefois, si l'on tient compte du contexte, on peut très bien soutenir qu'il est *rationnel* de procéder ainsi, au moins durant un certain temps, sinon toute science serait impossible. Il y a toujours des expériences ou des observations dont on ne peut pas rendre compte de façon satisfaisante, ou qui semblent être même en contradiction avec la théorie, et qui sont mises de côté en attendant des jours meilleurs. Après les immenses succès de la mécanique newtonienne, il aurait été déraisonnable de la rejeter à cause d'une seule prédiction contredite (apparemment) par l'observation, vu que ce désaccord pouvait avoir

---

79. Les astronomes ont observé au milieu du dix-neuvième siècle que l'orbite de Mercure était légèrement différente de celle prédite par la mécanique newtonienne : l'écart correspond à une précession (lente rotation) du périhélie (le point de l'orbite le plus proche du Soleil) de Mercure d'à peu près 43 secondes d'arc par siècle. (Cet angle est extrêmement petit : une seconde d'arc vaut 1/3600 degrés et un cercle est divisé en 360 degrés.) Différentes hypothèses furent avancées pour expliquer ce comportement anomal dans le contexte de la mécanique de Newton : par exemple, en conjecturant l'existence d'une nouvelle planète (ce qui était naturel, vu le succès de cette approche dans la découverte de Neptune). Néanmoins, toutes les tentatives faites pour détecter cette planète échouèrent. L'anomalie fut finalement expliquée en 1915 comme une conséquence de la théorie de la relativité générale d'Einstein. Pour une histoire plus détaillée, voir Roseveare (1982).

toutes sortes d'autres explications [80]. La science est une
entreprise rationnelle, mais difficile à codifier.

Bien sûr, l'épistémologie de Popper contient des
idées valables : l'emphase mise sur la falsifiabilité et
la falsification est salutaire, pourvu qu'elle ne soit pas
poussée à l'extrême (par exemple, au rejet radical de
l'induction). En particulier, lorsqu'on compare des
démarches radicalement différentes comme l'astrologie
et l'astronomie, on peut faire un certain usage des critères poppériens. Mais il ne sert à rien d'exiger que les
pseudo-sciences se conforment à des règles strictes que
les scientifiques eux-mêmes ne suivent pas à la lettre
(sinon, on tombe sous le coup des critiques de Feyerabend que nous discuterons plus loin).

Il est évident que, pour être scientifique, une théorie
doit être testée empiriquement d'une façon ou d'une

---

80. En effet, l'erreur aurait bien pu se trouver dans l'une des
hypothèses additionnelles et non dans la théorie newtonienne elle-
même. Par exemple, le comportement anomal de l'orbite de Mercure aurait pu être dû à l'effet d'une planète encore inconnue, d'un
anneau d'astéroïdes ou d'une petite asphéricité du Soleil. Bien sûr,
ces hypothèses peuvent et doivent être soumises à des tests indépendants de l'orbite de Mercure ; mais ces tests dépendent à leur
tour d'hypothèses additionnelles (concernant, par exemple, la difficulté de voir une planète très près du Soleil) qui ne sont pas simples
à évaluer. Nous ne voulons nullement suggérer qu'on puisse rationnellement continuer ainsi — *ad infinitum* — après un certain temps,
les explications *ad hoc* deviennent trop bizarres pour être acceptables — mais ce processus peut facilement prendre un demi-siècle,
comme ce fut effectivement le cas pour l'orbite de Mercure (voir
Roseveare 1982).
Par ailleurs, Weinberg (1997, p. 91-92) observe qu'au début du
vingtième siècle, il existait *plusieurs* anomalies dans la mécanique
du système solaire : non seulement celle de l'orbite de Mercure,
mais aussi celles des orbites des comètes de Halley et d'Encke ainsi
que de la Lune. On sait maintenant que ces dernières étaient dues
à des erreurs dans les hypothèses additionnelles — on n'avait pas
bien compris l'évaporation des gaz des comètes et les forces de
marée agissant sur la Lune — et que seul l'orbite de Mercure
constituait une véritable falsification de la mécanique newtonienne.
Mais ce n'était nullement évident à l'époque.

autre. Il est également vrai que les prédictions de phénomènes inattendus sont souvent les tests les plus spectaculaires. Finalement, il est plus facile de montrer
qu'une affirmation quantitative précise est fausse que
de montrer qu'elle est vraie. Et c'est sans doute une
combinaison de ces trois idées qui font le succès de
Popper auprès de nombreux scientifiques. Mais ces
idées ne sont nullement dues à Popper et ne constituent
pas ce qui est original chez lui. La nécessité de tests
empiriques remonte au moins au dix-septième siècle.
C'est simplement la leçon de l'empirisme : le rejet des
vérités *a priori* ou des vérités révélées. Par ailleurs, les
prédictions ne constituent pas toujours les tests les plus
probants [81]. Et ces tests peuvent prendre des formes
relativement complexes, qui ne se réduisent pas à la
simple falsification d'une hypothèse prise isolément.

Tous ces problèmes ne seraient pas si graves s'ils
n'avaient suscité une forte réaction irrationaliste : certains penseurs, principalement Feyerabend, rejettent
l'épistémologie de Popper, en lui opposant en partie
les arguments discutés ci-dessus, et tombent ensuite
dans une attitude antiscientifique extrême (voir plus
loin). C'est oublier que les arguments en faveur de la
théorie de la relativité ou de la théorie de l'évolution
se trouvent chez Einstein, Darwin et leurs successeurs,
non chez Popper. Donc, même si l'épistémologie de
Popper était *entièrement fausse* (ce qu'elle n'est certainement pas), cela n'impliquerait strictement rien
concernant la validité des théories scientifiques [82].

---

81. Par exemple, Weinberg (1997, p. 89-102) explique pourquoi
la *rétro*diction de la précession du périhélie de Mercure était un
test bien plus convaincant de la relativité générale que la *pré*diction
de la déflection de la lumière des étoiles par le Soleil. Voir aussi
Brush (1989).

82. À titre d'analogie, considérons le paradoxe de Zénon : il ne
prouve nullement qu'Achille ne rattrapera pas, en fait, la tortue ; il
prouve seulement que les concepts de mouvement et de limite
n'étaient pas bien compris à l'époque de Zénon. De même, nous

La thèse de Duhem-Quine : la sous-détermination

Une autre idée, souvent appelée « thèse de Duhem-Quine », est que les théories sont sous-déterminées par les faits[83]. L'ensemble de toutes nos données expérimentales est fini. Par contre, nos théories contiennent, au moins virtuellement, une infinité de prévisions empiriques. Par exemple, la théorie de Newton décrit non seulement comment se déplacent les astres actuellement connus, mais elle décrit aussi comment se déplacera un satellite qu'on est prêt à lancer. Comment peut-on passer d'un ensemble fini de données à un ensemble potentiellement infini d'assertions ? Ou plus exactement, existe-t-il une seule façon d'effectuer un tel passage ? C'est un peu comme si l'on demandait : étant donné un nombre fini de points, existe-t-il une seule courbe qui passe par ces points ? Il est évident que la réponse est négative : il existe une infinité de courbes passant par un ensemble fini de points. De la même façon, il y a toujours un grand nombre, même une infinité, de théories compatibles avec les faits, et cela quels que soient les faits, et quel que soit leur nombre.

De nouveau, il y a deux façons de réagir à ce genre de thèse très générale. L'une est de l'appliquer (comme on a logiquement le droit de le faire) à *toutes* nos connaissances ; on peut alors en conclure, par exemple, que, quels que soient les faits, il existe toujours un aussi grand nombre de suspects à la fin de n'importe quelle enquête

---

pouvons fort bien pratiquer la science sans nécessairement comprendre comment nous procédons.

83. Soulignons que la version de cette thèse donnée par Duhem est bien moins radicale que celle de Quine. Notons également que l'on appelle aussi parfois « thèse de Duhem-Quine » l'idée, que nous avons analysée dans la section précédente, selon laquelle les observations dépendent de la théorie. Nous renvoyons à Laudan (1990b) pour une discussion plus détaillée des idées présentées dans cette section.

policière qu'à son début. Clairement, cela paraît absurde. Pourtant, c'est bien ce qu'on peut montrer avec cette thèse : en effet, il y a toujours moyen d'inventer une histoire, peut-être très bizarre, où X est coupable et Y innocent et de rendre compte des faits de manière *ad hoc*. On se trouve simplement en face d'une nouvelle version du scepticisme radical humien. La faiblesse de cette thèse est de nouveau sa généralité.

Une autre façon d'aborder ce problème est d'envisager les différentes situations concrètes qui peuvent se présenter lorsqu'on confronte une théorie aux preuves empiriques.

1) On peut disposer d'arguments tellement forts en faveur d'une théorie donnée que la mettre en doute serait pratiquement aussi déraisonnable que de croire au solipsisme. Par exemple, on a de fortes raisons de croire que le sang circule, que les espèces ont évolué, que la matière est composée d'atomes, et bien d'autres choses. Le cas analogue, dans une enquête, est celui où l'on est sûr, ou presque, d'avoir trouvé le coupable.

2) On peut disposer d'un certain nombre de théories concurrentes mais aucune d'entre elles ne paraît totalement convaincante. L'origine de la vie est sans doute un tel exemple (du moins aujourd'hui). L'analogie, pour les enquêtes policières, est évidemment le cas où il y a plusieurs suspects, mais on ignore quel est vraiment le coupable. Notons qu'on peut aussi se trouver dans la situation où l'on dispose d'une théorie unique, mais peu convaincante, par manque de tests suffisamment probants. Les scientifiques utilisent alors implicitement la thèse de la sous-détermination : il se pourrait qu'une autre théorie, à laquelle on n'a pas pensé, soit la bonne ; on n'accorde alors à l'unique théorie existante qu'une probabilité subjective assez faible.

3) Finalement, on peut n'avoir aucune théorie plausible qui rende compte de tous les faits existants. C'est probablement le cas aujourd'hui pour l'unification de

la relativité générale avec la physique des particules élémentaires, comme pour beaucoup d'autres problèmes scientifiques difficiles.

Revenons un instant au problème de la courbe tracée à partir d'un nombre fini de points : ce qui nous convainc qu'on a trouvé la bonne courbe est évidemment que, si de nouveaux points expérimentaux s'ajoutent aux premiers, ils s'alignent sur la courbe déjà tracée. On suppose implicitement qu'il n'y a pas une espèce de conspiration cosmique qui ferait que la courbe réelle soit très différente de celle que nous avons dessinée, mais que tous les points que nous avons mesurés (anciens et nouveaux) appartiennent justement à l'intersection des deux courbes. Pour reprendre un mot d'Einstein, il faut imaginer que Dieu est subtil mais pas méchant.

Kuhn et l'incommensurabilité des paradigmes

> Bien plus de choses sont connues aujourd'hui qu'il y a cinquante ans, et bien plus de choses étaient connues à cette époque qu'en 1580. Donc, il y a bien eu une forte accumulation ou croissance du savoir au cours des quatre derniers siècles. Ce fait est très bien connu [...] Par conséquent, un auteur adoptant une position qui le pousserait à nier [ce fait], ou même qui le rendrait hésitant à l'admettre, apparaîtrait inévitablement aux yeux des philosophes qui le lisent comme soutenant quelque chose d'extrêmement peu plausible.
>
> David Stove, *Popper and After*
> (1982, p. 3)

Tournons-nous maintenant vers certaines analyses historiques qui ont apparemment apporté pas mal d'eau au moulin du relativisme contemporain. La plus célèbre est le livre de Kuhn, *La Structure des révolutions scientifiques*[84]. C'est exclusivement à l'aspect épistémologique de l'œuvre de Kuhn que nous nous attacherons[85]. Il n'y a aucun doute que Kuhn envisage son travail d'historien comme ayant un impact sur nos conceptions de l'activité scientifique et, au moins indirectement, sur l'épistémologie[86].

Le schéma de Kuhn est bien connu : le gros de l'activité scientifique, ce qu'il appelle « la science normale », se déroule à l'intérieur de « paradigmes ». Ceux-ci définissent le genre de problèmes à étudier, les critères au moyen desquels une solution est évaluée, et les procédures expérimentales considérées comme acceptables. De temps en temps, la science normale entre en crise et l'on assiste à un changement de paradigme. Par exemple, la naissance de la physique moderne, avec Galilée et Newton, suppose une rupture avec Aristote et, au vingtième siècle, la théorie de la relativité et la mécanique quantique renversent le paradigme de la mécanique classique. Même chose en biologie, lorsqu'on passe d'une vision fixiste des espèces à la théorie de l'évolution, ou de Lamarck à la génétique moderne.

Cette vision des choses colle tellement bien à l'expérience que les scientifiques ont de leur activité qu'on

---

84. Pour cette section, nous renvoyons à Shimony (1976), Siegel (1987), Weinberg (1998) et surtout à Maudlin (1996) pour des critiques plus approfondies.

85. Et seulement à *La Structure des révolutions scientifiques* (Kuhn 1983). Pour des analyses (divergentes) des thèses ultérieures de Kuhn, voir Maudlin (1996) et Weinberg (1996b, p. 56).

86. Parlant de « l'image de la science dont nous sommes actuellement empreints » et qui est propagée entre autres par les scientifiques eux-mêmes, il écrit : « Cet essai se propose de montrer qu'ils nous ont égarés sur des points fondamentaux, et d'esquisser de la science la conception toute différente qui se dégage du compte rendu historique de l'activité de recherche elle-même. » (Kuhn 1983, p. 17)

voit mal, à première vue, ce qu'il y a de révolutionnaire dans cette approche et encore moins en quoi elle peut être utilisée à des fins antiscientifiques. Le problème n'apparaît que lorsqu'on aborde la notion d'*incommensurabilité* des paradigmes. En effet, les scientifiques pensent en général qu'on peut départager rationnellement des théories concurrentes (Newton et Einstein par exemple) sur la base d'observations et d'expériences, même si l'on accorde à ces théories le statut de « paradigmes »[87]. Mais, bien qu'on puisse donner plusieurs sens au mot « incommensurable » et qu'une bonne partie de la discussion sur l'œuvre de Kuhn tourne justement autour de cette question, ce mot possède au moins un sens qui met en doute la possibilité d'une comparaison rationnelle entre théories concurrentes, à savoir l'idée que l'expérience que nous avons du monde est conditionnée de façon radicale par la théorie, qui elle-même dépend du paradigme[88]. Par exemple, Kuhn rappelle qu'après Dalton, les chimistes virent les proportions dans leurs composés sous la forme de rapports de nombres entiers plutôt que de fractions décimales[89]. Néanmoins, les données de l'époque n'étaient pas toutes en accord avec la théorie atomique, bien que celle-ci rendît compte de nombreuses données existantes. La conclusion qu'en tire Kuhn est plutôt radicale :

> Les chimistes ne pouvaient pas accepter la théorie de Dalton au vu de ses preuves, car une grande partie d'entre elles étaient encore négatives. Et donc, après

---

87. Évidemment, Kuhn ne nie pas explicitement cette possibilité, même s'il tend à souligner les aspects les moins empiriques qui interviennent dans le choix entre théories : « que l'adoration du soleil, par exemple, a contribué à faire de Kepler un copernicien » (p. 210).

88. Remarquons que cette idée va beaucoup plus loin que celle de Duhem sur le fait que l'observation dépend *en partie* d'hypothèses théoriques supplémentaires.

89. Kuhn (1983, p. 186).

avoir accepté la théorie, il leur fallut forcer la nature à s'y conformer, processus qui, en l'occurrence, prit encore presque une génération. À la suite de quoi, même le pourcentage de composition de composés bien connus se trouva différent. Les données elles-mêmes avaient changé. C'est ici le dernier des sens dans lequel nous pouvons dire qu'après une révolution, les scientifiques travaillent dans un monde différent. (Kuhn 1983, p. 187-188)

Mais que veut dire exactement « il leur fallut forcer la nature à s'y conformer » ? Kuhn suggère-t-il que les chimistes après Dalton ont manipulé leurs données et que leurs successeurs continuent de le faire aujourd'hui, pour mettre ces données en accord avec l'hypothèse atomique ? Et que cette hypothèse elle-même serait fausse ? Évidemment, Kuhn ne le pense pas, mais le moins qu'on puisse dire, c'est qu'il s'exprime de façon ambiguë [90]. Sans doute, les mesures des compositions chimiques disponibles au dix-neuvième siècle étaient assez imprécises, et il est possible que les expérimentateurs aient été influencés par la théorie atomique au point de la considérer mieux validée qu'elle ne l'était en réalité. Toutefois, nous disposons *aujourd'hui* de tant d'arguments en faveur de l'atomisme (dont beaucoup sont indépendants de la chimie) qu'il est devenu irrationnel de douter de cette théorie.

Évidemment, l'historien a parfaitement le droit de dire que ce n'est pas ce genre de choses qui l'intéresse : il cherche plutôt à comprendre ou à analyser ce qui se passait au moment où les changements de

---

90. Notons également que sa formulation — « le pourcentage de composition se trouva différent » — confond les faits et la connaissance que nous en avons. Ce qui changea est évidemment la connaissance que les chimistes avaient des pourcentages des composés, non les pourcentages eux-mêmes.

paradigme ont eu lieu[91]. Et il est intéressant de voir dans quelle mesure ces changements ont été fondés sur des arguments empiriques solides ou sur des croyances telles que l'adoration du Soleil. Dans un cas extrême, il se peut qu'un bon changement de paradigme ait eu lieu, suite à un heureux hasard, pour des raisons complètement irrationnelles. Cela ne changerait rien au fait que la théorie à laquelle on serait arrivé pour de mauvaises raisons est aujourd'hui empiriquement établie au-delà de tout doute raisonnable. Par ailleurs, les changements de paradigme, du moins dans la plupart des cas depuis la naissance de la science moderne, ne se produisent pas en réalité pour des raisons *complètement* irrationnelles. Les écrits de Galilée ou de Harvey, par exemple, contiennent de nombreux arguments empiriques et ils sont loin d'être tous faux. Évidemment, il y a un mélange complexe entre les bonnes et les mauvaises raisons qui président à l'émergence d'une nouvelle théorie, et l'adhésion des scientifiques au nouveau paradigme peut bien avoir lieu avant que les preuves empiriques deviennent tout à fait convaincantes. Ce n'est d'ailleurs pas surprenant : les scientifiques essaient de deviner, tant bien que mal, quelle est la bonne voie à suivre, et souvent ces décisions provisoires doivent être prises en l'absence de preuves

---

91. Il rejette ce qu'on appelle en anglais la « Whig history », c'est-à-dire l'histoire du passé réécrite comme une marche en avant vers le présent. Toutefois, il ne faut pas confondre cette recommandation raisonnable avec une autre prescription méthodologique, qui elle est plutôt douteuse, à savoir, le refus d'utiliser toutes les informations disponibles aujourd'hui (y compris les connaissances scientifiques) pour en tirer les meilleures inférences possibles concernant l'histoire, sous prétexte que ces informations n'étaient pas disponibles dans le passé. Après tout, les historiens de l'art utilisent la chimie et la physique contemporaines pour identifier les faux et ces techniques sont utiles à la connaissance de l'histoire de l'art, même si cette identification n'était pas possible à l'époque que l'on étudie. Pour une application similaire en histoire des sciences, voir par exemple Weinberg (1996a, p. 15).

empiriques suffisantes. Cela n'ôte rien à la rationalité de l'activité scientifique mais contribue certainement à rendre fascinante l'histoire des sciences.

Le problème est qu'il y a, comme le dit très bien le philosophe des sciences Tim Maudlin, deux Kuhn — un Kuhn modéré et son frère, immodéré — qui se mélangent dans le texte de *La Structure des révolutions scientifiques*. Le Kuhn modéré admet que les débats scientifiques du passé ont été tranchés dans le bon sens, mais il souligne que les preuves disponibles à l'époque étaient moins fortes qu'on ne le pense généralement et que des considérations non scientifiques sont intervenues. Nous n'avons aucune objection de principe envers ce Kuhn-là et nous laissons aux historiens le soin de voir jusqu'à quel point ces idées sont correctes dans des cas concrets [92]. Par contre, le Kuhn immodéré — celui qui est devenu, peut-être contre son gré, l'un des pères fondateurs du relativisme contemporain — pense que les changements de paradigme sont dus principalement à des facteurs non empiriques et qu'une fois adoptés, ils conditionnent à ce point notre perception du monde qu'ils ne peuvent qu'être confirmés par nos expériences ultérieures. Maudlin réfute éloquemment cet argument :

> Si l'on donnait une roche lunaire à Aristote, il ferait l'expérience d'une roche et d'un objet ayant tendance à tomber. Il ne manquerait pas de conclure que la matière dont est faite la Lune n'est pas foncièrement différente de la matière terrestre en ce qui concerne son mouvement naturel [93]. De même, des télescopes

92. Voir, par exemple, les études rassemblées dans Donovan *et al.* (1988).

93. [Cette note et les deux suivantes sont ajoutées par nous.] Selon Aristote, la matière terrestre est faite de quatre éléments — feu, air, eau et terre — dont la tendance naturelle est de s'élever (feu, air) ou de tomber (eau, terre) selon leur composition, tandis que la Lune et les autres corps célestes sont faits d'un élément

toujours plus puissants ont fait voir plus nettement les phases de Vénus sans tenir compte de la cosmologie préférée par les observateurs[94], et même Ptolémée aurait remarqué la rotation apparente d'un pendule de Foucault[95]. Le paradigme de l'observateur peut certes

---

spécial, « éther », supposé incorruptible et dont la tendance naturelle est de poursuivre un mouvement circulaire perpétuel.

94. On a observé depuis l'Antiquité que Vénus n'est jamais très loin du Soleil dans le ciel. Dans la cosmologie géocentrique de Ptolémée, cela s'expliquait de manière *ad hoc* en supposant que Vénus et le Soleil tournaient autour de la Terre de façon plus ou moins synchronisée (Vénus étant plus proche). Il s'ensuivait que Vénus aurait toujours dû être vue comme un mince croissant, un peu comme la « nouvelle lune ». Par contre, la théorie héliocentrique rend compte des observations en supposant que Vénus tourne autour du Soleil sur une orbite dont le rayon est plus petit que celui de la Terre. Par conséquent, Vénus devrait, comme la Lune, exhiber des « phases » allant de « nouvelle » (lorsque Vénus est du même côté du Soleil que la Terre) à « pleine » (lorsque Vénus est de l'autre côté du Soleil). Étant donné que, vue à l'œil nu, Vénus apparaît comme un point, il n'était pas possible de départager ces deux prédictions avant que les observations télescopiques de Galilée et de ses successeurs n'aient clairement établi l'existence de phases de Vénus. Bien que ces observations ne soient pas une *preuve* du système héliocentrique (d'autres théories peuvent aussi expliquer les phases), elles apportèrent des arguments significatifs en sa faveur et contre le modèle de Ptolémée.

95. D'après la mécanique de Newton, un pendule oscille toujours dans un même plan ; cette prédiction n'est néanmoins valable que par rapport à ce qu'on appelle un « système de référence inertiel » (voir le chapitre 11 ci-dessous), par exemple un système qui est fixe par rapport aux étoiles lointaines. Un système de référence attaché à la Terre n'est pas tout à fait inertiel à cause de la rotation de la Terre sur son axe. Le physicien français Jean Bernard Léon Foucault (1819-1868) s'est rendu compte que le plan d'oscillation d'un pendule, vu à partir de la Terre, devrait tourner lentement et que ce mouvement circulaire serait une preuve de la rotation de celle-ci. Pour le comprendre, considérons un pendule situé au pôle Nord. Le plan dans lequel il oscille restera fixe relativement aux étoiles lointaines pendant que la Terre tourne en-dessous du pendule ; par conséquent, *pour un observateur situé sur la Terre*, le plan d'oscillation fera un tour complet en 24 heures. À toutes les autres latitudes (excepté à l'équateur) un effet similaire a lieu, mais la rotation est plus lente : par exemple, à la latitude de Paris

> influencer l'expérience qu'il a du monde, mais en un
> sens qui ne peut jamais être assez fort pour garantir
> que son expérience s'accordera toujours avec ses théo-
> ries, sans quoi le besoin de réviser les théories ne se
> ferait jamais sentir. (Maudlin 1996, p. 442)

En résumé, s'il est vrai que les expériences scientifiques ne créent pas leur propre interprétation, la théorie ne détermine pas non plus la perception de leurs
résultats.

La deuxième objection qu'on peut soulever contre
la version radicale de l'histoire kuhnienne des sciences
— objection que nous utiliserons plus loin aussi contre
le « programme fort » en sociologie des sciences —
est celle de l'auto-réfutation. L'étude de l'histoire
humaine, en particulier de l'histoire des sciences, s'élabore selon des méthodes qui ne sont pas radicalement
différentes de celles utilisées en sciences exactes : on
étudie des documents, on cherche les inférences les
plus rationnelles, on procède à des inductions vraisem-
blables en fonction des données disponibles, etc. Si des
arguments du même type utilisés en physique ou en
biologie ne devaient pas nous permettre d'arriver à des
conclusions plus ou moins fiables, pourquoi devrions-
nous accorder une quelconque foi à l'historien ? Pourquoi parler de façon réaliste de catégories historiques,
à commencer par les paradigmes, si c'est une illusion
de se référer de façon réaliste à des concepts scientifiques (qui sont d'ailleurs définis bien plus précisément) comme les électrons ou l'ADN [96] ?

(49° N), il fera un tour complet en 32 heures. En 1851, Foucault
démontra cet effet en utilisant un pendule de 67 mètres de long
suspendu au dôme du Panthéon. Par la suite, le pendule de Foucault
devint une expérience classique dans les musées scientifiques.

96. Il est intéressant d'observer qu'un argument similaire a été
avancé par Feyerabend dans la dernière édition anglaise de *Contre
la méthode* : « il ne suffit pas de mettre en cause l'autorité des
sciences par des arguments historiques : pourquoi l'autorité de
l'histoire serait-elle plus grande que celle, disons, de la physi-

On peut encore aller plus loin : il est naturel d'introduire une hiérarchie dans le degré de certitude qu'on accorde à différentes théories en fonction du nombre et de la qualité des arguments qui plaident en leur faveur[97]. Tout scientifique, en fait tout être humain, procède ainsi et accorde une probabilité subjective plus grande aux théories les mieux établies (par exemple, la théorie de l'évolution ou la théorie atomique) et une probabilité subjective moins grande aux théories plus spéculatives (par exemple, les théories détaillées de la gravitation quantique). Le même raisonnement vaut lorsqu'on compare des théories physiques et des théories historiques ou sociologiques. Par exemple, les preuves en faveur de l'existence des atomes sont bien plus fortes que ne le sont celles que Kuhn pourrait avancer pour étayer presque n'importe laquelle de ses théories. Cela ne veut évidemment pas dire que les physiciens soient plus intelligents que les historiens ni qu'ils utilisent de meilleures méthodes, mais tout simplement que les problèmes qu'ils étudient sont généralement moins complexes et comportent un plus petit nombre de variables qui, en outre, sont plus faciles à mesurer et à contrôler. Il est inévitable d'introduire cette hiérarchie dans nos certitudes, et celle-ci implique qu'aucun argument concevable fondé sur la vision kuhnienne de l'histoire ne peut venir en aide aux sociologues ou aux philosophes qui souhaitent mettre en cause, de façon globale, la fiabilité des connaissances scientifiques.

---

que ? » (Feyerabend 1993, p. 271). Voir aussi Ghins (1992, p. 255) pour un argument similaire.

97. Ce type d'arguments remonte au moins à la critique, par Hume, de la croyance aux miracles. Voir Hume (1982 [1748], section X).

Feyerabend : « Tout est bon »

Un autre philosophe célèbre qui est souvent cité dans les discussions sur le relativisme est Paul Feyerabend. Notons d'emblée qu'il s'agit d'un personnage compliqué. Ses attitudes personnelles et politiques lui attirent une certaine sympathie et sa critique des tentatives de formalisation de la démarche scientifique est souvent juste. De plus, malgré le titre d'un de ses livres, *Adieu la raison*, il ne devint jamais entièrement et ouvertement irrationaliste ; vers la fin de sa vie il commença (semble-t-il) à prendre ses distances par rapport aux attitudes antiscientifiques et relativistes [98]. Néanmoins, on trouve également chez lui pas mal d'énoncés ambigus ou confus, qui débouchent parfois sur des attaques virulentes contre la science moderne : attaques qui sont tout à la fois philosophiques, historiques et politiques, et où les jugements de fait et de valeur sont allègrement mélangés [99].

Le principal problème lorsqu'on lit Feyerabend est de savoir quand il faut le prendre au mot. D'une part, il est souvent considéré comme une sorte de bouffon du roi de la philosophie des sciences et il semble avoir

---

98. Par exemple, en 1992, il écrit :
    Comment une entreprise [la science] peut-elle dépendre de la culture de tant de façons différentes et néanmoins produire des résultats si solides ? [...] La plupart des réponses à cette question sont incomplètes ou incohérentes. Les physiciens prennent le fait pour acquis. Les mouvements qui voient la mécanique quantique comme un tournant dans la pensée — et cela inclut des mystiques charlatanesques, des prophètes du New Age, et des relativistes de tout genre — s'excitent sur l'aspect culturel et oublient les prédictions et la technologie. (Feyerabend 1992, p. 29)
    Voir aussi Feyerabend (1993, p. 13, note 12).

99. Voir, par exemple, le chapitre 18 de *Contre la méthode* (Feyerabend 1979). Il faut néanmoins souligner que ce chapitre n'est pas inclus dans les éditions ultérieures de l'ouvrage en anglais (Feyerabend 1988, 1993). Voir aussi le chapitre 9 de *Adieu la raison* (Feyerabend 1987).

pris un certain plaisir à jouer ce rôle[100]. Il a parfois souligné lui-même que ses propos ne doivent pas être pris à la lettre[101]. D'autre part, ses écrits sont remplis de références à des travaux spécialisés en histoire et en philosophie des sciences, ainsi qu'en physique. Cet aspect de son œuvre a sans doute beaucoup contribué à sa réputation de « grand philosophe des sciences ». Tout en gardant ces considérations en tête, nous discuterons ce qui nous semble être son erreur fondamentale et nous montrerons à quels excès elle peut mener.

Pour commencer, soulignons que nous sommes essentiellement d'accord avec ce que Feyerabend dit sur la méthode scientifique, considérée abstraitement :

> L'idée que la science peut, et doit, être organisée selon des règles fixes et universelles est à la fois utopique et pernicieuse. (Feyerabend 1979, p. 332)

Il se livre à une critique sans répit des « règles fixes et universelles » au moyen desquelles certains philosophes croyaient pouvoir exprimer l'essence de la démarche scientifique. Comme nous l'avons souligné, il est extrêmement difficile, sinon impossible, de codifier celle-ci, ce qui n'empêche pas que certaines règles

---

100. Par exemple, il écrit : « Imre Lakatos m'appelait, un peu en plaisantant, "anarchiste", et je n'avais aucune objection contre le fait de mettre un masque d'anarchiste. » (Feyerabend 1993, p. VII).

101. Par exemple : « les principales idées de cet essai [...] sont plutôt triviales et apparaissent triviales lorsqu'elles sont exprimées en des termes adéquats. Néanmoins, je préfère des formulations plus paradoxales, car rien n'est plus ennuyeux pour l'esprit que d'entendre des mots et des slogans familiers. » (Feyerabend 1993, p. XIV) Et encore : « Gardez toujours à l'esprit que les démonstrations et la rhétorique que j'utilise n'expriment aucune "conviction profonde" de ma part. Elles montrent seulement combien il est facile de mener les gens par le bout du nez d'une manière rationnelle. Un anarchiste est comme un agent secret qui joue le jeu de la Raison pour saper l'autorité de la Raison (la Vérité, l'Honnêteté, la Justice, et ainsi de suite). » (Feyerabend 1979, p. 30) Ce texte est accompagné d'une note de bas de page faisant référence au mouvement Dada.

d'une validité plus ou moins générale peuvent être développées sur la base de l'expérience passée. Si Feyerabend s'était borné à montrer, au moyen d'exemples historiques, les limitations de toute codification générale et universelle de la méthode scientifique, nous ne pourrions que le suivre[102]. Malheureusement, il va beaucoup plus loin :

> Toutes les méthodologies ont leurs limites, et la seule « règle » qui survit, c'est : « Tout est bon ». (Feyerabend 1979, p. 333)

On assiste ici à une inférence erronée, mais typique de l'attitude relativiste : partant d'une constatation correcte — « toutes les méthodologies ont leurs limites » — on saute à une conclusion complètement fausse : « tout est bon ». Il existe plusieurs façons de nager, et elles ont toutes leurs limites, mais tous les mouvements du corps ne sont pas également bons (si l'on ne veut pas couler). Il n'y a pas une unique méthode d'enquête policière, mais toutes ne sont pas également fiables (pensons à l'épreuve du feu). Il en va de même pour les méthodes scientifiques.

Dans la deuxième édition de son livre, Feyerabend

---

102. Néanmoins, nous ne nous prononçons pas sur les détails de ses analyses historiques ; voir, par exemple, Clavelin (1994) pour une critique des thèses de Feyerabend sur Galilée.

Notons, d'ailleurs, que plusieurs de ses discussions de problèmes en physique moderne sont erronées ou du moins grossièrement exagérées : voir, par exemple, ses assertions sur le mouvement brownien (p. 37-39), la renormalisation (p. 61-63), le périhélie de Mercure (p. 63-65) et la diffusion en mécanique quantique (p. 66). Démêler toutes ses confusions serait trop long ; voir néanmoins Bricmont (1995a, p. 184) pour une brève discussion de son analyse du deuxième principe de la thermodynamique et du mouvement brownien.

essaie de se défendre contre une lecture littérale de
« tout est bon ». Il écrit :

> Un anarchiste naïf dit que (a) les règles absolues et les
> règles dépendantes du contexte ont toutes deux leurs
> limites, et en infère que (b) toutes les règles et tous les
> critères sont sans valeur et doivent être abandonnés. La
> plupart des critiques me considèrent comme un anar-
> chiste naïf dans ce sens-là [... Mais] bien que je sois
> d'accord avec (a), je ne suis pas d'accord avec (b). Je
> prétends que toutes les règles ont leurs limites et qu'il
> n'y a pas de « rationalité » globale ; je ne prétends pas
> que nous devrions avancer sans règles ni critères.
> (Feyerabend 1993, p. 231)

Le problème est qu'il ne donne guère d'indication sur
le *contenu* de ces critères ; or si ceux-ci ne sont soumis
à aucune norme de rationalité, on arrive facilement au
relativisme le plus extrême.

Quand on passe à des considérations plus concrètes,
Feyerabend mélange fréquemment des observations
raisonnables à des suggestions plutôt bizarres :

> [N]otre premier pas dans la critique des concepts et
> réactions habituels consiste à sortir du cercle et, soit à
> inventer un nouveau système conceptuel, par exemple
> une nouvelle théorie qui entre en conflit avec les résul-
> tats d'observation les mieux établis et bouleverse les
> principes théoriques les plus plausibles, soit à importer
> un tel système à partir de l'extérieur de la science, de
> la religion, de la mythologie, des idées de gens incom-
> pétents ou des divagations de fous. (Feyerabend 1993,
> p. 53 [103])

On pourrait défendre ces propos de Feyerabend en
invoquant la distinction classique entre contexte de
découverte et contexte de *justification*. En effet, dans
le processus idiosyncrasique d'invention des théories
scientifiques, tous les moyens sont en principe admis

---

103. Notre traduction. Pour des propos similaires, voir Feyerabend (1979, p. 48-49).

— déduction, induction, analogie, intuition et même hallucination [104] — le seul critère important étant pragmatique. Par contre, la justification des théories doit être rationnelle, même si cette rationalité ne peut être codifiée de façon définitive. On pourrait être tenté de croire que les exemples volontairement extrêmes avancés par Feyerabend portent uniquement sur le contexte de découverte et qu'il n'y a pas de véritable contradiction entre son point de vue et le nôtre.

Mais le problème est que Feyerabend *nie* explicitement la validité de la distinction entre découverte et justification [105]. Certes, la netteté de cette distinction a été fortement exagérée dans l'épistémologie traditionnelle. C'est toujours le même problème : il est naïf de croire qu'il existe des règles connues, indépendantes de tout contexte, qui permettent de vérifier ou de falsifier une théorie ; ou, pour le dire autrement, le contexte de justification et le contexte de découverte s'élaborent historiquement en parallèle [106]. Il n'empêche qu'à tout moment de l'histoire, une distinction entre les deux existe. Si ce n'était pas le cas, les procédés de justification des théories ne seraient soumis à aucune contrainte rationnelle. Pensons de nouveau aux enquêtes : on peut découvrir le coupable suite à toutes sortes de hasards, mais les arguments avancés pour prouver sa culpabilité ne jouissent pas d'une telle liberté (même s'ils évoluent également au cours de l'histoire) [107].

---

104. Par exemple, on raconte que le chimiste Kekule (1829-1896) a été amené à conjecturer (correctement) la structure du benzène suite à un rêve.

105. Feyerabend (1979, p. 180-183).

106. Pour donner un exemple, l'anomalie de l'orbite de Mercure changea de statut épistémique avec l'avènement de la relativité générale (voir notes 79-81 ci-dessus).

107. La même remarque peut être faite à propos de la distinction également classique, et également critiquée par Feyerabend, entre énoncés théoriques et énoncés d'observation. Il faut éviter d'être naïf lorsqu'on dit que l'on « mesure » quelque chose ; mais il y a néanmoins des « faits », par exemple nos observations d'aiguilles

Une fois que le saut vers le « tout est bon » a été accompli par Feyerabend, il n'est pas étonnant de le voir comparer sans cesse les sciences avec les mythes ou les religions comme, par exemple, dans le passage suivant :

> Newton régna pendant plus de 150 ans ; et si Einstein introduisit pendant une brève période un point de vue plus libéral, ce ne fut que pour être suivi par l'interprétation de Copenhague. Les ressemblances entre la science et le mythe sont vraiment surprenantes ! (Feyerabend 1979, p. 336)

Ici, Feyerabend suggère que ce qu'on appelle l'interprétation de Copenhague de la mécanique quantique, due principalement à Bohr et Heisenberg, a été acceptée par les physiciens de façon plutôt dogmatique, ce qui n'est pas faux (on voit moins bien quel est le point de vue « libéral » d'Einstein auquel il fait allusion). Mais ce que Feyerabend ne donne pas, ce sont des exemples de mythes qui changent à la suite d'expériences qui les contredisent, ou qui suggèrent des expériences permettant de départager une version antérieure et postérieure du mythe. Ce n'est que pour cette raison, mais qui est cruciale, que les « ressemblances entre la science et le mythe » sont superficielles.

On retrouve cette analogie lorsqu'il suggère de séparer l'État et la Science.

> Si les parents d'un enfant de 6 ans peuvent décider de le faire instruire dans les rudiments du protestantisme ou de la foi juive, ou décider tout simplement de ne pas lui donner d'instruction religieuse, ils n'ont pas la même liberté dans le cas des sciences. Il faut absolument apprendre la physique, l'astronomie, l'histoire. On n'a pas le droit de les remplacer par la magie, l'astrologie ou l'étude des légendes.
>
> On ne se contente pas non plus d'une présentation

sur un cadran ou de couleurs sur un écran, et ils ne coïncident pas toujours avec nos désirs.

> simplement historique des faits et des principes phy-
> siques (astronomiques, historiques, etc.). On ne dit
> pas : certaines personnes croient que la Terre tourne
> autour du Soleil, tandis que d'autres considèrent la
> Terre comme une sphère creuse qui contient le Soleil,
> les planètes, les étoiles fixes. On dit : la Terre tourne
> autour du Soleil — et tout le reste n'est qu'absurdité.
> (Feyerabend 1979, p. 339-340)

Ici, Feyerabend réintroduit, sous une forme particulièrement brutale, la distinction entre « faits » et « théories », ingrédient de l'épistémologie du Cercle de
Vienne qu'il rejette par ailleurs. En même temps, il
semble utiliser implicitement en sciences humaines une
épistémologie naïvement réaliste qu'il rejette pour les
sciences exactes. En effet, comment savoir exactement
ce que « certaines personnes croient », si ce n'est en
utilisant des méthodes analogues aux méthodes scientifiques (observations, sondages, ...) ? Si l'on fait un
sondage sur les croyances astronomiques des Américains en se limitant à demander l'opinion de professeurs de physique, on ne trouvera sans doute personne
qui « considère la Terre comme une sphère creuse » ;
mais Feyerabend pourrait rétorquer, avec raison, que
le sondage est mal fait ou non représentatif (oserait-il
dire qu'il n'est pas scientifique ?). C'est la même chose
si un anthropologue restait à Paris pour élaborer dans
son bureau les mythes des autres peuples. Mais quels
critères acceptables pour Feyerabend seraient ainsi vio-
lés ? Tout n'est-il pas bon ? À ce degré de radicalisme,
son relativisme méthodologique devient auto-réfutant.
Sans un minimum de méthode (rationnelle) il est
impossible de donner même une « présentation simplement historique des faits ».

Ce qui est frappant chez Feyerabend est, paradoxalement, le caractère général et abstrait de ses propos. Ses
arguments visent au plus à établir que la science ne
s'élabore pas en suivant une méthode bien définie, ce
avec quoi nous sommes essentiellement d'accord. Mais

il n'explique nulle part en quoi la théorie atomique ou la théorie de l'évolution sont fausses, étant donné tout ce qu'on sait aujourd'hui. Et s'il ne le dit pas, c'est très probablement parce qu'il ne le pense pas et qu'il partage avec la plupart de ses collègues (au moins en partie) la vision scientifique du monde, à savoir que les espèces ont évolué, que la matière est composée d'atomes, etc. Et s'il partage ces idées, c'est sans doute parce qu'il a de bonnes raisons de le faire. Pourquoi ne pas y réfléchir et tenter de les expliciter plutôt que de se contenter de répéter qu'elles ne sont pas justifiables par quelques règles universelles de la méthode ? En procédant au cas par cas, théorie par théorie, il pourrait montrer qu'il existe en fait de solides arguments empiriques en faveur de celles-ci.

On peut toujours rétorquer que ce n'est pas ce genre de questions qui intéressent Feyerabend. En effet, il donne souvent l'impression que son opposition à la science n'est pas de nature cognitive mais résulte d'un choix de style de vie, par exemple lorsqu'il écrit : « l'amour devient impossible pour les gens qui insistent sur l'"objectivité", c'est-à-dire qui vivent entièrement en accord avec l'esprit de la science[108] ». Le problème, c'est qu'il ne fait pas de distinction nette entre jugements de fait et jugements de valeur. Il pourrait, par exemple, soutenir que la théorie de l'évolution est infiniment plus plausible que n'importe quel mythe créationniste, mais que les parents ont néanmoins le droit d'exiger que l'école enseigne des doctrines fausses à leurs enfants. Nous ne serions pas d'accord, mais le débat quitterait alors le terrain purement cognitif et ferait intervenir des aspects politiques et éthiques.

Dans la même veine, il écrit dans l'introduction à l'édition chinoise de *Contre la méthode*[109] :

---

108. Feyerabend (1987, p. 301).
109. Reprise dans la deuxième et la troisième éditions anglaises.

> *La science du premier monde n'est qu'une science parmi bien d'autres* [...] Ma principale motivation en écrivant ce livre est humanitaire et non intellectuelle. Je veux soutenir les gens, pas faire « avancer le savoir ». (Feyerabend 1993, p. 3, italiques dans l'original)

Le problème est que la première thèse est de nature purement cognitive (du moins, s'il parle de science et non de technologie), tandis que la deuxième est liée à des buts pratiques. Mais si, en réalité, il n'existe pas « d'autres sciences » réellement distinctes de celle « du premier monde » et néanmoins aussi puissantes sur le plan cognitif, en quoi son affirmation de la première thèse (qui serait donc fausse) permettrait-elle de « soutenir les gens » ? On ne contourne pas si facilement les problèmes de vérité et d'objectivité.

Le « programme fort » en sociologie des sciences

Au cours des années 70, on a vu se développer un nouveau courant en sociologie des sciences. Alors qu'auparavant celle-ci se contentait, en général, de cerner le contexte social dans lequel l'activité scientifique se déroule, les chercheurs qui se sont regroupés sous l'enseigne du « programme fort » sont, comme le mot le suggère, bien plus ambitieux. Ils cherchent à expliquer en termes sociologiques le *contenu* des théories.

Évidemment, la plupart des scientifiques, lorsqu'ils prennent connaissance de ces idées, protestent et soulignent qu'il y a un grand absent dans ce genre d'explications, à savoir la nature elle-même[110]. Dans cette

---

110. Pour des études de cas où des scientifiques ou des historiens des sciences expliquent concrètement les erreurs contenues dans certaines analyses réalisées par des tenants du programme fort, voir, par exemple, Gingras et Schweber (1986), Franklin (1990, 1994), Mermin (1996a, 1996b, 1996c, 1997), Gottfried et Wilson (1997) et Koertge (1998).

section, nous expliquerons les problèmes conceptuels fondamentaux auxquels se heurte le programme fort. Même si ses adhérents ont apporté des correctifs à leur formulation originelle, ils ne semblent pas se rendre compte à quel point leur programme de départ était vicié.

Commençons par citer les principes posés pour la sociologie de la connaissance par l'un des fondateurs du programme fort, David Bloor :

> 1. Elle doit être causale, en ce sens qu'elle doit s'intéresser aux conditions qui donnent naissance aux croyances et aux stades de connaissance observés. Naturellement, il y aura d'autres types de causes en dehors des causes sociales qui coopéreront pour arriver à produire les croyances.
> 2. Elle doit être impartiale vis-à-vis de la vérité ou de la fausseté, de la rationalité ou de l'irrationalité, du succès ou de l'échec d'une connaissance ou théorie particulière. Les deux côtés de ces dichotomies nécessiteront une explication.
> 3. Elle doit être symétrique dans son mode d'explication, en ce sens que les mêmes types de causes doivent expliquer les croyances vraies et les croyances fausses.
> 4. Elle doit être réflexive : en principe ses modèles explicatifs devraient s'appliquer de la même manière à la sociologie elle-même. (Bloor 1991, p. 7)

Pour bien comprendre ce qu'il faut entendre par « causal », « impartiale » et « symétrique », nous analyserons un article de Bloor et son collègue Barry Barnes où ils expliquent et défendent leur programme [111]. L'article commence apparemment par une déclaration de bonnes intentions :

> Loin d'être une menace pour une compréhension scientifique des formes du savoir, le relativisme est nécessaire à cette compréhension. [...] Ce sont ceux qui

---

111. Barnes et Bloor (1981).

s'opposent au relativisme, et qui veulent accorder à certaines formes de connaissance un statut privilégié, qui posent le véritable obstacle à une compréhension scientifique de la connaissance et de la cognition. (p. 21-22)

Néanmoins, on peut déjà soulever le problème de l'auto-réfutation : le discours du sociologue des sciences, qui veut donner « une compréhension scientifique des formes du savoir », ne prétend-t-il pas à « un statut privilégié » par rapport à n'importe quel autre discours, par exemple par rapport à celui des « rationalistes » qu'ils critiquent dans le reste de l'article ? Il nous semble que, si l'on cherche à avoir une compréhension « scientifique » de quoi que ce soit, on est forcé d'opérer une distinction entre une bonne et une mauvaise compréhension. Barnes et Bloor semblent en être conscients, puisqu'ils écrivent :

> Le relativiste, comme tout le monde, doit faire un tri dans ses croyances, en accepter certaines et en rejeter d'autres. Il aura naturellement des préférences et celles-ci vont en général coïncider avec celles d'autres personnes qui habitent au même endroit. Les mots « vrai » et « faux » fournissent l'idiome dans lequel ces évaluations sont exprimées, et les mots « rationnel » et « irrationnel » remplissent une fonction similaire. (p. 27)

Toutefois, c'est une étrange notion de « vérité », qui contredit évidemment celle que nous utilisons dans la vie de tous les jours[112]. Si je considère qu'il est vrai que j'ai bu du café ce matin, je ne veux pas dire uniquement que je *préfère* croire que j'ai bu du café ce matin, et encore moins que « d'autres personnes qui habitent au même endroit » pensent que j'ai bu du café

---

112. On pourrait évidemment interpréter ces propos comme une pure *description* : les gens ont tendance à appeler « vrai » ce qu'ils croient. Mais, avec cette interprétation, l'assertion serait banale.

ce matin ! [113] On assiste à une redéfinition radicale du concept de vérité, que personne (à commencer par Barnes et Bloor eux-mêmes) n'accepterait en pratique pour ce qui est des connaissances ordinaires. Pourquoi alors l'entériner lorsqu'on passe de l'expérience commune au discours scientifique ? Même dans ce cadre-ci, leur définition ne tient pas la route : Galilée, Darwin et Einstein n'ont pas fait un tri dans leurs croyances en suivant celles des autres personnes qui habitaient au même endroit qu'eux.

De plus, Barnes et Bloor ne semblent pas utiliser systématiquement leur nouvelle notion de « vérité » ; ils retombent de temps en temps dans le sens traditionnel. Par exemple, au début de leur article, ils reconnaissent que « dire que toutes les croyances sont également vraies se heurte au problème des croyances qui se contredisent l'une l'autre », et que « dire que toutes les croyances sont également fausses pose le problème du statut des assertions du relativiste lui-même. » (p. 22) Mais si « une croyance vraie » signifiait seulement « une croyance qu'on partage avec les autres personnes qui habitent au même endroit », le problème de la contradiction entre croyances qui sont défendues dans des endroits différents ne se poserait plus [114].

---

113. Cet exemple est adapté des critiques que Bertrand Russell adressait au pragmatisme de William James et John Dewey : voir les chapitres 24 et 25 de Russell (1961a), en particulier p. 779.
114. Un glissement similaire s'observe dans leur usage du mot « connaissance ». D'habitude, les philosophes entendent par « connaissance » une « croyance vraie et justifiée » ou un concept similaire, mais Bloor commence par donner une redéfinition radicale de ce terme :

> Au lieu de considérer la connaissance comme croyance vraie — ou peut-être comme croyance vraie et justifiée — le sociologue l'envisage comme étant ce que les gens considèrent comme des connaissances. Ce sont les croyances auxquelles les gens tiennent et par lesquelles ils vivent [...] Bien entendu, il faut distinguer entre la connaissance et la simple croyance. Cela peut se faire en réservant le mot « connaissance » pour désigner ce qui est admis collectivement, et en parlant de

Une ambiguïté similaire affecte leur discussion de la rationalité.

> Pour le relativiste on ne peut pas donner de sens à l'idée que certaines normes ou croyances sont vraiment rationnelles par opposition à l'idée qu'elles sont seulement localement acceptées comme telles. (p. 27)

De nouveau, qu'est-ce que cela veut dire exactement ? N'est-il pas « vraiment rationnel » de croire que la Terre est (approximativement) ronde, du moins pour ceux qui ont accès aux avions et aux images par satellite ? N'est-ce réellement qu'une croyance « localement acceptée comme telle » ?

Barnes et Bloor semblent jouer sur deux tableaux : d'une part, le scepticisme général, qui ne peut évidemment pas être réfuté ; d'autre part, un programme concret, qui se veut scientifique, en sociologie. Mais ce dernier suppose qu'on a fait une croix sur les arguments du scepticisme radical et qu'on cherche, tant bien que mal, à comprendre une partie de la réalité.

Mettons donc provisoirement de côté les arguments en faveur du scepticisme radical et voyons si le « programme fort » est plausible comme programme scientifique. Barnes et Bloor explicitent de la façon suivante l'idée selon laquelle leurs théories sociologiques doivent être symétriques.

> Notre postulat d'équivalence est que toutes les croyances sont sur un pied d'égalité en ce qui concerne

---

simple croyance pour désigner ce qui est individuel et idiosyncrasique. (Bloor 1991, p. 5 ; voir aussi Barnes et Bloor 1981, p. 22n)

Néanmoins, neuf pages après avoir énoncé cette définition non-standard de « connaissance », Bloor retourne sans commentaire à la définition standard, qu'il contraste avec « erreur » : « [I]l serait erroné de supposer que le fonctionnement naturel de nos ressources animales produit toujours de la connaissance. Il produit un mélange de connaissance et d'erreur, de façon aussi naturelle l'une que l'autre [...] » (Bloor 1991, p. 14)

les causes de leur crédibilité. Non pas que toutes les croyances soient également vraies ou également fausses, mais qu'indépendamment de leur vérité ou de leur fausseté, leur crédibilité doit être considérée comme également problématique. La position que nous allons défendre est que la présence de toutes les croyances sans exception réclame une investigation empirique et qu'on doit en rendre compte en trouvant les causes spécifiques, locales, de cette crédibilité. [...] On peut et l'on doit répondre à toutes ces questions sans tenir compte du statut de la croyance telle que le sociologue la juge et l'évalue en fonction de ses propres normes. (p. 23)

Ici, au lieu d'un scepticisme ou d'un relativisme philosophique *général*, Barnes et Bloor proposent clairement un relativisme *méthodologique* pour le sociologue de la connaissance. Mais l'ambiguïté subsiste : que veut dire exactement « sans tenir compte du statut de la croyance telle que le sociologue la juge et l'évalue en fonction de ses propres normes » ?

S'il s'agit seulement de dire que nous devons utiliser les mêmes principes généraux de sociologie et de psychologie pour expliquer, en partie, les causes de n'importe quelle croyance, indépendamment du fait que nous la considérons comme vraie ou fausse, rationnelle ou irrationnelle, nous n'aurions pas d'objection particulière à formuler[115]. Mais si l'on affirme que seules des causes *sociales* peuvent intervenir dans une telle explication — et que ce que la nature *est* ne peut pas y contribuer — alors nous ne pouvons qu'être en profond désaccord[116].

---

115. Encore qu'on puisse avoir des doutes sur l'attitude hyperscientiste qui consiste à penser qu'on peut trouver une explication causale à toutes les croyances humaines et encore plus sur l'idée que nous possédons aujourd'hui des principes bien établis de sociologie et de psychologie qui permettent de remplir cette tâche.

116. Il est vrai que Bloor dit explicitement ailleurs : « naturellement il y aura d'autres types de causes en dehors des causes sociales qui coopéreront pour arriver à produire les croyances. »

Pour comprendre le rôle de la nature, prenons un exemple concret : pourquoi la communauté scientifique européenne devint-elle convaincue de la véracité de la mécanique newtonienne entre 1700 et 1750 ? Il n'y a aucun doute qu'un grand nombre de facteurs historiques, sociologiques, idéologiques et politiques entrent dans cette explication — il faut expliquer, par exemple, pourquoi la mécanique newtonienne a apparemment été acceptée plus vite en Angleterre qu'en France [117] — mais certainement une *partie* de l'explication doit faire appel au fait que les planètes et les comètes se déplacent (avec une très bonne approximation) comme le prédit la théorie de Newton [118].

Prenons un exemple encore plus évident. Supposons que nous rencontrions quelqu'un qui s'enfuit d'une salle de conférence en criant qu'il est poursuivi par une horde d'éléphants. Comment allons-nous évaluer les « causes » de cette « croyance » ? Il est évident que cela dépend de façon cruciale de la présence ou non d'une horde d'éléphants. Ou, plus exactement, comme nous admettons que nous n'avons pas d'accès « direct » à la réalité, cela dépend du fait que, si nous

---

(Bloor 1991, p. 7) Le problème est qu'il ne précise pas *de quelle façon* la nature peut intervenir dans l'explication des croyances et, surtout, il n'explique pas ce qui reste de son principe de symétrie si l'on prend au sérieux le rôle de la nature. Pour une critique plus détaillée des ambiguïtés de Bloor (d'un point de vue philosophique légèrement différent du nôtre), voir Laudan (1981). Voir aussi Slezak (1994).

117. Voir, par exemple, Brunet (1931) et Dobbs et Jacob (1995).

118. Ou, pour être tout à fait précis : il existe une énorme quantité de données astronomiques qui soutiennent l'idée que les planètes et les comètes se déplacent (avec une très bonne approximation) comme le prédit la théorie de Newton ; et *si* cette idée est correcte, alors c'est ce mouvement (et pas seulement le fait que nous y croyons) qui explique en partie pourquoi la communauté scientifique européenne en est arrivée à croire à la vérité de la mécanique de Newton. Remarquons que *toutes* nos assertions factuelles — y compris « aujourd'hui il pleut à Paris » — doivent être comprises, si l'on veut être précis, de cette façon.

regardons (prudemment !) dans la salle, *nous* voyons une horde d'éléphants (ou des dégâts qui indiquent son passage). Dans ce cas, l'explication la plus plausible de l'ensemble de nos observations est qu'il y avait effectivement une horde d'éléphants, que la personne en question l'a vue ou entendue et qu'elle s'est enfuie en criant ; et nous avertirions la police et les gardiens du zoo. Si, par contre, nous n'observions aucune indice de la présence d'éléphants dans la salle, alors nous ferions l'hypothèse qu'il n'y avait pas d'éléphants, que la personne a eu une sorte d'hallucination et que c'est là l'explication de son comportement ; et nous ferions appel aux psychiatres [119]. D'ailleurs, c'est sans doute ce que Barnes et Bloor eux-mêmes feraient en de pareilles circonstances, indépendamment de ce qu'ils écrivent dans des articles de sociologie ou de philosophie.

Comme nous l'avons expliqué précédemment, nous ne voyons pas de différence *fondamentale* entre l'épistémologie de la science et l'attitude rationnelle dans la vie courante : celle-là n'est que la prolongation et le raffinement de celle-ci. On peut par conséquent avoir de sérieux doutes sur toute philosophie des sciences — ou toute méthodologie pour sociologues — dont on s'aperçoit qu'elle est manifestement erronée lorsqu'elle est appliquée à l'épistémologie de la vie quotidienne.

En résumé, il nous semble que le contenu du « programme fort » est ambigu ; et, selon la façon dont on résout l'ambiguïté, on obtient soit un correctif modérément intéressant aux idées psychologiques et sociologiques les plus naïves — qui nous rappelle que « les croyances vraies ont également des causes » — soit une erreur grossière et évidente.

---

119. Notons au passage que ces décisions peuvent sans doute être justifiées par un raisonnement « bayesien », en utilisant notre expérience antérieure concernant la probabilité de trouver des éléphants dans les salles de conférence, la fréquence des psychoses, la fiabilité de nos perceptions visuelles et auditives, et ainsi de suite.

Les partisans du « programme fort » sont donc face à un dilemme. Soit ils adhèrent de façon systématique à un relativisme philosophique, mais en ce cas on ne voit pas pourquoi (ou comment) ils chercheraient à construire une sociologie « scientifique ». Soit ils se réclament uniquement d'un relativisme méthodologique, mais cette dernière position n'est pas défendable si l'on abandonne le relativisme philosophique, parce qu'on laisse de côté un élément essentiel de l'explication, à savoir la nature. Par conséquent, la démarche sociologique du « programme fort » et l'attitude philosophique relativiste se renforcent mutuellement. C'est cela qui constitue le danger (et sans doute l'attrait pour certains) des différentes variantes de ce programme.

Bruno Latour et ses règles de la méthode

Le programme fort de la sociologie des sciences a trouvé un écho en France, particulièrement autour de Bruno Latour. On trouve chez lui un grand nombre de propositions qui sont formulées de façon tellement ambiguë qu'on peut difficilement les prendre à la lettre. Lorsqu'on lève l'ambiguïté, comme nous allons le faire dans quelques exemples, on arrive à la conclusion que soit l'affirmation est vraie mais banale, soit elle est surprenante mais manifestement fausse.

Dans son livre théorique, *La Science en action*[120], Latour développe sept Règles de la Méthode pour le sociologue des sciences. En voici la troisième :

> Étant donné que le règlement d'une controverse est *la cause* de la représentation de la nature et non sa consé-quence, *on ne doit jamais avoir recours à l'issue finale*

---

120. Latour (1995a). Pour une analyse plus détaillée de *La Science en action*, voir Amsterdamska (1990). Pour une analyse critique des thèses ultérieures de l'école de Latour (ainsi que d'autres courants de la sociologie des sciences), voir Gingras (1995).

> — *la nature* — *pour expliquer pourquoi et comment une controverse a été réglée.* (Latour 1995a, p. 241, italiques dans l'original)

Remarquons d'abord que Latour glisse, sans commentaire ni argument, de « la représentation de la nature » dans la première moitié de la phrase à « la nature » tout court dans la deuxième moitié. Voyons comment on peut comprendre cette phrase. Si on la comprend en mettant « la représentation de la nature » dans les *deux* moitiés, nous obtenons un truisme, à savoir que les représentations scientifiques de la nature sont le résultat d'un processus social et que l'issue de ce processus ne peut être expliquée par elle-même. Si, au contraire, nous prenons au sérieux le mot « nature » dans la deuxième moitié, relié comme il l'est à l'expression « issue finale », nous arrivons à l'assertion que le monde est *créé* par le règlement des controverses scientifiques, ce qui est pour le moins bizarre. Finalement, nous pouvons garder le mot « nature » dans la deuxième moitié mais en retirant « issue finale », et arriver soit à l'assertion banale selon laquelle l'issue d'une controverse scientifique ne peut s'expliquer *uniquement* par la nature du monde (certains facteurs sociaux entrent en ligne de compte, ne serait-ce que pour déterminer quelles expériences sont techniquement possibles à un moment donné, ainsi que d'autres facteurs moins évidents), soit à l'assertion radicale et manifestement fausse selon laquelle le monde n'exerce *aucune* contrainte sur l'issue d'une controverse scientifique[121].

On pourrait nous accuser de nous concentrer sur une ambiguïté de formulation et de ne pas chercher à comprendre ce que Latour veut vraiment dire. Afin de répondre à cette objection, reportons-nous à la section « L'appel à la nature » (p. 228-244) où la troisième

---

121. Voir Gross et Levitt (1994, p. 57-58) pour un exemple concret qui illustre ce deuxième point.

règle de la méthode est introduite et développée. Latour commence par se moquer de l'appel à la nature pour résoudre les controverses en cours, par exemple celle qui concerne les neutrinos solaires[122].

> Une controverse animée oppose les astrophysiciens qui ont calculé le nombre de neutrinos provenant du Soleil et Davis, l'expérimentateur qui en obtint un nombre beaucoup plus faible dans sa mine d'or. Il est facile de les départager et de mettre un terme à la controverse. Il suffit que nous voyions par nous-mêmes de quel côté se situe le Soleil. Il y aura un moment où le Soleil, parce qu'il contient un certain nombre de neutrinos bien déterminé, fera taire les désaccords et obligera les opposants à accepter les faits, quelles que soient les qualités littéraires de leurs articles. (p. 231-232)

Pourquoi Latour choisit-il d'être ironique ? Le problème est bien de savoir combien de neutrinos nous envoie le Soleil (nous dirions qu'il les produit plutôt qu'il les contient, mais peu importe). Cette question est effectivement difficile. On peut espérer qu'elle sera résolue un jour, non parce que le Soleil fera taire les désaccords, mais parce que des données empiriques suffisamment probantes seront disponibles. Pour combler les lacunes dans les mesures actuellement disponibles et

---

122. Les réactions nucléaires qui fonctionnent à l'intérieur du Soleil émettent de grandes quantités de neutrinos. En combinant les théories actuelles du Soleil, la physique nucléaire et la physique des particules élémentaires, il est possible d'obtenir des prédictions quantitatives sur le flux et la distribution d'énergie des neutrinos solaires. Depuis la fin des années 60, les physiciens expérimentateurs, à la suite du travail de Raymond Davis, ont tenté de détecter les neutrinos solaires et de mesurer leur flux. Les neutrinos ont bien été détectés, mais leur flux ne vaut qu'un tiers de la prévision théorique. Les physiciens des particules élémentaires et les astrophysiciens essaient activement de déterminer si la source de ce désaccord est expérimentale ou théorique et, dans ce dernier cas, si l'erreur provient des modèles de particules élémentaires ou des modèles solaires. Pour un exposé introductif à ces problèmes, voir Bahcall (1990) ou Cribier *et al.* (1995a, 1995b).

pour départager les théories proposées, plusieurs groupes de physiciens ont récemment construit des détecteurs de types différents et sont en train de faire les mesures (qui sont fort difficiles)[123]. On peut donc s'attendre à ce que la controverse s'éteigne, dans quelques années, grâce à l'obtention de diverses preuves qui, prises ensembles, indiqueront clairement la bonne solution. Toutefois, d'autres scénarios sont en principe possibles : la controverse pourrait s'éteindre parce qu'on cesse de s'intéresser au sujet, ou parce que le problème s'avère trop difficile à résoudre ; et, sans aucun doute, des facteurs sociologiques interviennent à ce niveau-là (ne serait-ce qu'à cause des besoins financiers de la recherche). Évidemment, les scientifiques pensent, ou au moins espèrent, que si la controverse est résolue, ce sera grâce aux observations et non en raison des « qualités littéraires » des articles scientifiques. Sinon, effectivement, on aura tout simplement cessé de faire de la science.

Quoi qu'il en soit, nous qui, comme Latour, ne travaillons pas sur les neutrinos solaires, ignorons combien de neutrinos le Soleil nous envoie. On peut essayer de s'en faire une idée en étudiant la littérature scientifique, ou plus imparfaitement encore, en examinant certains aspects sociologiques du problème : par exemple, la respectabilité scientifique des chercheurs impliqués dans la controverse. Il n'y a aucun doute qu'en pratique c'est ce que font les scientifiques qui ne travaillent pas sur la question, faute de mieux. Mais le degré de certitude qu'apporte ce genre d'examen est très faible. Pourtant, Latour semble lui accorder une importance cruciale. Il distingue deux « versions » : selon l'une, c'est la nature qui décide l'issue des controverses ; selon l'autre, ce sont essentiellement les rapports de force entre chercheurs qui jouent ce rôle d'arbitre.

---

123. Voir, par exemple, Bahcall *et al.* (1996).

Il est essentiel que nous, profanes qui voulons comprendre les technosciences, puissions identifier la version qui est la bonne : dans la première version, où la nature suffit à résoudre toutes les controverses, nous n'avons rien à faire : en effet, quelles que soient les ressources dont disposent les chercheurs, elles ne comptent guère en fin de compte, puisque seule compte la nature. [...] La seconde version, au contraire, nous ouvre beaucoup de possibilités, puisque c'est en analysant les alliés et les façons dont se règle une controverse que nous comprendrons *tout* ce qu'il y a à comprendre dans les technosciences. Si la première version est correcte, il ne nous reste qu'à tenter de saisir les aspects les plus superficiels de la science ; si la seconde version s'impose, il y a tout à comprendre, à l'exception peut-être des aspects les plus superficiels et les plus clinquants de la science. Vu l'importance des enjeux, le lecteur peut comprendre pourquoi ce problème doit être pris avec précaution. C'est tout le contenu de ce livre qui est en cause ici. (p. 236-237, italiques dans l'original)

Puisque c'est « tout le contenu de ce livre qui est en cause », examinons attentivement ce passage. Latour dit que si c'est la nature qui règle les controverses, le rôle du sociologue est secondaire, mais que, si ce n'est pas le cas, le sociologue peut comprendre « *tout* ce qu'il y a à comprendre dans les technosciences ». Comment décide-t-il quelle version est correcte ? La suite du texte nous l'apprend. Latour distingue entre les controverses résolues, pour lesquelles « la nature est désormais considérée comme la cause des descriptions précises d'elle-même » (p. 243), et les controverses non résolues où la nature ne peut être invoquée.

Lorsque nous étudierons des controverses — comme nous l'avons fait jusqu'ici — nous ne pouvons pas être *moins* relativistes que les chercheurs et ingénieurs que nous accompagnons ; ils n'*utilisent pas* la nature comme un juge extérieur et, comme il n'y a aucune raison d'imaginer que nous sommes plus intelligents

qu'eux, nous n'avons pas, nous non plus, à l'utiliser.
(p. 241, italiques dans l'original)

Dans ces deux derniers extraits, Latour joue constamment sur la confusion entre les faits et la connaissance que nous en avons[124]. La bonne réponse aux questions scientifiques, résolues ou non, dépend de l'état de la nature (par exemple, du nombre de neutrinos que le Soleil envoie effectivement). Il se trouve que, pour les controverses non résolues, personne ne connaît la réponse, tandis que pour les autres, on la connaît (si du moins la solution acceptée est correcte, ce qui, en principe, peut toujours être remis en cause).

---

124. Un exemple encore plus extrême de cette confusion se trouve dans un article récent de Latour dans *La Recherche* (Latour 1998). Latour y discute ce qu'il interprète comme la découverte en 1976, par des chercheurs français travaillant sur la momie du pharaon Ramsès II, que celui-ci est mort (aux environs de 1213 avant Jésus-Christ) de la tuberculose (Latour commet une erreur d'interprétation qu'il reconnaît par la suite, mais ce n'est pas cela qui nous intéresse ici). Latour se demande : « comment a-t-il pu décéder d'un bacille découvert par Koch en 1882 ? » Latour fait remarquer, correctement, qu'on commettrait un anachronisme si l'on soutenait que Ramsès II a été fauché par une rafale de mitrailleuse ou qu'il est mort du stress causé par un krach boursier. Mais alors, se demande Latour, pourquoi dire qu'il est mort de tuberculose n'est pas également un anachronisme ? Il va jusqu'à affirmer : « Avant Koch, le bacille n'a pas de réelle existence. » Il rejette la réponse de bon sens selon laquelle Koch a *découvert* un bacille pré-existant comme n'ayant « que l'apparence du bon sens ». Évidemment, dans le reste de l'article, Latour ne donne aucun argument pour justifier ces assertions radicales et ne fournit pas de réelle alternative à la réponse du sens commun. Il souligne simplement le fait évident qu'afin de découvrir la cause de la mort de Ramsès, il fallait faire une analyse sophistiquée dans les laboratoires parisiens. Mais, à moins qu'il ne soutienne l'idée vraiment radicale selon laquelle *rien* de ce que nous découvrons ne préexiste à sa « découverte » — et en particulier qu'aucun assassin n'est vraiment un assassin, en ce sens qu'il a commis un crime avant que la police ne le « découvre » —, Latour devrait expliquer ce que les bacilles ont de particulier, et, cela, il ne le fait nullement. Le résultat est que rien de clair n'est dit et que l'article oscille entre des banalités et des erreurs manifestes.

Mais il n'y a aucune raison d'adopter une attitude « relativiste » dans un cas et « réaliste » dans l'autre. Cette différence d'attitude est de nature philosophique et est indépendante de la question de savoir si une controverse est résolue ou non. Pour le relativiste, il n'existe simplement pas de réponse unique ; cela vaut pour les controverses résolues autant que pour les controverses ouvertes. Par contre, les scientifiques qui cherchent la bonne solution ne sont pas relativistes, presque par définition. Bien entendu, ils utilisent « la nature comme un juge extérieur », c'est-à-dire qu'ils cherchent à savoir ce qui se passe réellement dans la nature et mettent sur pied des expériences adaptées à cette fin.

Toutefois, la troisième règle de la méthode ne se réduit pas *uniquement* à une banalité ou à une grossière erreur ; nous voulons en donner une dernière lecture qui la rend à la fois intéressante et correcte. Entendons-la comme un principe méthodologique pour un sociologue des sciences qui n'a pas les compétences scientifiques pour juger lui-même si les observations et les expériences justifient en fait les conclusions que la communauté scientifique en a tirées [125]. Dans une telle situation, il est compréhensible que le sociologue de la science soit peu enclin à dire que « la communauté scientifique que j'étudie en est venue à la conclusion X parce que X reflète le monde tel qu'il est » — *même si en fait* X reflète bien le monde tel qu'il est et que c'est là la raison pour laquelle la communauté scientifique est parvenue à cette conclusion — parce que le sociologue n'a aucune *raison d'accepter* la conclusion X autre que le fait de son acceptation par la

---

125. Ce principe s'applique tout particulièrement lorsque le sociologue étudie la science actuelle car, dans ce cas, il n'y a pas de communauté scientifique autre que celle qu'il étudie qui puisse lui fournir cette évaluation. Par contre, lorsqu'on étudie le passé, on peut se fonder sur ce que les scientifiques ont établi ultérieurement, y compris les résultats d'expériences allant au-delà de celles faites originellement. Voir la note 91 ci-dessus.

communauté scientifique qu'il étudie. La solution pour sortir de cette impasse serait que les sociologues s'abstiennent d'étudier les controverses scientifiques qu'ils ne sont pas capables d'évaluer par eux-mêmes, s'il n'existe pas d'autre communauté scientifique (par exemple, historiquement plus récente) sur laquelle ils pourraient se fonder pour faire cette évaluation. Mais, manifestement, Latour ne serait pas enchanté par cette conclusion [126].

C'est là le problème fondamental du sociologue de la « science en action ». Il ne suffit pas d'étudier les relations de pouvoir ou les alliances entre scientifiques, si importantes soient-elles. Ce qui paraît à un sociologue un simple jeu politique peut en fait être motivé par des considérations parfaitement rationnelles, mais qui ne peuvent être perçues comme telles que grâce à une compréhension détaillée des théories et des expériences scientifiques.

Évidemment, rien n'empêche un sociologue d'acquérir une telle compréhension — ou bien de travailler en équipe avec des scientifiques qui la possèdent déjà — mais, dans aucune de ses règles de méthode, Latour ne recommande aux sociologues des sciences de suivre cette voie et, dans le cas de la relativité, nous pouvons montrer qu'il ne l'a pas fait lui-même [127]. C'est d'ailleurs compréhensible, parce qu'il est difficile d'acquérir les compétences requises, même pour les scientifiques travaillant dans un domaine légèrement différent. Mais il ne sert à rien de poursuivre des objectifs impossibles à atteindre.

---

126. Ni Steve Fuller, qui affirme que « les praticiens des STS [Science and Technology Studies] utilisent des méthodes qui leur permettent d'appréhender à la fois les "mécanismes internes" et le "caractère externe" de la science sans avoir à être expert dans les domaines qu'ils étudient. » (Fuller 1993, p. XII)

127. Voir le chapitre 5 ci-dessous.

Conséquences pratiques

Nous ne voulons pas donner l'impression que nous nous attaquons uniquement à des doctrines philosophiques ésotériques ou que nous nous préoccupons principalement de la méthodologie suivie par un courant particulier de la sociologie des sciences : notre cible est bien plus large. Le relativisme (ainsi que d'autres idées postmodernes) a des effets sur la culture et sur la façon de penser en général. Nous allons en donner ici quelques exemples, extraits de nos observations vécues. Nous ne doutons pas que le lecteur en trouvera quantité d'autres dans les pages culturelles des journaux, dans certaines propositions pédagogiques ou simplement dans les conversations quotidiennes.

1. Le relativisme et les enquêtes policières. Nous avons appliqué différents arguments relativistes aux enquêtes policières pour montrer que, comme ces arguments sont peu convaincants dans ce domaine, il n'y a aucune raison pour les accepter quand on parle de science. C'est pourquoi l'extrait suivant est pour le moins surprenant : si on le prend à la lettre, il exprime une forme de relativisme assez forte à propos justement d'une enquête policière. En voici le contexte : en 1996, la Belgique a vécu le drame des enfants disparus et assassinés, à la suite duquel une commission d'enquête parlementaire a été mise sur pied afin d'examiner les manquements commis dans les enquêtes policières. Deux personnes, un gendarme (Lesage) et un magistrat (Doutrèwe), se sont affrontées essentiellement sur la question de savoir si un certain dossier avait été transmis au magistrat par le gendarme, le gendarme déclarait avoir transmis le dossier et le magistrat niait l'avoir reçu. Le lendemain, un anthropologue de la communication, Yves Winkin (professeur à l'université de Liège), fut interrogé par l'un des principaux journaux belges (*Le Soir* du 20 décembre 1996) :

Question : Les confrontations étaient stimulées par une recherche presque ultime de la vérité. La vérité existe-t-elle ?

Réponse : [...] je pense que tout le travail de la commission repose sur une sorte de présupposition qu'il y a non pas une vérité mais la vérité qui, si on presse assez fort, finira par sortir.

Cependant, anthropologiquement, il n'y a que des vérités partielles, partagées par un plus ou moins grand nombre de personnes, un groupe, une famille, une entreprise. Il n'y a pas de vérité transcendante. Je ne pense donc pas que la juge Doutrèwe ou le gendarme Lesage cachent quelque chose : ils disent tous deux leur vérité.

La vérité est toujours liée à une organisation en fonction des éléments perçus comme importants. Cela n'est pas étonnant que ces deux personnes représentant un univers professionnel bien différent, exposent chacune une vérité différente. Cela dit, dans ce contexte d'une telle responsabilité publique, je pense que la commission ne peut que procéder de la sorte.

On trouve ici un exemple remarquable des confusions créées par le vocabulaire relativiste dans lequel une partie des sciences humaines est tombée (nous discuterons uniquement cet aspect philosophique de la question, laissant de côté le problème concret abordé par la commission). Après tout, l'objet principal de la confrontation est un fait matériel, la transmission d'un dossier (on pourrait imaginer que le dossier a bien été envoyé et s'est perdu en chemin, mais cela reste une question factuelle bien définie). Bien sûr, l'aspect épistémologique peut être compliqué : comment savoir ce qui s'est réellement passé ? Mais cela n'empêche pas qu'*il y a* une vérité : ou bien le dossier a été transmis ou bien il ne l'a pas été. On voit mal ce qu'on gagne en redéfinissant le mot « vérité » (même si elle est « partielle ») pour signifier tout simplement une croyance « partagée par un plus ou moins grand nombre de personnes ».

Dans ce texte se retrouve une idée fort répandue, à savoir celle des « univers différents ». Petit à petit, certains courants en sciences humaines ont atomisé l'humanité en cultures et en groupes possédant chacun leur propre univers conceptuel — parfois même leur propre « réalité » — et quasiment incapables de communiquer entre eux [128]. Mais dans le cas d'espèce, on arrive à un niveau frisant l'absurde : ces deux personnes parlent la même langue, habitent à une distance d'au plus une centaine de kilomètres et font partie du système juridico-policier d'une communauté belge francophone d'à peine quatre millions de personnes. Manifestement, le problème n'est pas celui d'une impossibilité de communication : les personnes qui sont confrontées comprennent parfaitement de quoi il s'agit et connaissent sans doute la vérité. Tout simplement, l'une d'elles n'a pas intérêt à la dire. Même dans l'hypothèse où tous deux disent la vérité — et donc que le dossier s'est perdu en route, ce qui est logiquement possible (bien qu'improbable) — cela n'a pas de sens de dire qu'ils « disent tous deux *leur* vérité ». Heureusement, quand on en arrive aux conclusions pratiques, l'anthropologue admet que la commission ne peut que « procéder de la sorte », c'est-à-dire rechercher *la* vérité. Mais que de confusions avant d'en arriver là.

2. Le relativisme et l'enseignement. Dans un livre destiné aux enseignants des lycées en Belgique [129], qui

---

128. Il semble que la thèse dite de Sapir-Whorf en linguistique a joué un rôle important dans cette évolution : voir note 41 ci-dessus. Remarquons également que Feyerabend, dans son autobiographie (1996, p. 191-192), récuse, mais sans la citer explicitement, l'usage relativiste radical qu'il en avait fait dans *Contre la méthode*. (Feyerabend 1978, chapitre 17)

129. Dont l'auteur principal est Gérard Fourez, philosophe des sciences très influent, au moins en Belgique, dans les questions pédagogiques et dont l'ouvrage *La Construction des sciences* (1992) a été traduit en plusieurs langues.

se propose de donner des définitions de « quelques connaissances en épistémologie », on lit :

Fait

Ce qu'on appelle généralement un fait est une interprétation d'une situation que personne, à ce moment-là du moins, ne veut remettre en question. Il faut se rappeler que, comme dit le langage courant, un fait s'établit, ce qui montre bien qu'il s'agit d'un modèle théorique qu'on prétend approprié.

Ex. : — Les affirmations : « L'ordinateur se trouve sur le bureau » ou : « Si l'on fait bouillir de l'eau, elle s'évapore », sont considérées comme des propositions factuelles en ce sens que personne ne veut le contester à ce moment-là. Il s'agit de propositions d'interprétations théoriques que personne ne remet en question.

Affirmer qu'une proposition rejoint un fait (c'est-à-dire a le statut de proposition factuelle ou empirique), c'est prétendre qu'il n'y a guère de contestation dans cette interprétation au moment où l'on en parle. Mais un fait peut être mis en question.

Ex. : — Pendant des siècles, on a considéré comme un fait que chaque jour, le Soleil tournait autour de la Terre. L'apparition d'une autre théorie comme celle de la rotation diurne de la Terre sur elle-même a entraîné le remplacement du fait précité par un autre : « La Terre tourne sur elle-même chaque jour. » (Fourez *et al.* 1997, p. 76-77)

Quelle confusion entre faits et connaissances [130] ! Pour nous, comme pour la plupart des gens, un fait est quelque chose qui se passe en dehors de nous et qui existe indépendamment de la connaissance que nous en avons et, en particulier, de tout consensus ou de toute interprétation. Ainsi, on peut très bien dire qu'il y a des faits que nous ignorons (la date exacte de la naissance de Shakespeare, ou le nombre de neutrinos émis à chaque seconde par le Soleil). Et il y a un monde de différence entre dire que X

---

130. Remarquons que cela apparaît dans un texte qui est supposé *éclairer* les enseignants.

a tué Y et dire que personne, pour le moment, ne veut mettre en question cette assertion (par exemple, parce que X est noir et que les autres gens sont racistes, ou parce que des médias tendencieux réussissent à faire croire que X a tué Y). Dès qu'on passe à un exemple concret, les auteurs se contredisent : la rotation du Soleil autour de la Terre a été *considérée* comme un fait, ce qui revient à admettre la distinction sur laquelle nous voulons insister (c'est-à-dire que ce n'était pas vraiment un fait). Mais, à la ligne suivante, on retombe dans la confusion : un fait a été remplacé par un autre. Pris à la lettre, dans le sens *habituel* du mot « fait », cela voudrait dire que la Terre tourne autour du Soleil seulement depuis Copernic. Mais, évidemment, tout ce que les auteurs veulent réellement dire c'est que les idées des gens ont changé. Pourquoi ne pas simplement le dire, plutôt que de confondre faits et croyances (largement partagées) en utilisant le même mot pour désigner les deux concepts [131] ?

Un avantage de cette nouvelle notion de « fait », c'est qu'on n'a jamais tort (du moins quand on affirme la même chose que les personnes autour de nous). Une théorie n'est jamais fausse au sens où elle serait contre-

---

131. Ou, pire, en minimisant l'importance des faits, non pas en donnant un argument, mais en les mettant simplement de côté au profit des croyances largement partagées. En effet, les définitions données dans ce livre confondent *systématiquement* les faits, l'information, l'objectivité et la rationalité avec l'accord intersubjectif, ou réduisent ceux-là à celui-ci. De plus, on trouve un schéma similaire dans *La Construction des sciences* (1992). Par exemple (p. 37) : « Être "objectif", c'est suivre des règles instituées. C'est donc un phénomène social. [...] Être "objectif", ce n'est pas opposé à être "subjectif" : c'est être subjectif d'une certaine façon. Mais ce n'est pas être individuellement subjectif puisqu'on suivra des règles socialement instituées [...] ». Mais cette façon de parler suscite la confusion : suivre des règles ne garantit nullement l'objectivité au sens usuel (des gens qui répètent aveuglément des slogans politiques ou religieux suivent certainement « des règles instituées », mais on peut difficilement dire qu'ils sont objectifs) et des gens peuvent être objectifs tout en violant des règles instituées (par exemple, Galilée).

dite par les faits ; ce sont simplement les faits qui changent lorsque les théories sont modifiées.

Surtout, il nous semble qu'une pédagogie basée sur cette notion de fait n'encourage nullement l'esprit critique chez l'étudiant. Afin de mettre en cause les idées admises — par d'autres ainsi que par soi-même —, il est essentiel de garder à l'esprit qu'on *peut* se tromper : il existe des faits indépendamment de nos assertions, et c'est par comparaison avec les faits (dans la mesure où nous pouvons les connaître) que celles-ci doivent être évaluées. En fin de compte, la redéfinition de « fait » prônée par Fourez a, comme le disait Bertrand Russell dans un contexte similaire, tous les avantages du vol sur le travail honnête[132].

3. Le relativisme dans le Tiers Monde. Malheureusement, les idées postmodernes ne se trouvent pas seulement dans les départements de littérature nord-américains ou les départements de sciences humaines européens. Il nous semble qu'elles font le plus de tort dans le Tiers Monde, là où vit la grande majorité de la population mondiale et où le travail prétendument « dépassé » des Lumières est loin d'être terminé.

Meera Nanda, une biochimiste indienne qui a milité dans les mouvements de « science pour le peuple » en Inde et qui étudie actuellement les sciences et les techniques aux États-Unis, raconte l'histoire suivante à propos des superstitions traditionnelles védiques qui gouvernent la construction des maisons et qui visent à maximiser

---

132. Notons d'ailleurs que définir « fait » par « il n'y a guère de contestation... » se heurte à un problème logique : est-ce que l'existence ou non d'une contestation est elle-même un fait ? Et si oui, comment le définir ? Par l'absence de contestation à propos du fait qu'il n'y a pas de contestation ? Manifestement, Fourez et ses collègues utilisent en sciences humaines une épistémologie naïvement réaliste qu'ils rejettent implicitement pour les sciences exactes. Voir p. 129-130 ci-dessus pour une inconsistance similaire chez Feyerabend.

« l'énergie positive ». Un homme politique indien, qui avait des ennuis politiques, reçut le conseil suivant :

> ses ennuis disparaîtraient s'il entrait dans son bureau par une porte orientée vers l'est. Mais cette entrée était bloquée par un bidonville à travers lequel sa voiture ne pouvait pas passer. [Il] donna donc l'ordre de raser le bidonville. (Nanda 1997, p. 82)

Nanda fait remarquer, à juste titre :

> Si la gauche indienne était aussi active dans les mouvements de science pour le peuple qu'elle l'était dans le passé, elle aurait mené une lutte non seulement contre la démolition des maisons, mais aussi contre la superstition qui était utilisée pour la justifier. [...] Une gauche qui n'aurait pas été aussi soucieuse d'établir un « respect » de la connaissance non occidentale n'aurait jamais laissé ceux qui ont le pouvoir se cacher ainsi derrière des « experts » locaux.
>
> J'ai raconté cette histoire à mes amis partisans du constructivisme social aux États-Unis. [...] On me répondit que mettre sur le même pied ces descriptions différentes de l'espace, toutes deux liées à des cultures[133], est progressiste en soi, car aucune d'entre elles ne peut alors prétendre à la vérité absolue, et ainsi la tradition perdra le contrôle qu'elle a sur l'esprit des gens. (Nanda 1997, p. 82)

Le défaut de ce genre de réponse, c'est qu'il faut faire des choix pratiques : quelle médecine utiliser ou dans quel sens orienter les portes des maisons ? Le laxisme théorique devient alors intenable. En fin de compte, les intellectuels tombent dans l'hypocrisie consistant à utiliser la science dite « occidentale » quand elle est indispensable — par exemple, quand on est *gravement* malade — tout en recommandant volontiers au peuple de s'en remettre aux superstitions.

---

133. C'est-à-dire la vision scientifique et celle fondée sur les idées traditionnelles védiques. [Note ajoutée par nous.]

4

LUCE IRIGARAY

Luce Irigaray a abordé des domaines très divers, allant de la psychanalyse et de la linguistique à la philosophie des sciences. Dans ce dernier domaine, elle soutient que

> Toute connaissance est produite par des sujets dans un contexte historique donné. Même si elle tend à l'objectivité, même si ses techniques se veulent des moyens de contrôle de celle-ci, la science manifeste certains choix, certaines exclusions, dues notamment au sexe des savants. (Irigaray 1987a, p. 219)

Cette thèse mériterait sans doute une étude approfondie. Voyons néanmoins les exemples qu'Irigaray donne pour l'illustrer dans les sciences physiques :

> Ce sujet [scientifique] s'intéresse énormément aujourd'hui à l'accélération outrepassant nos possibles humains, à l'apesanteur, à la traversée des espaces et temps naturels, au surmontement des rythmes cosmiques et de leurs régulations, mais aussi à la désintégration, la fission, l'explosion, les catastrophes, etc. Cette réalité se vérifie dans les sciences de la nature et les sciences humaines. (Irigaray 1987a, p. 219)

Ce catalogue des prétendues préoccupations des sciences actuelles est assez arbitraire, et plutôt vague : que veulent dire « l'accélération outrepassant nos possibles humains », « la traversée des espaces et temps

naturels », ou le « surmontement des rythmes cosmiques et de leurs régulations » ? Mais la suite du texte
est encore plus étrange :

> — Si l'identité du sujet se définit par la *Spaltung*
> chez Freud, ce mot désigne aussi la fission nucléaire.
> Nietzsche percevait également son ego comme noyau
> atomique menacé d'explosion. Quant à Einstein, la
> principale question qu'il pose, à mon avis, est qu'il ne
> nous laisse pas d'autre chance que son Dieu, étant
> donné son intérêt pour les accélérations sans rééquili-
> brages électromagnétiques. Certes, il jouait du violon ;
> la musique a préservé son équilibre personnel. Mais,
> pour nous, que représente cette relativité générale qui
> nous fait la loi en dehors des centrales nucléaires et qui
> met en cause notre inertie corporelle, condition vitale
> nécessaire ?
>
> — Du côté des astronomes, Reaves, à la suite du
> big-bang américain, décrit l'origine de l'univers
> comme une explosion. Pourquoi cette interprétation
> actuelle si cohérente avec l'ensemble des intitulés des
> autres découvertes théoriques ?
>
> — René Thom, autre théoricien à la jonction des
> sciences et de la philosophie, parle des catastrophes
> par conflits plutôt que de générations par abondance,
> croissance, attractions positives, notamment naturelles.
>
> — La mécanique quantique s'intéresse à la dispari-
> tion du monde.
>
> — Les scientifiques travaillent aujourd'hui sur des
> particules de plus en plus imperceptibles qui se définis-
> sent seulement grâce à des instruments techniques et
> par des faisceaux d'énergie. (Irigaray 1987a, p. 219-
> 220)

Examinons ces arguments en détail.

— Quant à la *Spaltung*, la « logique » d'Irigaray est
fantaisiste : croit-elle vraiment que cette coïncidence
linguistique constitue un raisonnement ? Et si oui, que
démontrerait-elle ?

— Quant à Nietzsche : le noyau atomique fut
découvert en 1911 et la fission nucléaire en 1938 ; la

possibilité d'une réaction nucléaire en chaîne, entraînant une explosion, fut étudiée théoriquement vers la fin des années 1930 et tristement réalisée expérimentalement dans les années 1940. Il est donc fort improbable que Nietzsche (1844-1900) ait pu percevoir son ego « comme noyau atomique menacé d'explosion ». (Cela n'a évidemment aucune importance : même si l'affirmation d'Irigaray était correcte, qu'impliquerait-elle ?)

— La locution « accélérations sans rééquilibrages électromagnétiques » n'a pas de sens en physique ; elle est inventée par Irigaray. Il va sans dire qu'Einstein ne pouvait pas s'intéresser à ce sujet inexistant.

— La relativité générale n'a aucun rapport avec les centrales nucléaires ; Irigaray la confond sans doute avec la relativité restreinte, qui s'applique certes aux centrales nucléaires mais aussi, en dehors d'elles, à beaucoup d'autres choses (particules élémentaires, atomes, lumière...). Le concept d'inertie entre certes dans les théories de la relativité, ainsi qu'en mécanique newtonienne, mais ce concept n'a rien à voir avec l'« inertie corporelle » des êtres humains, à supposer que cette locution ait un sens [134].

— La théorie cosmologique du Big Bang est bien antérieure à la bombe atomique américaine et lui est totalement étrangère. Cette théorie est aujourd'hui soutenue par de nombreuses observations astronomiques [135].

---

134. Pour une bonne introduction, non technique, à la relativité restreinte et la relativité générale, voir Einstein (1976 [1920]), Metz (1923) et Sartori (1996).

135. Dans les années 1920, l'astronome Hubble découvrit que les galaxies s'éloignent de la Terre, à des vitesses proportionnelles à leurs distances par rapport à celle-ci. Entre 1927 et 1931, divers physiciens expliquèrent comment on peut décrire cette expansion dans le cadre de la relativité générale d'Einstein (sans privilégier la Terre comme point d'observation), théorie nommée plus tard le « Big Bang ». Or, malgré le caractère naturel de l'hypothèse du Big Bang comme explication de l'expansion observée, elle n'était pas la seule théorie possible et, vers la fin des années 40, les astro-

— Le « Reaves » auquel Irigaray fait référence est sans doute Hubert Reeves, astrophysicien canadien vivant en France et auteur de plusieurs livres de vulgarisation en cosmologie et en astrophysique.

— Dans quelques interprétations (fort discutables) de la mécanique quantique, le concept de « réalité objective » au niveau atomique est mis en question, mais il ne s'agit nullement de « la disparition du monde ». Peut-être Irigaray fait-elle allusion aux théories cosmologiques sur la fin de l'univers (« Big Crunch »), mais la mécanique quantique n'y joue pas un grand rôle.

— Irigaray observe correctement que la physique subatomique étudie des particules qui sont trop petites pour être perçues directement. Mais on voit mal quelle relation cela peut avoir avec le sexe des chercheurs. L'usage des instruments pour étendre la portée des perceptions humaines est-il particulièrement « masculin » ? Marie Curie et Rosalind Franklin pourraient ne pas être d'accord.

Considérons finalement un autre argument avancé par Irigaray :

> [L]'équation $E = Mc^2$ est-elle une équation sexuée ? Peut-être que oui. Faisons l'hypothèse que oui dans la mesure où elle privilégie la vitesse de la lumière par rap-

---

physiciens Hoyle, Bondi et Gold proposèrent la théorie alternative de « l'univers stationnaire » (ou de la « création continue »), selon laquelle il y a une expansion générale *sans* explosion primordiale. Mais en 1965, les physiciens Penzias et Wilson découvrirent (par hasard !) le rayonnement de fond cosmique, dont le spectre et l'isotropie se révélèrent complètement en accord avec les prévisions de la relativité générale pour un résidu du Big Bang. À cause notamment de cette observation, mais aussi pour bien d'autres raisons, la théorie du Big Bang est aujourd'hui à peu près universellement acceptée par les astrophysiciens, même s'il y a un vif débat sur les détails. Pour une belle introduction, non technique, à la théorie du Big Bang et surtout aux données observationnelles et expérimentales qui la soutiennent, voir Weinberg (1978), Silk (1997) et Rees (1997).

port à d'autres vitesses dont nous avons vitalement besoin. Ce qui me semble une possibilité de la signature sexuée de l'équation, ce n'est pas directement ses utilisations par les armements nucléaires, c'est d'avoir privilégié ce qui va le plus vite [...] (Irigaray 1987b, p. 110)

Quoi qu'il en soit des « autres vitesses dont nous avons vitalement besoin », la relation d'Einstein entre énergie (*E*) et masse (*M*) est expérimentalement vérifiée avec une très grande précision, et elle ne serait évidemment pas valable si la vitesse de la lumière (*c*) était remplacée par une autre vitesse.

En résumé, nous considérons que l'influence culturelle, idéologique et sexuelle sur les choix scientifiques — les sujets étudiés, les théories proposées — constitue un thème important de recherche en histoire des sciences et mérite une analyse rigoureuse. Mais, pour contribuer utilement à cette recherche, il faut nécessairement connaître sérieusement les domaines scientifiques qu'on analyse. Malheureusement, les propos d'Irigaray reflètent une compréhension superficielle des sujets qu'elle aborde et, par conséquent, ils n'apportent rien à la discussion.

La mécanique des fluides

Dans un essai antérieur sur « La "Mécanique" des Fluides », Irigaray avait déjà élaboré sa critique de la physique « masculine » : elle semble soutenir que la mécanique des fluides est sous-développée par rapport à celle des solides parce que la solidité est identifiée (selon elle) aux hommes et la fluidité aux femmes. (Pourtant, Irigaray est née en Belgique : ne connaît-elle pas le symbole de la ville de Bruxelles ?) Une de ses interprètes américaines résume ainsi l'argument :

Elle attribue le privilège de la mécanique des solides sur celle des fluides, et en fait l'incapacité de la science

à s'occuper de flots turbulents, à l'association entre
fluidité et féminité. Alors que les hommes ont des
organes sexuels saillants qui deviennent rigides, les
femmes ont des ouvertures qui laissent couler le sang
des règles et le fluide du vagin. Bien que les hommes
émettent parfois des fluides — lorsque le sperme est
émis, par exemple — cet aspect de leur sexualité n'est
pas souligné. C'est la rigidité de l'organe mâle qui
compte, pas sa complicité dans les flots fluides. Ces
idéalisations sont réinscrites en mathématiques, qui
conçoivent les fluides comme des plans laminaires et
d'autres formes solides modifiées. De la même façon
que les femmes sont effacées des théories et du langage
masculins, existant seulement comme des non-
hommes, les fluides ont été effacés de la science, existant seulement comme des non-solides. Dans cette
perspective, il n'est pas étonnant que la science ne soit
pas parvenue à un bon modèle de la turbulence. Le
problème des flots turbulents ne peut être résolu parce
que les conceptions des fluides (et des femmes) ont été
formulées de façon à laisser nécessairement des restes
inarticulés. (Hayles 1992, p. 17)

Il nous semble que le texte de Hayles, expliquant les
idées d'Irigaray, est bien plus clair que l'original.
Néanmoins, à cause du caractère obscur du texte d'Irigaray, nous ne pouvons pas garantir au lecteur que
Hayles explique fidèlement les idées d'Irigaray.
Hayles, quant à elle, rejette le raisonnement d'Irigaray
(elle estime, avec raison, qu'il est trop éloigné du
contenu scientifique, voir note 138 ci-dessous), tout en
essayant de parvenir à des conclusions semblables par
une autre voie. À notre avis, la tentative de Hayles ne
réussit guère mieux que celle d'Irigaray, mais du moins
elle est exprimée beaucoup plus clairement[136].

136. Hayles commence par expliquer les différences conceptuelles entre les équations différentielles linéaires et non linéaires
(ces dernières apparaissant en mécanique des fluides). Comme tentative de vulgarisation scientifique, ce n'est pas mauvais, bien qu'il
y ait quelques erreurs (par exemple, Hayles confond non-linéarité

Essayons donc de suivre les détails du raisonnement d'Irigaray. Son essai commence littéralement ainsi :

> Se propage déjà — à quelle vitesse ? dans quels milieux ? malgré quelles résistances ?... — qu'elles se diffuseraient selon des modalités peu compatibles avec les cadres du symbolique faisant loi. Ce qui n'irait pas sans occasionner quelques turbulences, voire quelques tourbillons, qu'il conviendrait de relimiter par des principes-parois solides, sous peine qu'ils ne s'étendent à l'infini. Allant même jusqu'à perturber cette instance tierce désignée comme le réel. Transgression et confu-

et feedback, et elle affirme que les équations d'Euler sont linéaires). Mais, à partir de là, son exposé devient presque une caricature de la critique littéraire postmoderne actuellement en vogue dans les universités américaines. Essayant de retracer le développement historique de la mécanique des fluides entre 1650 et 1750, elle prétend identifier « une paire de dichotomies hiérarchiques dans lesquelles le premier terme est privilégié par rapport au second : continuité par rapport à rupture et conservation par rapport à dissipation. » (Hayles 1992, p. 22) Ensuite, elle se livre à une discussion plutôt confuse des fondements conceptuels du calcul différentiel, une exégèse imaginative des « identifications subluminales sexuées [*subliminal gender identifications*] » des débuts de l'hydraulique, et une analyse freudienne de la thermodynamique « de la mort thermique à la jouissance ». Hayles termine en énonçant une thèse radicalement relativiste :

> Malgré leur nom, les lois de conservation ne sont pas des faits inévitables de la nature, mais des constructions qui mettent en avant certaines expériences et en marginalisent d'autres. [...] Presque sans exception, les lois de conservation furent formulées, développées et testées par des hommes. Si les lois de conservation représentent des accents particuliers et non des faits inévitables, alors des gens vivant dans des corps différents et s'identifiant à des constructions sexuées différentes auraient bien pu arriver à des modèles différents des flots. (Hayles 1992, p. 31-32)

Mais elle n'offre aucun argument pour étayer son affirmation que les lois de conservation de l'énergie et de l'impulsion, par exemple, sont autre chose que des « faits inévitables de la nature » ; et elle ne donne aucune indication de ce que pourraient être les « modèles différents des flots » auxquels auraient bien pu arriver « des gens vivant dans des corps différents ».

sion de frontières, qu'il importerait de ramener au bon ordre...[137]

Il faut donc faire retour à « la science » pour lui poser quelques questions. [Elle remarque, en note de bas de page :] Il serait nécessaire de se reporter à quelques ouvrages sur la mécanique des solides et des fluides[138]. [Puis elle reprend :] Ainsi celle de son *retard, historique, quant à l'élaboration d'une « théorie » des fluides*, et de ce qui s'ensuit comme aporie dans la formalisation, aussi, mathématique. Laissé pour compte qui sera éventuellement imputé au réel. [Elle ajoute, en note de bas de page :] Cf. la signification du « réel » dans les *Écrits* et *Séminaires* de Jacques Lacan.

Or, si l'on interroge les propriétés des fluides, on constate que ce « réel » pourrait bien recouvrir, pour une bonne part, *une réalité physique* qui résiste encore à une symbolisation adéquate et/ou qui signifie l'impuissance de la logique à reprendre dans son écriture tous les caractères de la nature. Et il aura souvent fallu réduire certains de ceux-ci, ne les/l'envisager qu'au regard d'un statut idéal, pour qu'ils/elle n'enraye pas le fonctionnement de la machinerie théorique.

---

137. Points de suspension dans l'original. Nous citons le texte intégralement.

138. Hayles, qui est en général favorable à Irigaray, fait observer que :

Après avoir parlé avec plusieurs mathématiciens appliqués et mécaniciens des fluides, je peux témoigner du fait qu'ils sont unanimes pour dire qu'elle [Irigaray] ne connaît rien à leurs disciplines. À leur avis, ses arguments ne doivent pas être pris au sérieux.

On peut défendre ce point de vue. Dans la première page de ce chapitre, on trouve une note de bas de page, où Irigaray conseille au lecteur « de se reporter à quelques ouvrages sur la mécanique des solides et des fluides », sans prendre la peine d'en citer un seul. Le manque de mathématiques dans son raisonnement nous amène à nous demander si elle a suivi son propre conseil. À aucun endroit, elle ne mentionne un nom ou une date qui nous permettrait de relier son raisonnement à une théorie spécifique des fluides, et encore moins de voir quels débats ont eu lieu entre des théories opposées. (Hayles 1992, p. 17)

Mais quel départage entre un langage toujours soumis aux postulats de l'idéalité et un empirique déchu
de toute symbolisation se perpétue là ? Et comment
méconnaître qu'au regard de cette césure, de cette
schize assurant la pureté du logique, le langage reste
forcément méta-« quelque chose » ? Non pas simplement dans son articulation, prononciation, ici et maintenant, par un sujet mais parce que ce « sujet » répète
déjà, du fait de sa structure et à son insu, des « jugements » normatifs sur une nature résistante à cette
transcription.

Et, comment empêcher que l'inconscient même (du)
« sujet » ne soit prorogé comme tel, voire réduit dans
son interprétation, par une systématique qui remarque
une « inattention », historique, aux fluides ? Autrement
dit : quelle structuration du/de langage n'entretient pas
une *complicité de longue date entre la rationalité et
une mécanique des seuls solides* ? (Irigaray 1977,
p. 105-106, italiques dans l'original)

Pour ce qui est de la mécanique des solides et des
fluides, les assertions d'Irigaray appellent quelques
remarques. D'une part, la mécanique des solides est
loin d'être complète ; il existe un grand nombre de problèmes non résolus, par exemple la description quantitative des fractures. D'autre part, les fluides à
l'équilibre et les flots laminaires sont relativement bien
compris. En outre, nous connaissons les équations (de
Navier-Stokes) qui gouvernent le comportement des
fluides dans de très nombreuses situations. Le problème principal est que ces équations, aux dérivées
partielles et non linéaires[139], sont difficiles à résoudre,
en particulier pour les fluides turbulents. Mais cette
difficulté n'a rien à voir avec une quelconque « impuissance de la logique » ou de la « symbolisation adéquate », ni avec la « structuration du/de langage ». Ici
Irigaray adopte la démarche de son (ex-)maître Lacan,

---

139. Pour une explication non technique du concept de linéarité
(appliqué à une équation), voir p. 197 ci-dessous.

en insistant trop sur le formalisme logique aux dépens du contenu physique.

Suivent un certain nombre de remarques où se mélangent (de façon franchement fantasque) fluides, psychanalyse et logique mathématique :

> Sans doute, l'accent s'est déplacé de plus en plus de la définition des termes à l'analyse de leurs relations (la théorie de Frege en est un exemple parmi d'autres). Ce qui conduit même à admettre *une sémantique des êtres incomplets* : les symboles fonctionnels.
>
> Mais, outre que l'indétermination ainsi admise dans la proposition est soumise à une implication générale de type *formel* — la variable ne l'est que dans les limites de l'identité de(s) forme(s) de la syntaxe —, un rôle prépondérant est laissé au *symbole d'universalité* — au quantificateur universel —, dont il faudra interroger les modalités de recours au géométrique.
>
> Donc le « tout » — de x, mais aussi du système — aura déjà prescrit le « pas-toute » de chaque mise en relation particulière, et ce « tout » ne l'est que par une définition de l'extension qui ne peut se passer de projection sur un espace-plan « donné », dont l'entre, les entre(s), seront évalués grâce à des repères de type ponctuel [140].
>
> Le « lieu » aura ainsi été de quelque façon planifié et ponctué pour calculer chaque « tout », mais encore le « tout » du système. À moins de le laisser s'étendre à l'infini, ce qui rend a priori impossible toute estimation de valeur et des variables et de leurs relations.
>
> Mais ce lieu — du discours — où aura-t-il trouvé son « *plus grand que tout* » pour pouvoir ainsi se form(alis)er ? Se systématiser ? Et ce plus grand que « tout » ne va-t-il pas faire retour de sa dénégation — de sa forclusion ? — sous des modes encore théo-

---

140. Ces trois derniers paragraphes, supposés porter sur la logique mathématique, ne veulent rien dire, à une exception près : l'affirmation que « un rôle prépondérant est laissé [...] au quantificateur universel » a un sens, et cette affirmation est fausse (voir note 144 ci-dessous).

logiques ? Dont il reste à articuler le rapport au « pas-toute » : *Dieu ou la jouissance féminine.*

En attendant ces divines retrouvailles, l'afemme (n') aura servi (que) de *plan projectif* pour assurer la totalité du système — l'excédant de son « plus grand que tout » —, de *support géométrique* pour évaluer le « tout » de l'extension de chacun de ses « concepts » y compris encore indéterminés, d'*intervalles* fixés-figés entre leurs définitions dans la « langue », et de possibilité de *mise en relation particulières* entre eux. (Irigaray 1977, p. 106-107, italiques dans l'original)

Irigaray revient un peu plus loin à la mécanique des fluides :

Ce qui n'aura pas été interprété de l'économie des fluides — les résistances opérées sur les solides, par exemple — sera finalement rendu à Dieu. La non-considération des propriétés des fluides *réels* — frottements internes, pressions, mouvements, etc., c'est-à-dire *dynamique spécifique* — aboutira à rendre le réel à Dieu, ne reprenant dans la mathématisation des fluides que les caractères idéalisables de ceux-ci.

Ou encore : des considérations de mathématiques pures n'auront permis l'analyse des fluides que selon des plans lamellaires, des mouvements solénoïdaux (d'un courant privilégiant le rapport à un axe), des points-sources, des points-puits, des points-tourbillons, qui n'ont à la réalité qu'une relation approximative. En laissant de *reste*. Jusqu'à *l'infini* : le centre de ces « mouvements » correspondant à zéro y suppose une vitesse infinie, *physiquement inadmissible*. Ces fluides « théoriques » auront certes fait progresser la technicité de l'analyse, aussi mathématique, en y perdant quelque rapport à *la réalité des corps.*

Que s'ensuit-il pour la « science » et la pratique psychanalytique ? (Irigaray 1977, p. 107-108, italiques dans l'original)

Dans ce passage, Irigaray montre qu'elle ne comprend pas le rôle des approximations et des idéalisations en science. Tout d'abord, les équations de Navier-Stokes sont des approximations valides uniquement à l'échelle macroscopique (ou au moins supra-atomique), puisqu'elles traitent le fluide comme un continuum et négligent sa structure moléculaire. Or, comme ces équations elles-mêmes sont très difficiles à résoudre, on cherche à les étudier initialement dans des situations idéalisées ou au moyen d'approximations plus ou moins contrôlées. Mais le fait, par exemple, qu'au centre d'un point-tourbillon on a une vitesse infinie signifie seulement que l'approximation ne doit pas être prise au sérieux trop près de ce point, ce qui était évident dès le début du raisonnement, puisque l'approche utilisée n'est valable qu'à des échelles grandes par rapport à la taille des molécules. En tout cas, rien n'est rendu à Dieu ; simplement il reste des problèmes scientifiques pour les générations futures.

Finalement, on voit mal quelle relation, autre que purement métaphorique, la mécanique des fluides peut avoir avec la psychanalyse. Si demain quelqu'un(e) fournissait une théorie satisfaisante de la turbulence, en quoi cette découverte devrait-elle affecter nos théories de la psychologie humaine ?

On pourrait encore citer Irigaray, mais le lecteur est probablement déjà perdu (nous aussi). Elle termine son essai en nous consolant :

> Et si, par chance, vous aviez l'impression de n'avoir pas déjà tout compris, alors peut-être laisseriez-vous vos oreilles entr'ouvertes pour ce qui se touche de si près qu'il en confond votre discrétion. (Irigaray 1977, p. 116)

En résumé, Irigaray ne comprend pas la nature des problèmes physiques et mathématiques qui se posent en mécanique des fluides. Son discours est fondé uniquement sur de vagues analogies qui, de plus, mélangent la théorie des fluides réels avec l'usage déjà analogique qui en est fait en psychanalyse. Irigaray semble consciente de ce problème, puisqu'elle répond :

> Et si l'on objecte que la question ainsi soulevée est par trop étayée sur des métaphores, il sera facile de répondre qu'elle récuse plutôt le privilège de la métaphore (quasi solide) sur la métonymie (qui a bien plus partie liée avec les fluides). (Irigaray 1977, p. 108)

Hélas, cette réponse ne sort nullement du discours analogique.

Les mathématiques et la logique

Comme on l'a vu, Irigaray a tendance à ramener les problèmes des sciences physiques à des jeux de formalisation mathématique ou même de langage. Mais ses connaissances en logique mathématique sont, malheureusement, aussi superficielles que ses connaissances en physique. Un exemple en est donné dans son essai célèbre, « Le Sujet de la Science Est-Il Sexué ? ». Après une esquisse idiosyncrasique de la méthode scientifique, Irigaray continue ainsi :

> Ces caractéristiques font apparaître un isomorphisme à l'imaginaire sexuel de l'homme, ce qui doit demeurer rigoureusement masqué. « Nos expériences subjectives ou nos sentiments de conviction ne peuvent jamais justifier aucun énoncé » affirme l'épistémologue des sciences.
>
> Il faut ajouter que toutes les découvertes doivent s'exprimer en un langage *bien formé*, équivalent à *sensé*. Ce qui veut dire :
>
> — s'exprimer en symboles ou lettres, substituables à des *noms propres*, qui ne renvoient qu'à un objet intra-théorique, donc à aucun personnage ni objet du réel ou de la réalité. Le savant entre dans un univers de fiction incompréhensible pour qui n'y participe pas. (Irigaray 1985, p. 312, italiques dans l'original)

On retrouve ici les malentendus d'Irigaray à propos du rôle du formalisme mathématique en sciences. Il n'est

pas vrai que tous les concepts d'une théorie scientifique « ne renvoient qu'à un objet intra-théorique ».
Bien au contraire, certains concepts théoriques doivent
correspondre à quelque chose de réel — sinon on n'aurait plus affaire à une science — et, par conséquent,
l'univers du savant n'est pas purement peuplé de fic-
tions. Finalement, ni le monde réel ni les théories
scientifiques qui l'expliquent ne sont complètement
incompréhensibles pour les non-experts ; dans beaucoup de cas, il existe de bons livres de vulgarisation.

La suite du texte présente un mélange de pédanterie
et de drôlerie involontaire :

— les signes formateurs de termes et de prédicats sont :
    + : ou définition de nouveau terme [141] ;
    = : qui marque une propriété par équivalence et
        substitution (appartenance à un ensemble ou
        un monde) ;
    $\in$: signifiant l'appartenance à un type d'objets.
— les *quantificateurs* (et non *qualificateurs*) sont :
    $\geq \leq$;
    le quantificateur universel ;
    le quantificateur existentiel soumis, comme son
    nom l'indique, au quantitatif.
    S'il s'agit de sémantique des êtres incomplets
(Frege), les symboles fonctionnels sont des variables
prises dans la limite de l'identité de formes de la syntaxe et le rôle prépondérant est accordé au symbole
d'universalité ou quantificateur universel.
— les *connecteurs* sont :
    — négation : P ou non P [142] ;
    — conjonction : P ou Q [143] ;

---

141. Comme le lecteur l'aura sans doute appris à l'école pri-
maire, le symbole « + » est un opérateur binaire désignant l'addition. Nous ignorons où Irigaray a bien pu aller chercher l'idée que
ce symbole indique la « définition de nouveau terme ».
142. Le lecteur excusera notre pédanterie : la négation d'une proposition P n'est pas « P ou non P » mais tout simplement « non P ».
143. Il s'agit sans doute d'une erreur typographique. La conjonc-
tion de deux propositions P et Q signifie, bien sûr, « P *et* Q ».

— disjonction : P ou Q ;
— implication : P entraîne Q ;
— équivalence : P équivaut à Q ;
Il n'y a donc pas de signe :
   — de *différence* autre que quantitative ;
   — de *réciprocité* (autre que dans une même pro-
     priété ou un même ensemble) ;
   — d'*échange* ;
   — de *fluidité*.
(Irigaray 1985, p. 312-313, italiques dans l'original)

Remarquons d'abord qu'Irigaray confond le concept de « quantification » en logique avec le sens ordinaire du même mot (c'est-à-dire rendre une chose quantitative ou numérique) ; en réalité, il n'y a aucune relation entre ces deux concepts. Les quantificateurs en logique sont « pour tout » (quantificateur universel) et « il existe » (quantificateur existentiel). Par exemple, la phrase « *x* aime le chocolat » est une affirmation à propos d'un certain individu *x* ; la quantification universelle la transforme en « pour tout *x* [d'un certain ensemble supposé connu], *x* aime le chocolat », tandis que la quantification existentielle la transforme en « il existe au moins un *x* [d'un certain ensemble supposé connu] tel que *x* aime le chocolat ». Cela n'a évidemment rien à voir avec les nombres, et donc la prétendue opposition entre « quantificateurs » et « qualificateurs » n'a pas de sens.

Par ailleurs, les signes d'inégalité « $\geq$ » (plus grand ou égal à) et « $\leq$ » (plus petit ou égal à) ne sont pas des quantificateurs. Ils sont reliés à la quantification entendue dans le sens ordinaire du mot, pas dans le sens des quantificateurs en logique.

De plus, aucun « rôle prépondérant » n'est accordé au quantificateur universel. Au contraire, il y a une symétrie parfaite entre les quantificateurs universel et existentiel, et n'importe quelle proposition utilisant l'un d'eux peut être transformée en une proposition logiquement équivalente utilisant l'autre (au moins

dans la logique classique, ce dont Irigaray prétend parler) [144]. C'est un fait élémentaire, enseigné dans les
cours d'introduction à la logique ; il est étonnant
qu'Irigaray, qui parle tant de logique mathématique,
puisse l'ignorer.

Finalement, son assertion qu'il n'existe pas de signe
(ou, ce qui est plus pertinent, de *concept*) de différence
autre que quantitative est fausse : en mathématiques il
existe beaucoup d'autres objets que les nombres
— ensembles, fonctions, groupes, espaces topologiques, etc. — et en parlant de deux de ces objets, on
peut évidemment dire qu'ils sont identiques ou différents. Le signe conventionnel d'égalité (=) est utilisé
pour indiquer qu'ils sont identiques, et le signe conventionnel d'inégalité ($\neq$) pour indiquer qu'ils sont différents.

Plus loin dans le même essai, Irigaray prétend
démasquer également les biais sexistes à la base des
mathématiques dites « pures » :

> Les *sciences mathématiques* s'intéressent, dans la théo-
> rie des ensembles, aux espaces fermés et ouverts, à l'in-
> finiment grand et à l'infiniment petit [145]. Elles s'attachent
> assez peu à la question de l'entrouvert, des ensembles
> flous, de tout ce qui analyse le problème des bords, du
> passage entre, des fluctuations ayant lieu d'un seuil à
> l'autre d'ensembles définis. Même si la topologie
> évoque ces questions, elle met plus l'accent sur ce qui
> reclôt que sur ce qui demeure sans circularité possible ?
> (Irigaray 1985, p. 315, italiques dans l'original)

---

144. Soit $P(x)$ une affirmation quelconque à propos d'un individu x. La proposition « pour tout x, $P(x)$ » est équivalente à « il
n'existe pas de x tel que $P(x)$ soit faux ». De même, la proposition
« il existe au moins un x tel que $P(x)$ » est équivalente à « il est
faux que, pour tout x, $P(x)$ soit faux ».

145. En réalité, la théorie des ensembles étudie les propriétés
des ensembles « nus », c'est-à-dire dépourvus de structure topologique ou géométrique. Les questions évoquées ici par Irigaray
appartiennent plutôt à la topologie, à la géométrie, et à l'analyse.

Ces propos sont vagues : « l'entrouvert », « le passage entre », « les fluctuations ». De quoi parle-t-elle ? Par ailleurs, le « problème » des bords, loin d'être négligé, est depuis un siècle au centre de la topologie algébrique [146], et les « variétés à bord » sont activement étudiées en géométrie différentielle depuis plus de 50 ans. Et, *last but not least*, qu'est-ce que tout cela a à voir avec le féminisme ?

À notre grande surprise, nous avons retrouvé la citation précédente dans un livre récent, publié aux États-Unis. L'auteur, une pédagogue américaine des mathématiques dont le but est d'attirer plus de jeunes filles vers des carrières scientifiques — but que nous partageons — cite en l'approuvant ce texte d'Irigaray et continue ainsi :

> Dans le contexte fourni par Irigaray, nous pouvons voir une opposition entre, d'une part, le temps linéaire des problèmes mathématiques des règles de proportionnalité, des formules de distance et des accélérations linéaires et, d'autre part, le temps cyclique qui domine l'expérience du corps menstruel. Est-il évident pour le corps-esprit féminin que les intervalles ont des points-limite, que les paraboles divisent le plan de façon nette et, qu'en effet, les mathématiques linéaires de l'école décrivent le monde de l'expérience de manière intuitivement évidente [147] ? (Damarin 1995, p. 252)

Nous trouvons ces propos étonnants : pense-t-on sérieusement que la sexualité féminine empêche les étudiantes de comprendre des notions élémentaires de géométrie ? Cette vision est fort proche de celle des hommes de l'époque victorienne qui soutenaient que les femmes, avec leurs organes reproductifs délicats, ne sont pas faites pour la pensée rationnelle et la

---

146. Voir p. ex. Dieudonné (1989).
147. Remarquons qu'on trouve dans ce texte trois fois le mot « linéaire », utilisé maladroitement et dans des sens différents. Voir p. 197 ci-dessous pour une discussion des abus du mot « linéaire ».

172 Impostures intellectuelles

science. Avec ce genre d'ami(e)s, la cause féministe n'a pas besoin d'ennemis [148].

On trouve des idées semblables dans l'œuvre d'Irigaray elle-même. En effet, ses confusions scientifiques sont reliées à des considérations philosophiques plus générales, d'un caractère vaguement relativiste, qu'elles sont censées renforcer. Se fondant sur l'idée que la science est « masculine », elle rejette « la croyance en une vérité indépendante du sujet » et conseille aux femmes de

> ne pas souscrire ni adhérer à l'existence d'une science neutre, universelle, à laquelle les femmes devraient péniblement accéder et par laquelle elles se briment et briment les autres femmes, transformant la science en un nouveau surmoi. (Irigaray 1987a, p. 218)

Ces affirmations sont évidemment très discutables. Il faut dire que ces propos d'Irigaray sont accompagnés d'autres plus nuancés, par exemple : « La vérité est toujours produite par quelqu'un(e). Cela ne signifie pas qu'elle ne contient pas une objectivité » ; et « Toute vérité est partiellement relative [149]. » Le problème est de savoir ce qu'elle veut dire exactement et comment elle entend résoudre ces contradictions.

Les racines de l'arbre de la science sont peut-être amères, mais les fruits en sont doux. C'est infantiliser les femmes que de dire qu'elles devraient « pénible-

---

148. Cet exemple est loin d'être le seul. Hayles termine son essai sur la mécanique des fluides en disant que

> les expériences articulées dans cet essai sont façonnées par la lutte pour rester dans les limites du discours rationnel tout en en questionnant les principales prémisses. Bien que le flot de notre argument ait été féminin et féministe, le canal dans lequel il a été dirigé est mâle et masculin. (Hayles 1992, p. 40)

Hayles semble donc admettre, sans même s'en rendre compte, l'identification du « discours rationnel » avec ce qui est « mâle et masculin ».

149. Irigaray (1987a, p. 218).

ment » accéder à une science universelle. Relier le rationnel et l'objectif au masculin et le subjectif et l'émotif au féminin, c'est répéter les pires poncifs machistes. Parlant du « devenir » sexuel féminin, Irigaray écrit :

> Mais chaque moment de ce devenir a lui-même une temporalité propre, éventuellement cyclique, liée aux rythmes cosmiques. Si les femmes se sont senties tellement menacées par l'accident de Tchernobyl, cela vient de cette relation irréductible de leurs corps à l'univers. (Irigaray 1987a, p. 215 [150])

On tombe franchement dans le mysticisme : rythmes cosmiques, relation à l'univers, de quoi parle-t-on ? Enfermer les femmes dans un biologisme naïf qui les ramène tout entières à leur sexualité, à la menstruation, et à d'autres rythmes cosmiques ou non, c'est attaquer tout ce que le mouvement féministe a obtenu ces dernières décennies. Simone de Beauvoir doit se retourner dans sa tombe.

---

150. Pour des propos de la même veine, et encore plus effarants, voir Irigaray (1987b, p. 106-108).

5

BRUNO LATOUR

Le sociologue des sciences Bruno Latour est bien connu pour son ouvrage *La Science en action*, que nous avons analysé brièvement dans le chapitre 3. Par contre, on connaît moins bien son analyse sémiotique de la théorie de la relativité, dans laquelle « le texte d'Einstein est lu comme une contribution à la sociologie de la délégation » (Latour 1988, p. 3). Dans ce chapitre, nous examinerons cette interprétation de la relativité et nous montrerons qu'elle illustre parfaitement les problèmes rencontrés par le sociologue qui veut analyser le contenu d'une théorie physique que, par ailleurs, il maîtrise mal.

Latour considère son article comme une contribution au « programme fort » en sociologie des sciences, selon lequel « le contenu d'une science est social de part en part » (p. 3). Pour Latour, ce programme a eu « un certain degré de succès dans les sciences empiriques » mais moins dans les sciences mathématiques (p. 3). Il déplore que les analyses sociales de la théorie de la relativité qui ont précédé la sienne aient « évité les aspects techniques de la théorie » et ne soient pas arrivées à donner une « indication qui permettrait de dire que la théorie de la relativité *elle-même* est sociale » (p. 4-5, italiques dans l'original). Latour s'assigne la tâche ambitieuse de justifier cette dernière idée, qu'il

se propose d'accomplir en redéfinissant le concept de
« social » (p. 4-5). Sans discuter en détail les conclusions sociologiques que Latour prétend tirer de son
analyse de la relativité, nous démontrerons que sa
démarche est sérieusement compromise par des incompréhensions fondamentales à propos de la théorie de la
relativité elle-même [151].

Latour fonde son analyse sur une lecture sémiotique
du livre de vulgarisation d'Einstein sur *La Relativité*
(1920) [152]. Après avoir passé en revue des notions
sémiotiques telles que l'« embrayage » (*shifting in*) et
le « débrayage » (*shifting out*) des narrateurs, Latour
tente d'appliquer ces notions à la théorie einsteinienne
de la relativité restreinte. Mais, ce faisant, il se
méprend sur le sens du concept de « système de référence » en physique. Pour le montrer, nous devons
faire une brève digression.

En physique, un *système de référence* (ou *repère*)
est une façon d'attribuer des coordonnées spatiales et
temporelles (x, y, z, t) à des « événements ». Par exemple, un événement à New York peut être situé en disant
qu'il a lieu au coin de la 6e avenue (x) et la 42e rue (y),
30 mètres au-dessus du sol (z), à midi, le 1er mai 1997
(t). En général, un système de référence peut être
visualisé comme un système rigide et rectangulaire de
mètres et d'horloges qui, mis ensemble, permettent
d'assigner des coordonnées de lieu et de temps à tout
événement.

Manifestement, il y a un certain nombre de choix
arbitraires à faire lorsqu'on met en place un système

---

151. Citons néanmoins l'observation du physicien Huth (1998,
p. 185), qui a également fait une analyse critique de l'article de
Latour : « Dans cet article, il a tellement étendu le sens des mots
"société" et "abstraction" pour les adapter à son interprétation de
la relativité, qu'ils perdent toute ressemblance avec leurs sens
usuels ».

152. Latour utilise la version anglaise (Einstein 1960). Il existe
une traduction française (Einstein 1976).

de référence : par exemple, où placer l'origine des coordonnées spatiales (ici 0e avenue et 0e rue au niveau du sol), comment orienter les axes (ici est-ouest, nord-sud, haut-bas), et où mettre l'origine du temps (ici minuit, le 1er janvier de l'an 0). Mais cette liberté ne pose pas de problèmes car, si nous faisons un autre choix, il existe des formules simples qui permettent de passer de l'ancien système au nouveau.

La situation devient plus intéressante lorsqu'on considère deux systèmes de référence en *mouvement* l'un par rapport à l'autre. Par exemple, l'un des systèmes de référence pourrait être attaché à la terre et l'autre à une voiture se déplaçant par rapport à la terre à une vitesse de 100 mètres par seconde dans la direction de l'est. Une grande partie de l'histoire de la physique moderne depuis Galilée est liée à la question de savoir si les lois de la physique s'écrivent sous la même forme dans des systèmes de référence différents, et quelles équations doivent être utilisées pour traduire les anciennes coordonnées (x, y, z, t) dans les nouvelles (x', y', z', t'). En particulier, la théorie de la relativité d'Einstein traite précisément de ces questions [153].

Dans les exposés pédagogiques de la théorie de la relativité, un système de référence est souvent identifié à un « observateur ». Plus précisément, on met un observateur à *chaque* point de l'espace, tous au repos les uns par rapport aux autres, et on les munit d'horloges convenablement synchronisées. Mais soulignons que ces « observateurs » ne doivent pas nécessairement être des personnes : un système de référence peut parfaitement être construit entièrement à partir de machines (comme c'est couramment le cas dans les expériences en physique des hautes énergies). D'ail-

---

153. Pour une discussion plus approfondie de certains aspects de la relativité, voir le chapitre 11 ci-dessous ; ou, pour une introduction plus détaillée (mais non technique), voir Einstein (1976 [1920]), Metz (1923) ou Sartori (1996).

leurs, un système de référence ne doit même pas être
« construit » : il est tout à fait légitime d'attacher
conceptuellement un système de référence à un proton
qui subit une collision à hautes énergies [154].

Revenons au texte de Latour. On peut distinguer
trois erreurs principales dans son analyse. Tout
d'abord, il semble penser que la relativité traite de la
position relative (plutôt que du *mouvement* relatif) des
deux systèmes de référence, du moins c'est ce que suggèrent certains passages :

> Je vais utiliser le diagramme suivant dans lequel deux
> systèmes de référence (ou plus) indiquent les diffé-
> rentes *positions* dans l'espace et le temps [...] (p. 6)
> *[A]ussi loin* que je délègue les observateurs, ils
> envoient tous des rapports que l'on peut superposer [...]
> (p. 14)
> [S]oit nous maintenons l'espace et le temps absolu et
> les lois de la nature deviennent différentes à différents
> *endroits* [...] (p. 24)
> [P]ourvu que les deux relativités [restreinte et générale]
> soient acceptées, plus de systèmes de référence avec
> moins de privilège peuvent être atteints [*accessed*],
> réduits, accumulés et combinés, des observateurs peu-
> vent être délégués à plus d'*endroits* dans l'infiniment
> grand (le cosmos) et l'infiniment petit (électrons) et les
> relevés qu'ils envoient seront compréhensibles. Le livre
> [d'Einstein] pourrait bien s'intituler : « Nouvelles ins-
> tructions pour ramener les voyageurs scientifiques qui
> parcourent de longues distances ». (p. 22-23)

(Nous avons ajouté les italiques)

Mettons que ce soit dû à un manque de précision
dans le style de Latour. Une deuxième erreur qui nous
semble plus importante, mais qui est indirectement
reliée à la première, est la confusion apparente entre

---

154. En analysant la collision entre deux protons par rapport à
un système de référence attaché à l'un d'eux, on peut obtenir des
informations importantes sur la structure interne des protons.

les concepts de « système de référence » en physique et d'« acteur » en sémiotique :

> Comment décider si une observation faite dans un train à propos d'une pierre qui tombe peut être amenée à coïncider avec une observation faite sur la même pierre à partir du quai ? S'il n'y a qu'un ou même *deux* systèmes de référence, aucune solution ne peut être trouvée [...] La solution d'Einstein est de considérer *trois* acteurs : l'un dans le train, l'autre sur le quai, et un troisième, l'auteur ou l'un de ses représentants, qui essaye de superposer les observations codées qui sont envoyées par les deux autres. (p. 10-11, les italiques sont dans l'original)

En fait, Einstein ne considère jamais trois systèmes de référence ; les transformations de Lorentz [155] permettent d'établir une correspondance entre les coordonnées d'un événement dans *deux* systèmes de référence différents, sans jamais devoir passer par un troisième. Latour semble penser que ce troisième système est d'une grande importance d'un point de vue physique, puisqu'il écrit, dans une note :

> La plupart des difficultés liées à l'histoire ancienne du principe d'inertie sont reliées à l'existence de seulement deux systèmes de référence ; la solution est toujours d'ajouter un troisième système qui récolte les informations envoyées par les deux autres. (p. 43)

Non seulement Einstein ne mentionne jamais un troisième système de référence mais, dans la mécanique de Galilée et de Newton, à quoi Latour fait sans doute allusion en parlant de « l'histoire ancienne du principe d'inertie », ce troisième système n'apparaît pas non plus [156].

---

155. Notons au passage que Latour recopie mal ces équations (p. 18, figure 8). Il faudrait mettre $\frac{v}{c^2}$ au lieu de $\frac{v^2}{c^2}$ au numérateur de la dernière équation.

156. Mermin (1998a) fait observer, correctement, que certains raisonnements techniques dans la théorie de la relativité nécessitent

Dans le même esprit, Latour insiste beaucoup sur le rôle d'observateurs *humains*, qu'il analyse en termes sociologiques. Il invoque la soi-disant « obsession » d'Einstein

> pour le transport d'*in*formation à travers des *trans*formations sans *dé*formations ; sa passion pour la superposition précise des relevés ; sa panique à l'idée que des observateurs puissent trahir, puissent conserver des privilèges, et envoyer des rapports qui ne puissent être utilisés pour étendre nos connaissances ; son désir de discipliner les observateurs délégués et de les transformer en parties d'appareil dépendant de nous et qui ne font rien d'autre qu'observer des coïncidences d'aiguilles et d'encoches [...] (p. 22, italiques dans l'original)

Or, pour Einstein, les « observateurs » sont une fiction pédagogique et peuvent être remplacés par des appareils (dans le cadre de son exposé). Il n'y a donc nullement besoin de les « discipliner ». Latour écrit également :

> La capacité qu'ont les observateurs délégués d'envoyer des rapports que l'on peut superposer est rendue possible par leur totale dépendance et même par leur stupidité. La seule chose qu'on leur demande est d'observer attentivement et avec obstination les aiguilles de leurs horloges [...] C'est le prix à payer pour la liberté et la crédibilité de l'énonciateur. (p. 19)

Dans les passages précédents, ainsi que dans le reste de l'article, Latour commet une troisième erreur : il insiste sur le rôle supposé de l'énonciateur (l'auteur) dans la théorie de la relativité. Einstein décrit comment les coordonnées d'espace-temps d'un événement peuvent être transformées d'un système de référence à un

---

l'introduction de trois systèmes de référence (ou plus). Mais cela n'a rien à voir avec le troisième système de Latour « qui récolte les informations envoyées par les deux autres », comme l'admet d'ailleurs Mermin.

autre au moyen des transformations de Lorentz. Aucun système de référence ne joue ici de rôle privilégié. Mais, surtout, l'auteur (Einstein) n'existe pas — et ne constitue sûrement pas un système de référence — *dans* la situation physique qu'il décrit. D'une certaine façon, on peut dire que le biais sociologique de Latour l'a amené à se méprendre sur l'un des aspects fondamentaux de la relativité, à savoir qu'aucun système de référence n'est privilégié par rapport à un autre [157].

Finalement, Latour fait une distinction tout à fait raisonnable entre « relativisme » et « relativité » : dans le premier, les points de vue sont subjectifs et irréconciliables ; dans la seconde, les coordonnées d'espace-temps peuvent être transformées de façon non ambiguë entre systèmes de référence (p. 13-14). Mais il affirme ensuite que « l'énonciateur » joue un rôle central dans la théorie de la relativité, ce qu'il exprime en termes sociologiques et même économiques.

> [C]'est seulement lorsque le *gain* de l'énonciateur est pris en compte que la différence entre relativisme et relativité révèle une signification plus profonde. C'est l'énonciateur qui a le privilège d'accumuler toutes les descriptions de toutes les scènes auxquelles il a délégué des observateurs. Le dilemme ci-dessus revient à une lutte pour le contrôle de privilèges, pour discipliner des corps dociles, comme aurait dit Foucault. (p. 15, italiques dans l'original)

Et d'une façon encore plus nette :

> [C]es combats contre les privilèges en économie ou en physique sont littéralement, et pas métaphoriquement, les mêmes [158]. [...] Qui va bénéficier de l'envoi de tous ces observateurs délégués sur le quai, les trains, les rayons de lumière, le soleil, les étoiles proches, les

---

157. Plus précisément, aucun système de référence *inertiel* n'est privilégié par rapport à un autre. Voir le chapitre 11 ci-dessous.

158. Remarquons que, comme Lacan (voir p. 57), Latour insiste sur le caractère *littéral* de ce qui pourrait au mieux passer pour une vague métaphore.

> ascenseurs accélérés, les confins du cosmos ? Si le
> relativisme est correct, chacun d'entre eux en profitera
> autant que les autres. Si la relativité est correcte, seule-
> ment *l'un* d'entre eux (à savoir, l'énonciateur, Einstein
> ou un autre physicien) pourra accumuler en un endroit
> (son laboratoire, son bureau) les documents, les rap-
> ports et les mesures envoyés par tous ses délégués.
> (p. 23, italiques dans l'original)

Notons que cette dernière erreur est assez importante,
puisque les conclusions sociologiques que Latour
entend tirer de son analyse de la relativité sont fondées
sur le rôle privilégié qu'il attribue à l'énonciateur, qui est
lui-même relié à la notion de « centres de calcul »[159].

En conclusion, Latour confond un énoncé pédagogique de la relativité avec le « contenu technique » de
la théorie. Son analyse du livre de vulgarisation d'Einstein pourrait, au mieux, élucider les stratégies pédagogiques et rhétoriques d'Einstein : ce qui serait, certes,
un projet intéressant, bien que nettement plus modeste
que montrer que la théorie de la relativité est « sociale
de part en part ». Mais, même si l'on ne cherche qu'à
analyser la pédagogie, on doit comprendre la théorie
sous-jacente afin de séparer les stratégies rhétoriques
du contenu physique. L'analyse de Latour est fondamentalement viciée par son manque de compréhension
de la théorie qu'Einstein essaye d'expliquer.

Notons que Latour rejette avec mépris les commentaires des scientifiques sur son travail :

> Pour commencer, les opinions des scientifiques sur les
> « science studies » n'ont pas beaucoup d'importance.
> Les scientifiques sont les informateurs dans nos inves-
> tigations sur la science, et pas nos juges. La vision que
> nous développons de la science ne doit pas ressembler
> à ce que les scientifiques pensent de la science [...]
> (Latour 1995b, p. 6)

---

159. Qui intervient, elle, dans la sociologie de Latour.

On peut être d'accord avec la dernière phrase. Mais que penser d'un « investigateur » qui ne comprend pas ce que lui disent ses « informateurs » ?

Latour conclut son analyse, en se demandant, en toute modestie :

> Avons-nous appris quelque chose à Einstein ? [...] Ma thèse serait que, sans la position de l'énonciateur (cachée dans l'exposé d'Einstein), et sans la notion de centres de calcul, l'argument technique d'Einstein lui-même est incompréhensible [...] (Latour 1988, p. 35)

Postscript

Presque simultanément à la sortie de notre livre, le journal américain *Physics Today* a publié un article du physicien N. David Mermin qui proposait une lecture bienveillante de l'article de Latour et s'attaquait, au moins implicitement, à notre analyse critique [160]. Fondamentalement, Mermin dit que les critiques de l'incompréhension par Latour de la relativité passent à côté de l'essentiel qui, d'après sa fille Liz, qui est « singulièrement qualifiée » et qui a travaillé dans les *cultural studies* pendant plusieurs années, est que

> Latour veut suggérer la possibilité d'une traduction des propriétés formelles de l'argument d'Einstein dans le langage des sciences sociales, pour voir en même

---

160. Mermin (1998a). Notons néanmoins que le désaccord entre Mermin et nous est moins profond qu'on ne pourrait le penser après une lecture rapide de son article. Tout d'abord, Mermin ne défend aucun des passages de l'article de Latour que nous critiquons ; et inversement, nous ne critiquons pas le seul passage qu'il cite avec approbation. Il est vrai que Mermin défend Latour en disant que son article est « amusant ». Mais, d'une part, nous ne voyons pas ce qu'il y a de particulièrement drôle dans les passages que nous citons : d'autre part, nous pensons qu'il y a une grande différence entre un article sérieux parsemé de remarques amusantes et un texte dont on ne sait jamais quand il faut le prendre à la lettre.

temps ce que les chercheurs en sciences sociales peuvent apprendre sur la « société », comment ils utilisent ce terme et ce que les scientifiques « durs » peuvent apprendre sur leurs propres hypothèses. Il tente d'expliquer la relativité seulement dans la mesure où il veut en fournir une lecture formelle (« sémiotique ») qui serait transférable à la société. Il est en quête d'un modèle de la réalité sociale qui serait à même d'aider les chercheurs en sciences sociales à gérer leurs discussions, lesquelles ont beaucoup à voir avec la position et l'importance de l'observateur, avec la relation entre le « contenu » d'une activité sociale et le « contexte » (pour employer ses propres termes), et avec les sortes de conclusions et de règles qui peuvent être tirées de l'observation. (Mermin 1998a, p. 198-199)

Ce n'est qu'à moitié vrai. Dans son introduction, Latour se fixe *deux* buts :

[N]otre but [...] est le suivant : comment pouvons-nous, en reformulant le concept de société, voir le travail d'Einstein comme *explicitement* social ? Une autre question, reliée à la précédente, est : comment pouvons-nous apprendre d'Einstein pour étudier la société ? (Latour 1988, p. 5, italiques dans l'original ; voir aussi p. 35-36 pour des affirmations semblables)

Afin de ne pas allonger ce chapitre, nous avons évité d'analyser la question de savoir si Latour atteint l'un ou l'autre de ces buts, et nous nous sommes limités à souligner les incompréhensions fondamentales de la relativité qui mettent en question ses *deux* projets. Mais, puisque Mermin soulève la question, envisageons-la : Latour a-t-il appris quelque chose de son analyse de la relativité qui soit « transférable à la société » ?

D'un point de vue purement logique, la réponse est non : la théorie de la relativité en physique n'a aucune implication pour la sociologie. Imaginons que demain une expérience au CERN démontre que la relation entre la vitesse et l'énergie d'un électron est légèrement différente de celle prédite par Einstein. Cette découverte provoquerait une révolution en physique : mais en quoi obligerait-elle le moins du monde les sociologues à changer leurs théories sur le comportement humain ? Il est clair que les relations entre relativité et sociologie sont, au mieux, au niveau de l'analogie. Il est possible qu'en comprenant les rôles de « l'observateur » et du « système de référence » en relativité, Latour puisse éclairer la question du relativisme sociologique ou d'autres questions similaires. Mais alors, il faut se demander qui parle et pour qui. Afin de poursuivre la discussion, admettons un instant que les notions sociologiques utilisées par Latour puissent être définies aussi précisément que les concepts de la théorie de la relativité et que quelqu'un qui est au courant des deux théories puisse établir une analogie formelle entre les deux. Cette analogie pourrait permettre d'expliquer la relativité à un sociologue connaissant la sociologie de Latour, ou expliquer cette dernière à un physicien, mais en quoi cette analogie avec la relativité peut-elle aider à expliquer la sociologie de Latour *à d'autres sociologues* ? Après tout, même en admettant que Latour maîtrise parfaitement la théorie de la relativité [161], il est déraisonnable de supposer que ses collègues sociologues connaissent également cette théorie. Vraisemblablement, leurs idées sur celle-ci seront basées sur des analogies avec des concepts sociologiques (à moins qu'ils n'aient étudié la physique). Pourquoi alors Latour n'explique-t-il pas ses nouvelles idées sociologiques en faisant directement référence aux connaissances sociologiques de ses lecteurs ?

---

161. Mermin ne va pas jusque là : il admet qu'il y a, dans le texte de Latour, « beaucoup d'énoncés obscurs qui semblent traiter de la physique de la relativité, et qui pourraient bien être des interprétations erronées de points techniques élémentaires » (Mermin 1998a, p. 200).

6

INTERMEZZO : LA THÉORIE DU CHAOS ET LA « SCIENCE POSTMODERNE »

> Le jour viendra que, par une étude suivie de plusieurs siècles, les choses actuellement cachées paraîtront avec évidence, et la postérité s'étonnera que des vérités si claires nous aient échappé.
>
> Sénèque, à propos du mouvement des comètes, cité par Laplace (1986 [1825], p. 34)

Dans le discours postmoderne, on rencontre fréquemment l'idée que des développements scientifiques plus ou moins récents ont non seulement modifié notre vision du monde, mais également apporté des changements philosophiques et épistémologiques profonds et que, d'une certaine façon, la science a changé de nature [162]. Les exemples le plus souvent cités à l'appui de ce genre de thèse sont la mécanique quantique, le théorème de Gödel et la théorie du chaos. Mais on trouve aussi la flèche du temps, l'auto-organisation, la géométrie fractale, le Big Bang et bien d'autres théories.

Nous pensons qu'il s'agit là essentiellement de confusions, mais qui sont bien plus subtiles que celles que nous rencontrons chez Lacan, Irigaray ou Deleuze.

---

162. De nombreux textes de ce genre sont cités dans la parodie de Sokal (voir Appendice A).

Il faudrait plusieurs livres pour les démêler toutes et faire justice aux noyaux de vérité qui sont parfois à la base de ces malentendus. Nous esquisserons une telle critique en nous limitant à deux exemples : la « science postmoderne » selon Lyotard et la théorie du chaos[163].

Une formulation déjà classique de l'idée d'une révolution conceptuelle profonde se trouve dans un chapitre de *La Condition postmoderne* de Jean-François Lyotard, consacré à « la science postmoderne comme recherche des instabilités[164] ». Dans ce chapitre, Lyotard survole quelques aspects de la science du vingtième siècle, qui selon lui indiquent une transition vers une nouvelle science « postmoderne ». Examinons les exemples avancés par Lyotard.

Après une allusion rapide au théorème de Gödel, il aborde le problème des limites de la prédictibilité en physique atomique et quantique. D'une part, il remarque qu'il est impossible en pratique de connaître, par exemple, les positions de toutes les molécules dans un gaz, car elles sont bien trop nombreuses[165]. Mais ce fait est bien connu, et constitue la base de la physique statistique depuis au moins les dernières décennies du dix-neuvième siècle. D'autre part, lorsque Lyotard semble aborder le problème de l'indéterminisme en mécanique quantique, il l'illustre au moyen d'un exemple parfaitement pré-quantique : la notion de densité (quotient masse/volume) d'un gaz. Se fondant sur un texte du physicien Jean Perrin sur les atomes[166], Lyotard remarque que la densité dépend de l'échelle à laquelle on regarde : par exemple, si l'on prend une sphère de la taille d'une molécule, la densité peut varier entre zéro et une valeur très grande selon qu'une molécule se trouve

---

163. Voir aussi Bricmont (1995a) pour une étude détaillée des confusions à propos de la « flèche du temps ».

164. Lyotard (1979, chapitre 13).

165. Dans chaque centimètre cube d'air, il y a approximativement 27 milliards de milliards de molécules.

166. Perrin (1970 [1913], p. 14-22).

dans la sphère ou non. Mais c'est une banalité : la densité est une variable macroscopique, elle n'a de sens que dans des situations comportant un grand nombre de molécules. Toutefois, Lyotard en tire une conclusion plutôt radicale :

> La connaissance touchant la densité de l'air se résout donc dans une multiplicité d'énoncés qui sont incompatibles absolument, et ne sont rendus compatibles que s'ils sont relativisés par rapport à l'échelle choisie par l'énonciateur. (Lyotard 1979, p. 92)

Il y a un ton subjectiviste dans cette remarque, que rien ne justifie. La vérité d'un énoncé dépend évidemment du sens des mots qui y figurent. Et quand ces mots (comme la densité) ont un sens qui dépend de l'échelle, la vérité de l'énoncé en dépend aussi. Les énoncés sur la densité de l'air, exprimés de façon soigneuse, sont parfaitement compatibles.

Par la suite, Lyotard cite la géométrie fractale, qui traite de certains objets irréguliers comme les flocons de neige et les fjords. Ces objets ont, dans un certain sens technique, une dimension qui n'est pas un nombre entier [167]. De même, il cite la théorie des catastrophes, branche des mathématiques qui classe les singularités de certaines surfaces (et d'autres objets similaires). Ces deux théories mathématiques sont certes intéressantes, et elles ont eu quelques applications en sciences natu-

---

167. Les objets géométriques habituels (lisses) peuvent être classés d'après leur *dimension*, qui est toujours un nombre entier : par exemple, la dimension d'une droite ou d'une courbe lisse est égale à 1 et la dimension d'un plan ou d'une surface lisse est égale à 2. Par contre, les objets fractals sont plus compliqués et on leur attribue différentes « dimensions » pour décrire différents aspects de leur géométrie. Bien que la « dimension topologique » d'un objet géométrique (lisse ou non) soit toujours un nombre entier, la « dimension de Hausdorff » d'un objet fractal n'est, en général, *pas* un nombre entier.

relles, notamment en physique[168]. Comme toutes les avancées scientifiques, elles fournissent de nouveaux outils et attirent l'attention sur de nouveaux problèmes. Mais elles ne remettent nullement en cause l'épistémologie traditionnelle.

En fin de compte, Lyotard ne donne aucun argument pour étayer ses conclusions philosophiques.

> L'idée que l'on tire de ces recherches (et de bien d'autres) est que la prééminence de la fonction continue à dérivée[169] comme paradigme de la connaissance et de la prévision est en train de disparaître. En s'intéressant aux indécidables, aux limites de la précision du contrôle, aux quanta, aux conflits à l'information non complète, aux « *fracta* », aux catastrophes, aux paradoxes pragmatiques, la science postmoderne fait la théorie de sa propre évolution comme discontinue, catastrophique, non rectifiable[170], paradoxale. Elle change le sens du mot savoir, et elle dit comment ce changement peut avoir lieu. Elle produit non pas du connu, mais de l'inconnu. Et elle suggère un modèle de légitimation qui n'est nullement celui de la meilleure performance, mais celui de la différence comprise comme paralogie. (Lyotard 1979, p. 97)

---

168. Toutefois, certains chercheurs pensent qu'elles ont eu une publicité qui dépasse leur contenu scientifique : voir, par exemple, Zahler et Sussmann (1977), Sussmann et Zahler (1978), Kadanoff (1986) et Arnold (1992).

169. Ce sont des concepts techniques du calcul différentiel : une fonction est dite *continue* (ici nous simplifions un peu) si l'on peut en dessiner le graphe sans lever son crayon, tandis qu'une fonction possède une *dérivée* (et est dite *dérivable*) si en tout point de son graphe, il existe une et une seule droite tangente. Notons en passant que toute fonction dérivable est forcément continue, et que la théorie des catastrophes est fondée sur de très belles mathématiques concernant justement les fonctions dérivables !

170. « Non rectifiable » est un terme technique du calcul différentiel, qui s'applique à certaines courbes qui ne possèdent pas de dérivée.

Comme ce paragraphe est fréquemment cité, examinons-le attentivement[171]. Lyotard mélange au moins six branches des mathématiques ou de la physique, qui sont en réalité conceptuellement très éloignées les unes des autres. De plus, il confond l'introduction de fonctions non dérivables (ou même discontinues) dans les modèles scientifiques avec une soi-disant évolution « discontinue », voire « paradoxale », de la science elle-même. Les théories citées par Lyotard produisent évidemment de nouveaux savoirs, mais sans changer le sens de ce mot[172]. *A fortiori*, elles produisent du connu, pas de l'inconnu (excepté dans le sens banal qu'elles soulèvent de nouveaux problèmes). Surtout, le « modèle de légitimation » reste la confrontation de la théorie avec l'expérience, non une « différence comprise comme paralogie » (à supposer que cette expression ait un sens).

*

Venons-en à la théorie du chaos[173]. Nous aborderons trois types de confusions : celles qui portent sur la signification philosophique de la théorie, celles qui sont liées à l'usage métaphorique du mot « linéaire » (ou « non linéaire ») et celles qui concernent les applications et extrapolations hâtives.

De quoi traite la théorie du chaos ? Il existe un grand nombre de phénomènes physiques gouvernés par des

---

171. Voir aussi Bouveresse (1984, p. 125-130) pour une critique similaire.

172. Avec une très petite nuance : les métathéorèmes en logique mathématique, comme le théorème de Gödel ou les théorèmes d'indépendance en théorie des ensembles, ont un statut logique un peu différent de celui des théorèmes habituels. Mais il faut souligner que ces branches des fondements des mathématiques ont une faible influence sur la plupart des recherches en mathématiques, et presqu'aucune influence en sciences naturelles.

173. Pour une discussion plus approfondie, mais non technique, voir Ruelle (1993).

lois déterministes[174], et donc en principe prédictibles, qui sont néanmoins en pratique imprévisibles à cause de leur « sensibilité aux conditions initiales ». Cela veut dire que deux systèmes régis par les mêmes lois peuvent être, à un moment donné, dans des états très semblables (mais pas identiques) et, après un temps relativement bref, se trouver dans des états forts différents. Ce phénomène est exprimé de façon imagée en disant qu'un battement d'aile de papillon aujourd'hui à Madagascar pourrait provoquer un ouragan dans trois semaines en Floride. Évidemment, le papillon à lui seul ne fait pas grand-chose. Mais si l'on compare les deux systèmes constitués par l'atmosphère terrestre avec et sans le battement d'aile de papillon, il s'avère que le résultat dans trois semaines peut être très différent (un ouragan ou non). Une conséquence pratique en est qu'on ne pense pas pouvoir prédire le temps au-delà de quelques semaines[175]. En effet, il faudrait tenir compte de tant de données, et avec une telle précision, que même les plus gros ordinateurs imaginables ne suffiraient pas à la tâche.

Pour être plus précis, considérons un système dont on connaît imparfaitement les conditions initiales (ce qui est toujours le cas en pratique) ; il est évident que cette imprécision se reflètera dans la qualité des prédictions que nous sommes capables de faire sur son état ultérieur. En général, l'imprécision des prédictions augmentera avec le temps. Mais la *manière* dont l'imprécision augmente diffère d'un système à l'autre :

---

174. Au moins à un degré d'approximation très élevé.

175. Ce qui n'exclut pas *a priori* de pouvoir prédire *statistiquement* le climat futur, tel que les moyennes et les variations de température et de précipitation en France pour la décennie 2050-2060. La modélisation du climat global — problème scientifique difficile et controversé — est évidemment d'une extrême importance pour l'avenir du genre humain.

dans certains systèmes elle augmente lentement, dans d'autres très rapidement [176].

Pour expliquer cette idée, imaginons que nous souhaitions atteindre une certaine précision dans notre prévision finale et demandons-nous pour quel intervalle de temps nos prévisions resteront valables. Supposons, par ailleurs, qu'une amélioration technique permette de réduire de moitié l'imprécision de notre connaissance de l'état initial. Pour le premier type de système, cette amélioration permettra de doubler le temps durant lequel on pourra prédire l'état du système avec la précision désirée. Par contre, pour le deuxième type de système, un tel accroissement dans la précision des données ne permet d'augmenter ce temps que d'une quantité fixe : par exemple, d'une seconde de plus ou d'une semaine de plus (cela dépend des situations). En simplifiant un peu, on appellera « non chaotiques » les premiers systèmes et « chaotiques » (ou exhibant une « sensibilité aux conditions initiales ») les deuxièmes. Les systèmes chaotiques sont donc caractérisés par le fait que leur prévisibilité s'avère fortement limitée, parce que même une amélioration spectaculaire dans la précision des données initiales (mettons, par un facteur égal à 1000) n'entraîne qu'un accroissement relativement médiocre de la durée sur laquelle s'étendent nos prévisions [177].

Il n'est peut-être pas surprenant qu'un système très

---

176. C'est-à-dire, en termes techniques, dans le premier cas de façon linéaire ou polynomiale, et dans le deuxième cas de façon exponentielle.

177. Il faut encore ajouter une précision : pour certains systèmes chaotiques la durée fixe que l'on gagne dans les prévisions lorsqu'on double la précision des mesures initiales peut être très longue, ce qui fait qu'en pratique ces systèmes sont prévisibles plus longtemps que la plupart des systèmes non chaotiques. Par exemple, des travaux récents ont montré que les orbites de certaines planètes ont un comportement chaotique ; mais la « durée fixe » est ici de l'ordre de plusieurs millions d'années.

complexe, comme l'atmosphère terrestre, soit difficile à prédire. Ce qui est plus surprenant, c'est qu'un système qui peut être décrit par un *petit* nombre de variables et qui obéit à des équations déterministes — par exemple, deux pendules attachés l'un à l'autre — peut exhiber un comportement très compliqué et une sensibilité aux conditions initiales.

Toutefois, il faut éviter d'en tirer des conclusions philosophiques hâtives. Par exemple, on affirme parfois que le chaos signale les limites de la science. Mais on ne se trouve pas dans un cul-de-sac ou devant un écriteau portant la mention « interdit d'aller plus loin ». La théorie du chaos ouvre une foule de possibilités et découvre un tas d'objets nouveaux [178]. Par ailleurs, tout le monde a toujours su, ou admis, que la science ne pouvait pas « tout » prédire ou « tout » calculer. Apprendre qu'un objet spécifique (le temps dans quelques semaines) échappe inévitablement à nos prédictions est peut-être déplaisant, mais n'arrête nullement le développement de la science. Par exemple, au dix-neuvième siècle, on savait parfaitement qu'il était impossible de connaître les positions de toutes les molécules d'un gaz. On est néanmoins parvenu à développer les méthodes de la physique statistique qui permettent d'étudier beaucoup de propriétés des systèmes composés d'un grand nombre de constituants, tels que les gaz. Des méthodes statistiques similaires sont utilisées de nos jours pour étudier les phénomènes chaotiques. Et, en fin de compte, le but de la science n'est pas uniquement de prédire mais également de comprendre.

Une deuxième inférence injustifiée concerne Laplace et le déterminisme. Soulignons que dans ce vieux débat, il a toujours été essentiel de distinguer déterminisme et prédictibilité. Le déterminisme dépend de ce que la nature fait (indépendamment de nous), tandis que la pré-

---

178. Attracteurs étranges, exposants de Liapounov, etc.

dictibilité dépend en partie de la nature et en partie de nous. Pour s'en convaincre, imaginons un phénomène parfaitement prédictible — le mouvement d'une horloge, par exemple — qui est cependant situé dans un endroit qui nous est inaccessible (par exemple, au sommet d'une montagne). Le mouvement devient imprévisible *pour nous*, car nous n'avons aucune possibilité de connaître les conditions initiales. Mais il serait ridicule de dire qu'il cesse d'être déterministe. Ou considérons un pendule : quand il n'y a pas de force externe, son mouvement est déterministe et non chaotique. Quand on lui applique une force périodique, son mouvement peut devenir chaotique et donc beaucoup plus difficile à prédire ; mais cesse-t-il d'être déterministe ?

Notons également que l'œuvre de Laplace est souvent mal comprise. Lorsqu'il introduisit le déterminisme universel [179], il ajouta immédiatement que *nous* resterons toujours « infiniment éloignés » de cette « intelligence » imaginaire et de sa connaissance idéale de la situation des êtres qui composent la nature, c'est-à-dire, en langage moderne, des conditions initiales précises de toutes les particules. Il distinguait clairement entre ce que la nature fait et la connaissance que nous en avons. De plus, Laplace énonce ce principe au début d'un essai sur les *probabilités*. Or, que sont les probabilités pour lui ? Rien d'autre qu'un moyen de raisonner dans des situations d'ignorance partielle. C'est inverser complètement le sens de son texte que d'imaginer qu'il espérait, lui, arriver à une connaissance parfaite, à une prédictibilité universelle, puisque le but de

---

179. « Une intelligence qui pour un instant donné connaîtrait toutes les forces dont la nature est animée et la situation respective des êtres qui la composent, si d'ailleurs elle était assez vaste pour soumettre ces données à l'analyse, embrasserait dans la même formule les mouvements des plus grands corps de l'univers et ceux du plus léger atome : rien ne serait incertain pour elle, et l'avenir, comme le passé, serait présent à ses yeux. » (Laplace 1986 [1825], p. 32-33)

son essai était justement d'expliquer comment procéder en l'absence d'une telle connaissance, comme on le fait, entre autres, en physique statistique.

Dans les trois dernières décennies, on a fait des progrès remarquables dans la théorie mathématique du chaos, mais l'intuition selon laquelle certains systèmes physiques peuvent présenter une sensibilité aux conditions initiales n'est pas nouvelle. Voyons ce qu'en disait Maxwell en 1877, après avoir énoncé le principe de déterminisme (« une même cause produit toujours le même effet ») :

> Il y a une autre proposition, qui ne doit pas être confondue avec la précédente, et qui affirme « Des causes semblables produisent des effets semblables ».
>
> Cela n'est vrai que si de petites variations dans les conditions initiales n'entraînent que de petites variations dans l'état final du système. Dans un grand nombre de phénomènes physiques, cette condition est vérifiée ; mais il y a d'autres cas où une petite variation des conditions initiales entraîne des changements importants dans l'état final du système, par exemple lorsque le déplacement des « points » fait que deux trains entrent en collision plutôt que de suivre leur route normale [180]. (Maxwell 1952 [1877], p. 13)

Pour ce qui est des prévisions météorologiques, le texte suivant, dû à Poincaré en 1909, est remarquablement moderne :

> Pourquoi les météorologistes ont-ils tant de peine à prédire le temps avec quelque certitude ? Pourquoi les chutes de pluie, les tempêtes elles-mêmes nous semblent-elles arriver au hasard, de sorte que bien des gens trouvent tout naturel de prier pour avoir la pluie ou le beau temps, alors qu'ils jugeraient ridicule de demander une éclipse par une prière ? Nous voyons que les

---

180. Le but de cette citation est de clarifier la distinction entre déterminisme et prédictibilité, pas de prouver que le déterminisme est vrai. En fait, Maxwell lui-même ne croyait apparemment pas au déterminisme.

grandes perturbations se produisent généralement dans les régions où l'atmosphère est en équilibre instable, qu'un cyclone va naître quelque part, mais où ? Ils sont hors d'état de le dire : un dixième de degré en plus ou en moins en un point quelconque, le cyclone éclate ici et non pas là, et il étend ses ravages sur des contrées qu'il aurait épargnées. Si on avait connu ce dixième de degré, on aurait pu le savoir d'avance, mais les observations n'étaient ni assez serrées, ni assez précises, et c'est pour cela que tout semble dû à l'intervention du hasard. (Poincaré 1909, p. 69)

Passons aux confusions liées à l'usage abusif du mot « linéaire ». Tout d'abord, soulignons qu'il existe en mathématiques *deux* sens du mot « linéaire », qu'il ne faut pas confondre. D'une part, on parle d'une *fonction* (ou *équation*) *linéaire* : par exemple, les fonctions $f(x) = 2x$ et $f(x) = -17x$ sont linéaires, tandis que $f(x) = x^2$ et $f(x) = \sin x$ sont non linéaires. En termes de modélisation mathématique, une équation linéaire décrit une situation où (en simplifiant un peu) « l'effet est strictement proportionnel à la cause[181] ». D'autre part, on peut parler d'un *ordre linéaire*[182] : cela veut dire qu'on ordonne un ensemble de telle sorte que, pour chaque couple d'éléments a et b, on a soit $a < b$, soit $a = b$, soit $a > b$. Ainsi, il existe un ordre linéaire naturel sur les nombres réels, alors qu'il n'y en a pas

---

181. En réalité cette formulation verbale confond le problème de la linéarité avec celui, fort différent, de la causalité. Dans une équation linéaire, c'est l'*ensemble* des variables qui obéit à une relation de proportionnalité. Il n'y a aucune nécessité de distinguer quelle(s) variable(s) représente(nt) « l'effet » et quelle(s) variable(s) représente(nt) « la cause » ; et dans bien des cas (par exemple, les systèmes avec « feedback »), une telle distinction n'a aucun sens.

182. C'est la traduction littérale du terme anglais « *linear order* » ; dans la littérature mathématique française, on utilise le terme « ordre total ». Le terme « ordre linéaire » fait évidemment référence à une propriété d'une ligne, à savoir, que ces points sont ordonnés de la façon décrite par la définition.

sur les nombres complexes [183]. Or, les auteurs postmodernes (surtout les anglo-saxons) ont ajouté un troisième sens du mot — vaguement relié au second sens
mais souvent confondu par eux avec le premier — en
parlant de *pensée linéaire*. On n'en trouve aucune définition exacte, mais le sens général est clair : il s'agit
de la pensée logique et rationaliste des Lumières et
de la science dite « classique » (souvent accusées d'un
réductionnisme et d'un numérisme extrêmes). On
oppose à ce mode de pensée vétuste une « pensée non
linéaire » postmoderne. Le contenu précis de celle-ci
n'est, lui non plus, jamais expliqué clairement, mais il
s'agit d'une pensée qui va au-delà de la raison en insistant sur l'intuition et la perception subjective [184]. Beaucoup d'auteurs non scientifiques prétendent que la soi-
disant « science postmoderne » — et surtout la théorie
du chaos — justifie et soutient cette nouvelle « pensée
non linéaire ». Il s'agit tout simplement d'une confusion entre les trois sens du mot « linéaire » [185].

---

183. [Pour les experts :] par « naturel » nous entendons ici
« compatible avec la structure de corps », c'est-à-dire que $a, b > 0$
implique $ab > 0$ et que $a > b$ implique $a + c > b + c$.

184. Notons d'ailleurs qu'il est *faux* de dire que l'intuition n'entre
pas dans la science dite « traditionnelle ». Au contraire, puisque les
théories scientifiques sont des créations de l'esprit humain et ne sont
presque jamais écrites dans les données expérimentales, l'intuition
joue un rôle capital dans ce processus créatif d'*invention* des théories.
Néanmoins, l'intuition ne peut jouer aucun rôle explicite dans les raisonnements qui constituent la *vérification* (ou la falsification) des
théories proposées, car ce processus doit rester indépendant de la
subjectivité des scientifiques individuels.

185. Par exemple :

> Ces pratiques [scientifiques] étaient enracinées dans une
> logique binaire de sujets et d'objets hermétiques et dans
> une rationalité linéaire et téléologique [...] La linéarité et la
> téléologie sont en train d'être supplantées par des modèles
> de non-linéarité en théorie du chaos et par une emphase sur
> la contingence historique. (Lather 1991, p. 104-105)

> Par opposition à des déterminismes plus linéaires (histo-
> riques et psychanalytiques ainsi que scientifiques) qui ten-

À cause de ces abus, on trouve très fréquemment des auteurs postmodernes qui citent la théorie du chaos comme constituant une révolution contre la mécanique newtonienne — celle-ci étant étiquetée « linéaire » — ou qui citent la mécanique quantique comme exemple d'une théorie non linéaire [186]. En réalité, la soi-disant

---

> dent à les exclure comme anomalies en dehors du cours généralement linéaire des choses, certains déterminismes plus anciens ont incorporé le chaos, la turbulence incessante, le pur hasard, en des interactions dynamiques apparentées à la théorie moderne du chaos [...] (Hawkins 1995, p. 49)

> Contrairement aux systèmes linéaires téléologiques, les modèles chaotiques résistent à la fermeture, et se détachent, au contraire, en des « symétries récursives » sans fin. Cette absence de fermeture privilégie l'incertitude. Une unique théorie ou « signification » se dissémine en une infinité de possibilités [...] Ce que nous considérions comme enfermé par la logique linéaire commence à s'ouvrir à une série surprenante de formes et de possibilités nouvelles. (Rosenberg 1992, p. 210)

Soulignons que nous ne critiquons nullement chez ces auteurs l'emploi du mot « linéaire » dans un sens qui leur est propre : les mathématiques n'ont pas le monopole de ce mot. Ce que nous critiquons c'est la tendance qu'ont certains postmodernes à *confondre* le sens qu'ils donnent à ce mot avec celui donné en mathématiques et de proposer des liens avec la théorie du chaos qui ne sont basés sur aucun argument valide. Dahan-Dalmedico (1997) semble ne pas avoir compris le sens de notre critique.

186. Par exemple, Harriett Hawkins parle des « équations linéaires décrivant le mouvement régulier, donc prévisible, des planètes et des comètes » (Hawkins 1995, p. 31), et Steven Best se réfère aux « équations linéaires utilisées en mécanique newtonienne et même en mécanique quantique » (Best 1991, p. 225) ; ils commettent donc la première erreur mais pas la seconde. Par contre, Robert Markley affirme que « la physique quantique, la théorie du bootstrap hadronique, la théorie des nombres complexes et la théorie du chaos ont en commun l'hypothèse de base selon laquelle la réalité ne peut être décrite en termes linéaires, que des équations non linéaires — et insolubles — sont le seul moyen possible pour décrire une réalité complexe, chaotique et non déterministe. » (Markley 1992, p. 264) Cette phrase devrait recevoir un prix pour avoir condensé un nombre maximal de confusions en un nombre minimal de mots. Voir p. 378 ci-dessous pour une brève discussion.

« pensée linéaire » newtonienne emploie des équations parfaitement *non linéaires* ; ainsi, un grand nombre d'exemples de la théorie du chaos proviennent de la mécanique newtonienne, et l'étude du chaos représente en fait une certaine *renaissance* de la mécanique newtonienne comme sujet de recherche scientifique. De même, la mécanique quantique est souvent citée comme exemple d'une « science postmoderne », mais l'équation fondamentale de la mécanique quantique — celle de Schrödinger — est tout à fait *linéaire.*

Par ailleurs, la relation entre linéarité, chaos et existence d'une solution explicite d'une équation est souvent mal comprise. Les équations non linéaires sont en général plus difficiles à résoudre que les équations linéaires, mais pas toujours : il existe des problèmes linéaires qui sont très difficiles, ainsi que des problèmes non linéaires très simples. Par exemple, les équations de Newton pour le problème de Kepler à deux corps (le Soleil et *une* planète) sont non linéaires et pourtant explicitement solubles. Par ailleurs, pour que le chaos ait lieu, il est *nécessaire* que l'équation soit non linéaire et (nous simplifions un peu) non explicitement soluble, mais ces deux conditions ne sont nullement *suffisantes* — ni séparément, ni même ensemble — pour entraîner le chaos. Contrairement à ce qu'on pense souvent, un système non linéaire n'est pas forcément chaotique.

Les difficultés et les confusions augmentent lorsqu'il s'agit d'*appliquer* la théorie mathématique du chaos à des situations concrètes en sciences physiques, biologiques ou sociales[187]. En effet, il faut avoir une certaine idée des variables pertinentes et du type d'évolution auxquelles elles obéissent ; de plus, il est souvent difficile de trouver un modèle mathématique à la fois suffisamment simple pour être étudié et qui décrive néanmoins adéquatement l'objet considéré.

---

187. Voir Ruelle (1994) pour une discussion plus détaillée.

Ces problèmes se posent d'ailleurs pour toute application d'une théorie mathématique à la réalité (pour prendre un exemple dans un passé récent, pensons à la théorie des catastrophes).

On trouve parfois des soi-disant « applications » du chaos qui sont franchement fantaisistes, par exemple à la gestion des entreprises ou même à la littérature[188]. Et, pour compliquer la situation, la théorie du chaos, qui est bien développée mathématiquement, est souvent confondue avec les théories encore inchoatives de la complexité et de l'auto-organisation.

Une autre confusion majeure est créée lorsqu'on mélange la théorie mathématique du chaos avec la sagesse populaire sur les petites causes qui peuvent avoir de grands effets : « si le nez de Cléopâtre avait été plus court... ». On n'arrête pas d'entendre des discours sur le chaos « appliqué » à l'histoire ou à la société. Mais, lorsqu'on parle de la société ou de l'histoire, on se trouve (probablement) en face de systèmes comportant un grand nombre de variables et, surtout, pour lesquels on est incapable d'écrire des équations. Parler de chaos pour ces systèmes ne nous mène pas beaucoup plus loin que l'intuition déjà contenue dans la sagesse populaire[189].

Un dernier abus provient de la confusion — intentionnelle ou pas — entre les multiples sens du mot hautement évocateur « chaos » : son sens technique dans la théorie mathématique de la dynamique non linéaire — où il est à peu près synonyme de « sensibi-

---

188. Pour une critique nuancée des applications de la théorie du chaos à la littérature, voir, par exemple, Matheson et Kirkhoff (1997) et van Peer (1998).

189. Nous ne nions pas que, si l'on connaissait mieux ces systèmes — assez pour pouvoir écrire des équations qui les décrivent au moins approximativement — la théorie mathématique du chaos ne puisse nous enseigner des choses intéressantes à leur sujet. Mais la sociologie et l'histoire sont, à l'heure actuelle, loin d'avoir atteint ce niveau de développement (et le seront peut-être toujours).

lité aux conditions initiales » — et ses sens plus larges en sociologie, en politique, en histoire et même en théologie, où il est souvent pris comme un synonyme de désordre. Comme on le verra, Baudrillard et Deleuze-Guattari exploitent (ou tombent dans) cette confusion sans vergogne.

7

JEAN BAUDRILLARD

> Jean Baudrillard poursuit un travail sociologique qui défie et provoque l'ensemble des théories en cours. À coup de dérision, mais aussi d'*extrême précision*, il dénoue avec une assurance tranquille et pleine d'humour les descriptions sociales constituées.
>
> *Le Monde* (1984b, p. 95, italiques ajoutées)

Le sociologue et philosophe Jean Baudrillard est connu pour ses réflexions sur les problèmes de la réalité, de l'apparence et de l'illusion. Ici nous attirerons l'attention sur un aspect peu remarqué de son œuvre, à savoir son emploi fréquent d'une terminologie scientifique et pseudo-scientifique.

Dans certains cas, il s'agit manifestement de métaphores. Par exemple, Baudrillard écrivait, à propos de la guerre du Golfe :

> Le plus extraordinaire, c'est que les deux hypothèses, l'apocalypse du temps réel et de la guerre pure, et le triomphe du virtuel sur le réel, ont lieu en même temps, dans un même espace-temps, et se poursuivant implacablement toutes les deux. C'est le signe que l'espace de l'événement est devenu hyperespace à réfraction multiple, que *l'espace de la guerre est devenu définiti-*

vement non euclidien. (Baudrillard 1991, p. 49, italiques dans l'original)

Il semble y avoir une tradition consistant à utiliser des
notions mathématiques techniques hors de leur contexte.
Pour Lacan, ce sont les tores et les nombres imaginaires,
pour Kristeva, les ensembles infinis, et ici ce sont les
espaces non euclidiens (employés en relativité générale)[190]. Qu'est-ce que ça peut bien vouloir dire ? D'ailleurs, que serait un espace euclidien de la guerre ?
Soulignons enfin que le concept d'« hyperespace à
réfraction multiple » n'existe ni en mathématiques ni en
physique ; cette expression est une pure invention bau-
drillardienne[191].

Les écrits de Baudrillard sont remplis de métaphores
physiques de ce genre, par exemple :

> Dans l'espace euclidien de l'histoire, le chemin le
> plus rapide d'un point à un autre est la ligne droite,
> celle du Progrès et de la Démocratie. Mais ceci ne vaut
> que pour l'espace linéaire des Lumières[192]. Dans le
> nôtre, l'espace non euclidien de la fin du siècle, une
> courbure maléfique détourne invinciblement toutes les

---

190. Qu'est-ce qu'un espace non euclidien ? Dans la géométrie
euclidienne du plan — celle qu'on apprend au lycée — pour toute
droite D et tout point p n'appartenant pas à D, il existe une unique
droite parallèle à D (c'est-à-dire ne coupant pas D) passant par p.
Dans les géométries non euclidiennes, par contre, il peut, selon les
cas, exister une infinité de parallèles ou bien aucune. Ces géométries remontent aux travaux de Bolyai, Lobatchevski et Riemann
au dix-neuvième siècle, et elles ont été appliquées en relativité
générale par Einstein (1915). Pour une bonne introduction aux géométries non euclidiennes (mais sans leurs applications militaires),
voir Greenberg (1980) ou Davis (1993).

191. Juliette Simont (1998, p. 256) défend Baudrillard en disant
qu'il « cesse un instant de piller inacceptablement le vocabulaire
des sciences, et se permet d'inventer un concept propre ». Mais le
problème vient justement du fait que Baudrillard n'a inventé aucun
concept ; il n'a inventé qu'une *expression verbale*, sans en expliquer la signification.

192. Voir notre discussion (p. 197 ci-dessus) des emplois abu-
sifs du mot « linéaire ».

trajectoires. Liée sans doute à la sphéricité du temps (visible à l'horizon de la fin du siècle comme celle de la terre à l'horizon de fin de journée) ou à la subtile distorsion du champ de gravité. [...]

Par cette rétroversion de l'histoire à l'infini, par cette courbure hyperbolique, le siècle même échappe à sa fin. (Baudrillard 1992, p. 23-24)

C'est à cela sans doute que nous devons cet effet de physique amusante : l'impression que les événements collectifs ou individuels, sont précipités dans un trou de mémoire. Cette défaillance est sans doute due à ce mouvement de réversion, à cette courbure parabolique de l'espace historique. (Baudrillard 1992, p. 36)

Mais toute la physique de Baudrillard n'est pas métaphorique. Dans ses écrits plus philosophiques, la physique est (semble-t-il) prise à la lettre, comme dans son essai « Le fatal, ou l'imminence réversible », consacré au thème du hasard :

Cette réversibilité de l'ordre causal, cette réversibilité de l'effet sur la cause, cette précession et ce triomphe de l'effet sur la cause, est fondamentale. [...]

C'est ce qu'entrevoit la science lorsque, non contente de mettre en cause le principe déterministe de causalité (ça, c'est une première révolution), elle pressent, au-delà même du principe d'incertitude, qui joue encore comme hyperrationalité — le hasard est une flottaison des lois, ce qui est déjà extraordinaire —, mais ce que pressent désormais la science aux confins physiques et biologiques de son exercice, c'est qu'il y a non seulement une flottaison, une incertitude, mais une *réversibilité* possible des lois physiques. Ça, ce serait l'*énigme absolue* : non pas quelque ultraformule ou métaéquation de l'univers (ce qu'était encore la théorie de la relativité), mais l'idée que toute loi peut se réversibiliser (pas seulement la particule dans l'antiparticule, la matière dans l'antimatière, mais les lois elles-mêmes). Cette réversibilité, l'hypothèse en a toujours été faite dans les grandes métaphysiques, c'est la règle fondamentale du jeu des apparences, de la métamorphose des apparences, contre l'ordre irréversible du temps, de la loi et du sens. Mais il est fascinant de voir la science parvenir aux mêmes hypothèses, tellement contraires à sa propre logique et à son propre déroulement. (Baudrillard 1983, p. 232-234, italiques dans l'original)

Il est difficile de deviner ce que Baudrillard entend par « réversibiliser une loi ». Il est vrai qu'en physique on parle de la *réversibilité* des lois, locution brève pour désigner leur invariance par rapport à l'inversion du temps [193]. Mais cette propriété est déjà bien connue en mécanique newtonienne, théorie déterministe et causale par excellence ; elle n'a rien à voir avec l'incertitude, et ne se situe nullement aux « confins physiques » de la science. (Au contraire, c'est la *non*-réversibilité des lois des « interactions faibles », découverte en 1964, qui constitue une nouveauté.) En tout cas, la réversibilité des lois n'a rien à voir avec une prétendue « réversibilité de l'ordre causal ». Finalement, les confusions (ou élucubrations) scientifiques de Baudrillard l'amènent à des assertions philosophiques injustifiées : il ne donne aucun argument pour soutenir l'idée selon laquelle la science parvient à des hypothèses « contraires à sa propre logique ».

Cette pensée est reprise dans l'essai intitulé « Instabilité et stabilité exponentielles » :

C'est tout le problème du discours sur la fin (celle de l'histoire en particulier) que d'avoir à parler en même temps de l'au-delà de la fin et de l'impossibilité

---

193. Pour illustrer ce concept, considérons des boules de billard sur une table, évoluant selon les lois de la mécanique newtonienne (sans friction et avec des collisions élastiques), et filmons ce mouvement. Si l'on projette ce film à l'envers, on verra que ce nouveau mouvement est lui aussi en accord avec les lois de la mécanique newtonienne. Pour cette raison, on dit que les lois de la mécanique newtonienne sont invariantes par rapport à l'inversion du temps. En fait, toutes les lois physiques actuellement connues, sauf celles des interactions dites « faibles » entre particules subatomiques, possèdent cette propriété d'invariance.

d'en finir. Ce paradoxe résulte du fait que dans un espace non linéaire, dans un espace non euclidien de l'histoire, la fin est irrepérable. La fin n'est en effet concevable que dans un ordre logique de la causalité et de la continuité. Or ce sont les événements eux-mêmes qui, par leur production artificielle, leur échéance programmée ou l'anticipation de leurs effets, sans compter leur transfiguration médiatique, annulent la relation de cause à effet et donc toute continuité historique.

Cette distorsion des effets et des causes, cette mysté-rieuse autonomie des effets, cette réversibilité de l'effet sur la cause engendrant un désordre, ou un ordre chao-tique (c'est exactement notre situation actuelle : celle d'une réversibilité de l'information sur le réel engen-drant un désordre événementiel et une extravagance des effets médiatiques) n'est pas sans évoquer la théo-rie du Chaos et la disproportion entre le battement d'ailes du papillon et l'ouragan qu'il déchaîne à l'autre bout du monde. Elle n'est pas sans évoquer non plus l'hypothèse paradoxale de Jacques Benveniste sur la mémoire de l'eau [...]

Il faut peut-être considérer l'histoire elle-même comme une formation chaotique où l'accélération met fin à la linéarité, et où les turbulences créées par l'accé-lération éloignent définitivement l'histoire de sa fin, comme elles éloignent les effets de leurs causes. (Bau-drillard 1992, p. 155-156)

Premièrement, la théorie du chaos ne renverse nulle-ment la relation entre l'effet et la cause. Même dans les affaires humaines, nous doutons sérieusement qu'une action dans le présent puisse affecter un événement *passé* ! Deuxièmement, la théorie du chaos n'a rien à voir avec l'hypothèse de Benveniste concernant la mémoire de l'eau [194]. Finalement, la dernière phrase,

---

194. Les expériences du groupe de Benveniste sur l'effet biolo-gique de solutions hautement diluées, qui semblaient fournir une base scientifique à l'homéopathie, ont été rapidement discréditées après avoir été annoncées par la revue *Nature* (Davenas *et al.* 1988). Voir Maddox *et al.* (1988) ; et pour une plus ample discus-

quoique confectionnée à coup de terminologie scientifique, ne rime à rien.

La suite du texte est un crescendo dans le non-sens :

> La destination, même si c'est le Jugement dernier, nous
> ne l'atteindrons pas, nous en sommes désormais
> séparés par un hyperespace à réfraction variable. La
> rétroversion de l'histoire pourrait fort bien s'interpréter
> comme une turbulence de ce genre, due à la précipita-
> tion des événements qui en inverse le cours et en ravale
> la trajectoire. Cela est une des versions de la théorie
> du Chaos, celle de l'*instabilité exponentielle* et de ses
> effets incontrôlables. Elle rend fort bien compte de la
> « fin » de l'histoire, interrompue dans son mouvement
> linéaire ou dialectique par cette singularité catastro-
> phique [...]
>
> Mais la version de l'instabilité exponentielle n'est
> pas la seule — l'autre est celle de la *stabilité exponen-
> tielle*. Celle-ci définit un état où, de quelque point
> qu'on parte, on finit toujours par se retrouver au même
> point. Peu importe les conditions initiales, les singula-
> rités originelles, tout tend vers le point Zéro — attrac-
> teur étrange lui aussi [195]. [...]
>
> En fait, les deux hypothèses — instabilité et stabilité
> exponentielles — quoique incompatibles, sont simulta-
> nément valables. Notre système d'ailleurs, dans son
> cours *normal*, normalement catastrophique, les
> conjugue fort bien. Il conjugue en effet une inflation,
> une accélération galopante, un vertige de mobilité, une
> excentricité des effets, un excès de sens et d'informa-

---

sion, voir Broch (1992). Pour d'autres commentaires de Baudrillard
à ce sujet, voir *Cool memories III* où l'on apprend que la mémoire
de l'eau est « le stade ultime de la transfiguration du monde en
information pure » et que « cette virtualisation des effets est dans le
droit fil de la science la plus récente » (Baudrillard 1995a, p. 105).

195. Pas du tout ! Lorsque zéro est un attracteur, c'est ce qu'on
appelle un « point fixe » ; ces attracteurs sont connus depuis le dix-
neuvième siècle (ainsi que les cycles-limites), et le terme « attracteur étrange » a été introduit justement pour désigner des attracteurs
d'un autre type que ceux-ci. Voir, par exemple, Ruelle (1993).

tion, avec une tendance exponentielle vers l'entropie totale. Nos systèmes sont ainsi doublement chaotiques : ils fonctionnent à la fois à l'instabilité et à la stabilité exponentielle.

Ainsi n'y aurait-il pas de fin parce que nous sommes dans un excès de fin : transfini — dans un outrepassement des finalités : transfinalité. [...]

Nos systèmes complexes, métastatiques, virals, voués à la seule dimension exponentielle (que ce soit celle de l'instabilité ou de la stabilité exponentielle), à l'excentricité et à la scissiparité fractale indéfinie ne peuvent plus prendre fin. Voués à un intense métabolisme, à une intense métastase interne, ils s'épuisent en eux-mêmes et n'ont plus de destination, plus de fin, plus d'alterité, plus de fatalité. Ils sont justement voués à l'épidémie, aux excroissances sans fin du fractal, et non à la réversibilité et à la résolution parfaite du fatal. Nous ne connaissons plus que les signes de la catastrophe, nous ne connaissons plus les signes du destin. (Et d'ailleurs, dans la théorie du Chaos, s'est-on préoccupé du phénomène inverse, tout aussi extraordinaire, de l'*hyposensibilité* aux conditions initiales, de l'exponentialité inverse des effets par rapport aux causes — des ouragans potentiels qui finissent dans un battement d'ailes de papillon ?) (Baudrillard 1992, p. 156-160, italiques dans l'original)

Le dernier paragraphe est baudrillardien par excellence. Le lecteur remarquera la haute densité de mots scientifiques et pseudo-scientifiques[196], insérés dans des phrases par ailleurs dénuées de sens.

Il faut néanmoins dire que ces textes sont atypiques dans l'œuvre de Baudrillard, car ils font allusion (bien que de façon vague et confuse) à des idées scientifiques plus ou moins bien définies. On lit le plus souvent des passages tels que :

---

196. Quant aux derniers, notons par exemple *hyperespace à réfraction variable* et *scissiparité fractale*.

Il n'y a pas de plus belle topologie que celle de Moebius pour désigner cette contiguïté du proche et du lointain, de l'intérieur et de l'extérieur, de l'objet et du sujet dans la même spirale, où s'entrelacent aussi l'écran de nos ordinateurs et l'écran mental de notre propre cerveau. C'est selon le même modèle que l'information et la communication reviennent toujours sur elles-mêmes dans une circonvolution incestueuse, dans une indistinction superficielle du sujet et de l'objet, de l'intérieur et de l'extérieur, de la question et de la réponse, de l'événement et de l'image, etc. — qui ne peut se résoudre qu'en boucle, simulant la figure mathématique de l'infini. (Baudrillard 1990, p. 62-63)

Comme le font remarquer Gross et Levitt (1994, p. 80), « c'est aussi pompeux que vide de sens. »

En résumé, on trouve dans les travaux de Baudrillard un grand nombre de termes scientifiques utilisés sans égard pour leur signification et placés dans un contexte où ils ne sont manifestement pas pertinents [197]. Qu'on les prenne ou non pour des métaphores, on voit mal quel rôle ils jouent si ce n'est celui de donner une apparence de profondeur à des observations banales sur la sociologie ou sur l'histoire. Par ailleurs, la terminologie scientifique est mêlée à une terminologie non scientifique utilisée avec une égale légèreté. En fin de compte, on peut se demander ce qu'il resterait de la pensée de Baudrillard si l'on en retirait tout le vernis verbal qui la recouvre [198].

---

197. Pour d'autres exemples, voir les références à la théorie du chaos (Baudrillard 1983, p. 221-222), au Big Bang (Baudrillard 1992, p. 161-162), et à la mécanique quantique (Baudrillard 1995b, p. 30-31, 82-85). Ce dernier livre est parsemé d'allusions scientifiques et pseudo-scientifiques.

198. Pour une critique plus approfondie des idées de Baudrillard, voir Norris (1992).

8

GILLES DELEUZE ET FÉLIX GUATTARI

> Il me faut parler de deux livres qui me paraissent grands parmi les grands : *Différence et répétition, Logique du sens*. Si grands sans doute qu'il est difficile d'en parler et que peu l'ont fait. Longtemps, je crois, cette œuvre tournera au-dessus de nos têtes, en résonance énigmatique avec celle de Klossovski, autre signe majeur et excessif. Mais un jour, peut-être, le siècle sera deleuzien.
>
> Michel Foucault,
> *Theatrum Philosophicum* (1970, p. 885)

Gilles Deleuze, récemment décédé, est réputé être l'un des plus importants philosophes français contemporains. Seul ou en collaboration avec le psychanalyste Félix Guattari, il a écrit une vingtaine de livres de philosophie. Nous analyserons la partie de cette œuvre où ces auteurs invoquent des concepts provenant de la physique et des mathématiques.

La principale caractéristique des textes qui suivent est leur absence de clarté. Évidemment, on pourrait nous rétorquer que ces textes sont tout simplement profonds et que nous ne les comprenons pas. Mais, en les examinant, on trouve une forte densité de termes scientifiques, utilisés hors de leur contexte et sans lien logique apparent, du moins si l'on attribue à ces mots leur sens scientifique usuel. Bien sûr, Deleuze et Guattari sont libres d'utiliser ces termes dans des sens différents : la science n'a pas de monopole sur l'usage de mots comme « chaos », « limite » ou « énergie ». Mais, comme nous allons le montrer, leurs textes sont truffés de termes très techniques qui ne sont pas utilisés d'habitude en dehors de discours scientifiques bien précis, et Deleuze et Guattari ne donnent aucune définition alternative de ces termes.

Par ailleurs, en lisant ces textes, on se frotte contre un grand nombre de sujets : le théorème de Gödel, la théorie des cardinaux transfinis, la géométrie de Riemann, la mécanique quantique [199]... Mais ces allusions sont tellement rapides et superficielles que le lecteur qui ne maîtrise pas déjà ces sujets n'apprendra rien de concret. Par contre, le lecteur spécialisé trouvera que les affirmations sont le plus souvent dénuées de sens, ou parfois acceptables mais banales et confuses.

Nous sommes conscients que Deleuze et Guattari s'occupent de philosophie et pas de vulgarisation scientifique. Mais quel rôle philosophique légitime peut être rempli par cette avalanche de terminologie savante mal digérée ? À notre avis, l'explication de loin la plus plausible est que les auteurs étalent, dans leurs écrits, une érudition très vaste mais fort superficielle.

Leur livre *Qu'est-ce que la philosophie ?* a été un best-seller en France en 1991. Un de ses thèmes principaux est la distinction entre philosophie et science. Selon Deleuze et Guattari, la philosophie s'occupe de « concepts », tandis que la science s'occupe de « fonctions ». Ils décrivent ainsi ce contraste :

---

199. Gödel : Deleuze et Guattari (1991, p. 114, 130-131). Cardinaux transfinis : Deleuze et Guattari (1991, p. 113-114). Géométrie de Riemann : Deleuze et Guattari (1988, p. 462, 602-607) ; Deleuze et Guattari (1991, p. 119). Mécanique quantique : Deleuze et Guattari (1991, p. 123). Ces références sont loin d'être exhaustives.

[L]a première différence est dans l'attitude respective de la science et de la philosophie par rapport au chaos. On définit le chaos moins par son désordre que par la vitesse infinie avec laquelle se dissipe toute forme qui s'y ébauche. C'est un vide qui n'est pas un néant, mais un *virtuel*, contenant toutes les particules possibles et tirant toutes les formes possibles qui surgissent pour disparaître aussitôt, sans consistance ni référence, sans conséquence. C'est une vitesse infinie de naissance et d'évanouissement. (Deleuze et Guattari 1991, p. 111, italiques dans l'original)

Notons en passant que le mot « chaos » n'est pas utilisé ici dans son sens usuel aujourd'hui en sciences (voir le chapitre 6 ci-dessus) [200], bien que, plus loin dans le

---

200. En effet, Deleuze et Guattari renvoient le lecteur, dans une note de bas de page, à un livre de Prigogine et Stengers où l'on trouve une description imagée de la théorie quantique des champs :

Le vide quantique est le contraire du néant : loin d'être passif ou inerte, il contient en puissance toutes les particules possibles. Sans cesse ces particules surgissent du vide pour disparaître aussitôt. (Prigogine et Stengers 1988, p. 162)

Par la suite, Prigogine et Stengers parlent de certaines théories sur l'origine de l'univers qui font appel à une instabilité du vide quantique (en relativité générale), et ils ajoutent :

Cette description fait penser à celle de la cristallisation d'un liquide surfondu, liquide à une température inférieure à sa température de cristallisation. Dans un tel liquide, il se forme de petits germes de cristaux, mais ces germes apparaissent puis se dissolvent sans entraîner de conséquences. Pour qu'un germe déclenche le processus qui mènera la totalité du liquide à se cristalliser, il faut qu'il ait une taille critique qui dépend, dans ce cas également, d'un mécanisme coopératif hautement non linéaire, le processus de « nucléation ». (Prigogine et Stengers 1988, p. 162-163)

La définition du « chaos » utilisée par Deleuze et Guattari est donc le mélange d'une description de la théorie quantique des champs avec une description de la nucléation d'un liquide surfondu. Soulignons que ces deux branches de la physique ne sont pas reliées directement à la théorie du chaos dans son sens habituel.

livre, ils utilisent le terme « chaos », sans commentaire, également dans ce dernier sens [201]. Ils continuent ainsi :

> Or la philosophie demande comment garder les vitesses infinies tout en gagnant de la consistance, en donnant *une connaissance propre au virtuel*. Le crible philosophique, comme plan d'immanence qui recoupe le chaos, sélectionne des mouvements infinis de la pensée, et se meuble de concepts formés comme de particules consistantes allant aussi vite que la pensée. La science a une tout autre manière d'aborder le chaos, presque inverse : elle renonce à l'infini, à la vitesse infinie, pour gagner *une référence capable d'actualiser le virtuel*. Gardant l'infini, la philosophie donne une consistance au virtuel par concepts ; renonçant à l'infini, la science donne au virtuel une référence qui l'actualise, par fonctions. La philosophie procède avec un plan d'immanence ou de consistance ; la science, avec un plan de référence. Dans le cas de la science, c'est comme un arrêt sur image. C'est un fantastique *ralentissement*, et c'est par ralentissement que la matière s'actualise, mais aussi la pensée scientifique capable de la pénétrer par propositions. Une fonction est une Ralentie. Certes, la science ne cesse de promouvoir des accélérations, non seulement dans les catalyses, mais dans les accélérateurs de particules, dans les expansions qui éloignent les galaxies. Ces phénomènes cependant ne trouvent pas dans le ralentissement primordial un instant-zéro avec lequel ils rompent, mais plutôt une condition coextensive à leur développement tout entier. Ralentir, c'est poser une limite dans le chaos sous laquelle toutes les vitesses passent, si bien qu'elles forment une variable déterminée comme abscisse, en même temps que la limite forme une constante universelle qu'on ne peut pas dépasser (par exemple un maximum de contraction). Les premiers fonctifs sont donc la limite et la variable, et la référence est un rapport entre valeurs de la variable, ou plus profondément le rapport de la variable comme

---

201. Deleuze et Guattari (1991), p. 147 et note 14, et surtout p. 194 et note 7.

abscisse des vitesses avec la limite. (Deleuze et Guattari 1991, p. 112, italiques dans l'original)

Dans cet extrait on trouve au moins 12 termes scientifiques [202] utilisés sans logique apparente, et le discours oscille entre des non-sens (« une fonction est une Ralentie ») et des banalités (« la science ne cesse de promouvoir des accélérations »). La suite est encore plus impressionnante :

Il arrive que la constante-limite apparaisse elle-même comme un rapport dans l'ensemble de l'univers auquel toutes les parties sont soumises sous une condition finie (quantité de mouvement, de force, d'énergie...). Encore faut-il que des systèmes de coordonnées existent, auxquels renvoient les termes du rapport : c'est donc un second sens de la limite, un cadrage externe ou une exo-référence. Car les proto-limites, hors de toutes coordonnées, engendrent d'abord des abscisses de vitesses sur lesquelles se dresseront les axes coordonnables. Une particule aura une position, une énergie, une masse, une valeur de spin, mais à condition de recevoir une existence ou une actualité physique, ou d'« atterrir » dans des trajectoires que des systèmes de coordonnées pourront saisir. Ce sont ces limites premières qui constituent le ralentissement dans le chaos ou le seuil de suspension de l'infini, qui servent d'endo-référence et opèrent un comptage : ce ne sont pas des rapports, mais des nombres, et toute la théorie des fonctions dépend de nombres. On invoquera la vitesse de la lumière, le zéro absolu, le quantum d'action, le Big Bang : le zéro absolu des températures est de $-273{,}15$ degrés ; la vitesse de la lumière, $299\ 796$ km/s, là où les longueurs se contractent à zéro et où les horloges s'arrêtent. De telles limites ne valent pas par la valeur empirique qu'elles prennent seulement dans des systèmes de coordonnées, elles agissent d'abord comme la condition de ralentis-

---

202. Par exemple : *vitesse, infini, particule, fonction, catalyse, accélérateur de particules, expansion, galaxie, limite, variable, abscisse, constante universelle.*

sement primordial qui s'étend par rapport à l'infini sur toute l'échelle des vitesses correspondantes, sur leurs accélérations ou ralentissements conditionnés. Et ce n'est pas seulement la diversité de ces limites qui autorise à douter de la vocation unitaire de la science ; c'est chacune en effet qui engendre pour son compte des systèmes de coordonnées hétérogènes irréductibles, et impose des seuils de discontinuité, suivant la proximité ou l'éloignement de la variable (par exemple l'éloignement des galaxies). La science n'est pas hantée par sa propre unité, mais par le plan de référence constitué par toutes les limites ou bordures sous lesquelles elle affronte le chaos. Ce sont ces bordures qui donnent au plan ses références ; quant aux systèmes de coordonnées, ils peuplent ou meublent le plan de référence lui-même. (Deleuze et Guattari 1991, p. 112-113)

Dans ce paragraphe, on trouve quelques bribes de phrases qui ont un sens [203] immergées dans un discours qui en est dénué.

Les pages suivantes étant du même genre, nous n'ennuyerons pas le lecteur. Remarquons cependant que, dans ce livre, les usages d'une terminologie scientifique ne sont pas *toutes* aussi arbitraires. Quelques passages semblent aborder des problèmes sérieux de philosophie des sciences. Par exemple :

En règle générale, l'observateur n'est ni insuffisant ni subjectif : même dans la physique quantique, le démon de Heisenberg n'exprime pas l'impossibilité de mesurer à la fois la vitesse et la position d'une particule, sous prétexte d'une interférence subjective de la mesure avec le mesuré, mais il mesure exactement un état de choses objectif qui laisse hors du champ de son actualisation la position respective de deux de ses particules, le nombre de variables indépendantes étant

---

203. Par exemple, l'énoncé « la vitesse de la lumière [...] où les longueurs se contractent à zéro et où les horloges s'arrêtent » n'est pas faux, mais il peut prêter à confusion. Pour le comprendre convenablement, il faut posséder déjà une bonne connaissance de la relativité.

réduit et les valeurs des coordonnées ayant même probabilité. (Deleuze et Guattari 1991, p. 123)

Le début de ce texte a l'air d'une remarque profonde
sur l'interprétation de la mécanique quantique, mais la
fin (à partir de « laisse hors de champ ») n'a aucun
sens. Ils poursuivent :

> Les interprétations subjectivistes de la thermodyna-
> mique, de la relativité, de la physique quantique témoi-
> gnent des mêmes insuffisances. Le perspectivisme ou
> relativisme scientifique n'est jamais relatif à un sujet :
> il ne constitue pas une relativité du vrai, mais au
> contraire une vérité du relatif, c'est-à-dire des variables
> dont il ordonne les cas d'après les valeurs qu'il en
> dégage dans son système de coordonnées (ainsi l'ordre
> des coniques d'après les sections du cône dont le som-
> met est occupé par l'œil). (Deleuze et Guattari 1991,
> p. 123)

De nouveau, la fin du texte ne veut rien dire, même si
le début fait allusion à la philosophie des sciences.
Pour une exégèse des propos précédents, dans la même
veine que l'original, voir Alliez (1993, chapitre II).

D'une façon similaire, Deleuze et Guattari semblent
aborder des problèmes de philosophie des mathématiques :

> L'indépendance respective des variables apparaît en
> mathématiques lorsque l'une est à une puissance plus
> élevée que la première. C'est pourquoi Hegel montre
> que la variabilité dans la fonction ne se contente pas
> de valeurs qu'on peut changer ($\frac{2}{3}$ et $\frac{4}{6}$), ni qu'on laisse
> indéterminées ($a = 2b$), mais exige que l'une des
> variables soit à une puissance supérieure ($y^2/x = P$) [204].

---

204. Cette phrase reprend une confusion de Hegel (1972 [1812],
p. 250-255), lequel considérait des fractions y^2/x comme essentiellement différentes des fractions a/b. Comme J.T. Desanti le
remarque :

> De telles propositions ne peuvent manquer de frapper d'éton-

Car c'est alors qu'un rapport peut être directement déterminé comme rapport différentiel dy/dx, sous lequel la valeur des variables n'a plus d'autre détermination que de s'évanouir ou de naître, bien qu'elle soit arrachée aux vitesses infinies. D'un tel rapport dépend un état de choses ou une fonction « dérivée » : on a fait une opération de dépotentialisation qui permet de comparer des puissances distinctes, à partir desquelles pourront même se développer une chose ou un corps (intégration). En général, un état de choses n'actualise pas un virtuel chaotique sans lui emprunter un *potentiel* qui se distribue dans le système de coordonnées. Il puise dans le virtuel qu'il actualise un potentiel qu'il s'approprie. (Deleuze et Guattari 1991, p. 115-116, italiques dans l'original)

Dans ce dernier extrait, Deleuze et Guattari recyclent, avec quelques inventions supplémentaires (*vitesses infinies, virtuel chaotique*), des travaux anciens de Deleuze, originellement parus dans le livre que Michel Foucault considérait « grand parmi les grands », *Différence et répétition* (1968). À deux occasions, Deleuze y aborde des problèmes classiques liés aux fondements du calcul différentiel et intégral. À partir de la naissance de cette branche des mathématiques au dix-septième siècle dans les travaux de Newton et de Leibniz, plusieurs objections furent soulevées contre l'utilisation de quantités « infiniment petites » comme dx et dy [205]. Ces problèmes furent résolus par d'Alembert vers 1760 et surtout par Cauchy aux environs de 1820, avec l'introduction de la notion rigoureuse de *limite*, concept incorporé dans tous les manuels d'analyse mathématique depuis la moitié du dix-neuvième siècle [206]. Néanmoins, Deleuze se lance dans une longue et

nement un « entendement mathématicien », qui sera porté à les tenir pour absurdes. (Desanti 1975, p. 43.)

205. Qui apparaissent dans la dérivée dy/dx et dans l'intégrale $\int f(x)\, dx$.

206. Voir par exemple Bourbaki (1974, p. 245-247), Desanti (1975, p. 35-36) et Boyer (1959 [1949], p. 247-250, 267-277).

confuse méditation sur ces problèmes, dont nous citerons seulement quelques extraits caractéristiques [207] :

> Doit-on dire que la vice-diction [208] va moins loin que
> la contradiction sous prétexte qu'elle ne concerne que
> les propriétés ? En réalité, l'expression « différence infi-
> niment petite » indique bien que la différence s'évanouit
> par rapport à l'intuition ; mais elle trouve son concept, et
> c'est plutôt l'intuition qui s'évanouit elle-même au pro-
> fit du rapport différentiel. Ce qu'on montre en disant que
> dx n'est rien par rapport à x, ni dy par rapport à y, mais
> que dy/dx est le rapport qualitatif interne, exprimant
> l'universel d'une fonction séparée de ses valeurs numé-
> riques particulières [209]. Mais si le rapport n'a pas de
> déterminations numériques, il n'en a pas moins des
> degrés de variation correspondant à des formes et équa-
> tions diverses. Ces degrés sont eux-mêmes comme les
> rapports de l'universel ; et les rapports différentiels, en
> ce sens, sont pris dans le processus d'une détermination
> réciproque qui traduit l'interdépendance des coefficients
> variables. Mais encore, la *détermination réciproque*
> n'exprime que le premier aspect d'un véritable principe
> de raison ; le deuxième aspect est la *détermination
> complète*. Car chaque degré ou rapport, pris comme
> l'universel d'une fonction, détermine l'existence et la
> répartition de points remarquables de la courbe corres-
> pondante. Nous devons prendre grand soin, ici, de ne pas

---

207. Pour des extraits supplémentaires sur le calcul différentiel
et intégral, voir Deleuze (1968a, p. 221-224, 226-230, 236-237,
270-272). Pour d'autres élucubrations sur les concepts mathématiques, qui mêlent des banalités avec des non-sens, voir Deleuze
(1968a, p. 261, 299-302, 305-306, 314-317) ; et sur la physique,
voir Deleuze (1968a, p. 287-289, 294-295, 310).

208. Dans le paragraphe précédent, on lit :
> Ce procédé de l'infiniment petit, qui maintient la distinction
> des essences (en tant que l'une joue par rapport à l'autre le
> rôle de l'inessentiel), est tout à fait différent de la contradic-
> tion ; aussi faut-il lui donner un nom particulier, celui de
> « vice-diction ». (p. 66)

209. C'est au mieux une façon très compliquée de dire que la notation traditionnelle dy/dx désigne un objet, la dérivée de la fonction $y(x)$,
qui n'est cependant pas le quotient de deux quantités dy et dx.

confondre le « complet » avec « l'entier » ; c'est que, pour l'équation d'une courbe, par exemple, le rapport différentiel renvoie seulement à des lignes droites déterminées par la nature de la courbe ; il est déjà détermination complète de l'objet, et pourtant n'exprime qu'une partie de l'objet entier, la partie considérée comme « dérivée » (l'autre partie, exprimée par la fonction dite primitive, ne peut être trouvée que par l'intégration, qui ne se contente nullement d'être l'inverse de la différentiation [210] ; de même, c'est l'intégration qui définit la nature des points remarquables précédemment déterminés). C'est pourquoi un objet peut être complètement déterminé — *ens omni modo determinatum* — sans disposer pour cela de son intégrité qui, seule, en constitue l'existence actuelle. Mais, sous le double aspect de la détermination réciproque et de la détermination complète, il apparaît déjà que la limite coïncide avec la puissance même. La limite est définie par la convergence. Les valeurs numériques d'une fonction trouvent leur limite dans le rapport différentiel ; les rapports différentiels trouvent leur limite dans les degrés de variation ; et à chaque degré, les points remarquables sont la limite de séries qui se prolongent analytiquement les unes dans les autres. Non seulement le rapport différentiel est l'élément pur de la potentialité, mais la limite est la puissance du continu [211], comme la continuité, celle des limites

---

210. Dans le calcul des fonctions d'une variable, l'intégration est effectivement l'inverse de la différentiation, à une constante additive près (du moins pour des fonctions suffisamment lisses). La situation est plus compliquée pour les fonctions de plusieurs variables. C'est peut-être à ce dernier cas que Deleuze fait allusion, mais de manière extrêmement confuse.

211. « Limite » et « puissance du continu » sont deux concepts bien distincts. Il est vrai que la notion de limite est liée à la notion de nombre réel, et que l'*ensemble* des nombres réels a la puissance du continu (voir note 42 ci-dessus). Mais la formulation de Deleuze est, pour le moins, extrêmement confuse.
Salanskis (1998, p. 176) affirme que Deleuze entend ici le mot « puissance » dans un sens philosophique et non mathématique. Il a probablement raison ; mais notons que c'est la seule erreur concrète dans notre livre qu'il relève dans son long article. Notons également que dans un autre chapitre de *Différence et répétition*,

elles-mêmes. (Deleuze 1968a, p. 66-67, italiques dans l'original)

Nous opposons *dx* à non-A, comme le symbole de la différence (*Differenz-philosophie*) à celui de la contradiction — comme la différence en elle-même à la négativité. Il est vrai que la contradiction cherche l'Idée du côté de la plus grande différence, tandis que la différentielle risque de tomber dans l'abîme de l'infiniment petit. Mais le problème ainsi n'est pas bien posé : c'est un tort de lier la valeur du symbole *dx* à l'existence des infinitésimaux : mais c'est un tort aussi de lui refuser toute valeur ontologique ou gnoséologique au nom d'une récusation de ceux-ci. [...] Le principe d'une philosophie différentielle en général doit être l'objet d'une exposition rigoureuse, et ne dépendre en rien des infiniment petits[212]. Le symbole *dx* apparaît à la fois comme indéterminé, comme déterminable et comme détermination. À ces trois aspects correspondent trois principes, qui forment la raison suffisante : à l'indéterminé comme tel (*dx, dy*) correspond un principe de déterminabilité ; au réellement déterminable (*dy/dx*), correspond un principe de détermination réciproque ; à l'effectivement déterminé (valeurs de *dy/dx*) correspond un principe de détermination complète. Bref, *dx*, c'est l'Idée — l'Idée platonicienne, leibnizienne ou kantienne, le « problème » et son être. (Deleuze 1968a, p. 221-222, italiques dans l'original)

Le rapport différentiel présente enfin un troisième élément, celui de la potentialité pure. La puissance est la forme de la détermination réciproque d'après laquelle des grandeurs variables sont prises comme fonctions les unes des autres ; aussi le calcul ne considère-t-il que des grandeurs dont l'une au moins se trouve à une puissance supé-

---

Deleuze se livre à des considérations pour le moins douteuses sur la relation entre analyse mathématique et théorie des ensembles (p. 228-229). Sur le même thème, voir aussi Deleuze et Guattari (1991, p. 113-114).

212. C'est vrai ; et pour ce qui est des mathématiques, une telle exposition rigoureuse existe depuis plus de 150 ans. On voit mal pourquoi un philosophe choisirait de l'ignorer.

rieure à une autre[213]. Sans doute, le premier acte du calcul consiste-t-il en une « dépotentialisation » de l'équation (par exemple au lieu de $2ax - x^2 = y^2$, on a $\frac{dy}{dx} = \frac{a-x}{y}$). Mais l'analogue se trouvait déjà dans les deux figures précédentes, où la disparition du *quantum* et de la *quantitas* était condition pour l'apparition de l'élément de la quantitabilité, et la disqualification, condition pour l'apparition de l'élément de la qualitabilité. Cette fois la dépotentialisation conditionne la potentialité pure, suivant la présentation de Lagrange, en permettant un développement de la fonction d'une variable en une série constituée par les puissances de i (quantité indéterminée) et les coefficients de ces puissances (nouvelle fonctions de x), de telle manière que la fonction de développement de cette variable soit comparable à celles des autres. L'élément pur de la potentialité apparaît dans le premier coefficient ou la première dérivée, les autres dérivées et par conséquent tous les termes de la série résultant de la répétition des mêmes opérations ; mais précisément tout le problème est de déterminer ce premier coefficient, lui-même indépendant de i[214]. (Deleuze 1968a, p. 226-227, italiques dans l'original)

Il y a donc une autre partie de l'objet, qui se trouve déterminée par l'actualisation. Le mathématicien demande quelle est cette autre partie représentée par la fonction dite primitive ; l'intégration, en ce sens, n'est nullement l'inverse de la différen*t*iation[215], mais forme plutôt un processus original de différen*c*iation. Tandis que la dif-

---

213. Cette phrase réitère la confusion de Hegel mentionnée dans la note 204 ci-dessus.

214. D'une part, c'est une façon extrêmement pédante de présenter la série de Taylor, et nous doutons que ce passage soit compréhensible pour quiconque ne connaît pas déjà ce sujet. D'autre part, Deleuze (tout comme Hegel) se fonde ici sur une définition du concept de fonction, par sa série de Taylor, qui remonte à Lagrange (vers 1770) mais qui est dépassée depuis Cauchy (1821). Voir, par exemple, Bourbaki (1974, p. 246-247) et Boyer (1959 [1949], p. 251-253, 267-277).

215. Voir note 210 ci-dessus.

férentiation détermine le contenu virtuel de l'Idée comme
problème, la différenciation exprime l'actualisation de ce
virtuel et la constitution des solutions (par intégrations
locales). La différenciation est comme la seconde partie
de la différence, et il faut former la notion complexe de

différen$\frac{t}{c}$iation pour désigner l'intégrité ou l'intégralité de

l'objet. (Deleuze 1968a, p. 270, italiques dans l'original)

Dans ces textes, on trouve quelques phrases compréhensibles — parfois banales, parfois erronées — ; nous en
avons commenté quelques-unes dans les notes de bas de
page. Pour le reste, nous laissons au lecteur le soin d'apprécier. Bien que ces abus soient moins extrêmes que
ceux qu'on trouve dans les écrits plus récents de Deleuze,
il faut se demander à quoi servent toutes ces mystifications à propos d'objets mathématiques qui sont bien
compris depuis plus de cent cinquante ans.

Passons brièvement à l'autre livre « grand parmi les
grands », *Logique du sens*, dans lequel on lit :

En premier lieu, les singularités-événements correspondent à des séries hétérogènes qui s'organisent en
un système ni stable ni instable, mais « métastable »,
pourvu d'une énergie potentielle où se distribuent les
différences entre séries. (L'énergie potentielle est
l'énergie de l'événement pur, tandis que les formes
d'actualisation correspondent aux effectuations de
l'événement.) En second lieu, les singularités jouissent
d'un processus d'auto-unification, toujours mobile et
déplacé dans la mesure où un élément paradoxal par-
court et fait résonner les séries, enveloppant les points
singuliers correspondants dans un même point aléatoire
et toutes les émissions, tous les coups, dans un même
lancer. En troisième lieu, les singularités ou potentiels
hantent la surface. Tout se passe à la surface dans un
cristal qui ne se développe que sur les bords. Sans
doute n'en est-il pas de même d'un organisme ; celui-
ci ne cesse de se recueillir dans un espace intérieur,
comme de s'épandre dans l'espace extérieur, d'assimi-
ler et d'extérioriser. Mais les membranes n'y sont pas

moins importantes : elles portent les potentiels et régé-
nèrent les polarités, elles mettent précisément en
contact l'espace intérieur et l'espace extérieur indépendamment de la distance. L'intérieur et l'extérieur, le
profond et le haut n'ont de valeur biologique que par
cette surface topologique de contact. C'est donc même
biologiquement qu'il faut comprendre que « le plus
profond, c'est la peau ». La peau dispose d'une énergie
potentielle vitale proprement superficielle. Et, de
même que les événements n'occupent pas la surface,
mais la hantent, l'énergie superficielle n'est pas *locali-
sée* à la surface, mais liée à sa formation et reforma-
tion. (Deleuze 1969, p. 125-126, italiques dans
l'original)

De nouveau, ce texte — qui préfigure le style de ses
œuvres ultérieures écrites en collaboration avec Guattari — est truffé de termes techniques [216] ; mais, à part
la remarque banale qu'une cellule communique avec
l'extérieur à travers sa membrane, il ne possède ni
logique ni sens.

Pour conclure, citons un petit extrait du livre *Chaosmose*, écrit par Guattari seul. Cet extrait contient, à
notre avis, le plus parfait exemple d'un mélange aléatoire de mots scientifiques, pseudo-scientifiques et philosophiques qu'on puisse trouver ; seul un génie a pu
l'écrire.

---

216. Par exemple : *singularité, stable, instable, métastable,
énergie potentielle, point singulier, aléatoire, cristal, membrane,
polarité, surface topologique, énergie superficielle*. Un défenseur
de Deleuze pourrait soutenir que ces mots sont utilisés uniquement
dans un sens philosophique ou métaphorique. Mais, à la page suivante, Deleuze parle des « singularités » et des « points singuliers »
en utilisant des termes scientifiques tirés de la théorie des équations
différentielles (*cols, nœuds, foyers, centres*) et enchaîne en citant
un passage d'un livre sur cette théorie qui utilise les mots « singularité » et « point singulier » dans leur sens technique. Voir aussi
Deleuze (1969, p. 65, 69). Bien entendu, Deleuze a le droit d'utiliser ces mots dans plusieurs sens s'il le désire, mais, dans ce cas, il
devrait distinguer ces différents sens et fournir un raisonnement
expliquant la relation entre eux.

On voit bien ici qu'il n'existe aucune correspondance bi-univoque entre des chaînons linéaires signifiants ou d'arché-écriture, selon les auteurs, et cette catalyse machinique multidimensionelle, multiréférentielle. La symétrie d'échelle, la transversalité, le caractère pathique non discursif de leur expansion : toutes ces dimensions nous font sortir de la logique du tiers exclu et nous confortent à renoncer au binarisme ontologique que nous avons précédemment dénoncé. Un agencement machinique, à travers ses diverses composantes, arrache sa consistance en franchissant des seuils ontologiques, des seuils d'irréversibilité non linéaires, des seuils ontogénétiques et phylogénétiques, des seuils d'hétérogenèse et d'autopoïèse créatives. C'est la notion d'échelle qu'il conviendrait ici d'élargir, afin de penser les symétries fractales en terme ontologique. Ce que traversent les machines fractales, ce sont des échelles substantielles. Elles les traversent en les engendrant. Mais — il faut le reconnaître — ces ordonnées existentielles qu'elles « inventent » étaient déjà là depuis toujours. Comment soutenir un tel paradoxe ? C'est que tout devient possible (y compris le lissage récessif du temps, évoqué par René Thom) dès lors qu'on admet une échappée de l'agencement hors des coordonnées énergético-spatio-temporelles. Et, là encore, il nous appartient de redécouvrir une façon d'être de l'Être — avant, après, ici et partout ailleurs —, sans être cependant identique à lui-même ; un Être processuel, polyphonique, singularisable aux textures infiniment complexifiables, au gré des vitesses infinies qui animent ses compositions virtuelles.

La relativité ontologique ici préconisée est inséparable d'une relativité énonciative. La connaissance d'un Univers (au sens astrophysique ou au sens axiologique) n'est possible qu'à travers la médiation de machines autopoïétiques. Il convient qu'un foyer d'appartenance à soi existe quelque part pour que puisse venir à l'existence cognitive quelque étant ou quelque modalité d'être que ce soit. En dehors de ce couplage machine/Univers, les étants n'ont qu'un pur statut d'entité virtuelle. Et il en va de même de leurs coordonnées énonciatives. La biosphère et la mécanosphère, accrochées sur cette planète, focalisent un point de vue d'espace, de temps et d'énergie. Elles tracent un angle de constitution de notre galaxie. Hors de ce point de vue particularisé, le reste de l'Univers n'existe (au sens où nous appréhendons, ici-bas, l'existence) qu'à travers la virtualité de l'existence d'autres machines autopoïétiques au sein d'autres bio-mécanosphères saupoudrées dans le cosmos. La relativité des points de vue d'espace, de temps, d'énergie ne fait pas pour autant sombrer le réel dans le rêve. La catégorie de Temps se dissout dans les considérations cosmologiques sur le big bang tandis que s'affirme celle d'irréversibilité. L'objectivité résiduelle est ce qui résiste au balayage de l'infinie variation des points de vue constituables sur lui. Imaginons une entité autopoïétique dont les particules seraient édifiées à partir des galaxies. Ou, à l'inverse, une cognitivité se constituant à l'échelle des quarks. Autre panorama, autre consistance ontologique. La mécanosphère prélève et actualise des configurations qui existent parmi une infinité d'autres dans des champs de virtualité. Les machines existentielles sont de plain-pied avec l'être dans sa multiplicité intrinsèque. Elles ne sont pas médiatisées par des signifiants transcendants et subsumées par un fondement ontologique univoque. Elles sont à elles-mêmes leur propre matière d'expression sémiotique. L'existence, en tant que procès de déterritorialisation, est une opération intermachinique spécifique qui se superpose à la promotion d'intensités existentielles singularisées. Et, je le répète, il n'existe pas de syntaxe généralisée de ces déterritorialisations. L'existence n'est pas dialectique, n'est pas représentable. Elle est à peine vivable ! (Guattari 1992, p. 76-79)

Le lecteur qui se demande si ces abus sont isolés peut consulter, en plus des références données dans les notes de bas de page : les pages 25-28, 36, 39-45, 51, 111-127, 128-134, 144-150, 186, 190-194 et 201-203 de *Qu'est-ce que la philosophie ?*[217] ; et les pages 334,

---

217. Ce livre est en effet parsemé de terminologie mathématique, scientifique et pseudo-scientifique, utilisée le plus souvent de façon tout à fait arbitraire.

446-449, 458-463, 472-474, 576, 586-591 et 602-611 de *Mille plateaux*. Cette liste n'est pas exhaustive[218]. Par ailleurs, l'article de Guattari (1988) sur les tenseurs appliqués à la psychologie est une véritable perle. Les idées de Deleuze sur la théorie de la relativité seront considérées dans le chapitre 11 ci-dessous.

---

218. Voir Rosenberg (1993), Canning (1994) et la conférence récente sur « DeleuzeGuattari et la matière » (Université de Warwick 1997) pour des exemples de travaux académiques qui développent les idées pseudo-scientifiques de Deleuze et Guattari.

9

PAUL VIRILIO

> Architecte et urbaniste — il fut directeur de
> l'École spéciale d'architecture —, Paul Viri-
> lio interroge la vitesse et l'espace à partir de
> l'expérience des guerres. Pour lui, la maîtrise
> du temps renvoie à la puissance. Avec une
> érudition étonnante, qui mêle les distances-
> espaces et les distances-temps, ce chercheur
> ouvre un important champ de questions philo-
> sophiques qu'il appelle la « dromocratie »
> (du grec *dromos* : vitesse) [219].
>
> *Le Monde* (1984b, p. 195)

Les écrits de Virilio s'articulent autour des thèmes
de la technique, de la communication et de la vitesse.
Ses livres abondent de références à la physique, notamment à la théorie de la relativité. Ses phrases ont légèrement plus de sens que celles de Deleuze-Guattari,
mais ce qui est présenté comme « science » est un
mélange de confusions monumentales et de fantaisies
délirantes. Par ailleurs, les analogies scientifiques sont
les plus arbitraires qu'on puisse imaginer, quand l'auteur ne sombre pas tout simplement dans l'ivresse verbale. Soulignons d'emblée notre sympathie pour les

---

219. Comme l'a observé Jean-François Revel (1997), *dromos* ne
veut pas dire « vitesse », mais bien « course » ; le mot grec pour
« vitesse » est *tachos*. L'erreur vient sans doute du *Monde* car Virilio (1995, p. 35) donne la bonne définition.

vues politiques et sociales de Virilio ; malheureusement, sa pseudo-physique n'aide pas les causes qu'il soutient.

Commençons avec un exemple mineur de l'érudition étonnante vantée par *Le Monde* :

> La récente hyper-concentration MÉGAPOLITAINE (Mexico, Tokyo...) étant elle-même le résultat de la rapidité accrue des échanges, il semble nécessaire de reconsidérer l'importance des notions d'ACCÉLÉRATION et de DÉCÉLÉRATION (vitesses positive et négative selon les physiciens) [...] (Virilio 1995, p. 24 ; Virilio 1993, p. 5 ; majuscules dans l'original)

Ici Virilio confond vitesse et accélération, les deux concepts-clés de la cinématique (description du mouvement), introduits et soigneusement distingués au début de chaque cours de physique élémentaire [220]. Peut-être ne vaut-il pas la peine d'insister sur cette confusion ; mais pour quelqu'un qui baptise sa philosophie « dromocratie », c'est quand même un peu étonnant.

Il continue en s'inspirant de la théorie de la relativité :

> Comment appréhender une telle situation, sinon par l'apparition d'un nouveau type d'intervalle, L'INTERVALLE DU GENRE LUMIÈRE (signe nul) ? De fait, l'innovation relativiste de ce troisième intervalle est en soi, une sorte de révélation culturelle inaperçue.
>
> Si l'intervalle de TEMPS (signe positif) et l'intervalle d'ESPACE (signe négatif), ont aménagé la géographie et l'histoire du monde, à travers la géométrisation des domaines agraires (le parcellaire) et urbains (le cadastre), l'organisation calendaire et la mesure du temps (les horloges) ont également présidé à une vaste régulation chrono-politique des sociétés humaines. Le surgissement tout récent, d'un intervalle du troisième

---

220. L'accélération est le taux de variation de la vitesse. Cette confusion est d'ailleurs systématique chez Virilio : voir, par exemple, Virilio (1995, p. 16, 45, 47, 172).

type signale donc pour nous, un brusque saut qualitatif, une mutation profonde du rapport de l'homme à son milieu de vie. (Virilio 1995, p. 25 ; Virilio 1993, p. 6 ; majuscules dans l'original)

En relativité on introduit des « intervalles » qu'on appelle « de genre temps », « de genre espace » et « de genre lumière », dont les « longueurs invariantes » sont, respectivement, positives, négatives et nulles (selon la convention habituelle). Ce sont cependant des intervalles dans l'*espace-temps*, qui ne coïncident nullement avec ce que nous appelons d'habitude « l'espace » et le « temps »[221]. Mais surtout, ils n'ont strictement rien à voir avec « la géographie et l'histoire du monde » ou la « régulation chrono-politique des sociétés humaines ». Le « surgissement d'un intervalle du troisième type » n'est qu'une allusion pédante aux moyens de communication électroniques. Dans ce texte, Virilio montre parfaitement comment emballer une observation banale dans une terminologie savante.

La suite est encore plus étonnante :

> Écoutons le physicien parler de la logique des particules : « Une représentation est définie par un ensemble complet d'observables qui commutent. » [G. Cohen Tannoudji et M. Spiro, *La Matière-espace-temps*, Paris, Fayard, 1986.] On ne peut mieux décrire la logique macroscopique des techniques du TEMPS RÉEL de cette soudaine « commutation télétopique » qui complète et parachève le caractère jusqu'ici foncièrement « topique » de la Cité des hommes. (Virilio 1995, p. 26 ; Virilio 1993, p. 6 ; majuscules dans l'original)

La phrase « Une représentation est définie par un ensemble complet d'observables qui commutent » est une expression technique, assez courante, en *mécanique quantique* (pas en relativité). Elle n'a rien à voir

---

221. Le livre de Taylor et Wheeler (1970) donne une belle introduction à la notion d'intervalle de l'espace-temps.

avec le « temps réel » ou avec une quelconque « logique macroscopique » (au contraire, il s'agit de la *micro*physique), et encore moins avec la « commutation télétopique » ou la « cité des hommes ». Surtout, pour comprendre le sens précis de cette phrase, il faut avoir étudié sérieusement la physique et les mathématiques. Nous trouvons incroyable qu'on puisse ainsi recopier *consciemment* une phrase qu'on ne comprend manifestement pas, y ajouter un commentaire complètement arbitraire, et être encore pris au sérieux par des éditeurs, des commentateurs et des lecteurs [222, 223].

---

222. Notons au passage que la phrase citée a une traduction anglaise non ambiguë : « A representation is defined by a complete set of commuting observables. » Voici, cependant, ce qu'elle est devenue dans une traduction de l'essai de Virilio : « A representation is defined by a sum of observables that are flickering back and forth. » (Virilio 1993, p. 6) Ce qui veut dire en français « Une représentation est définie par une *somme* d'observables qui *clignotent* » ! Une autre traduction donne : « A display is defined by a complete set of observables that commutate. » (Virilio 1997, p. 13)

223. Il peut être intéressant d'examiner un compte rendu du livre dans lequel ces extraits sont parus, compte rendu publié dans une revue américaine d'études littéraires académiques :

> *Re-thinking Technologies* est une contribution significative à l'analyse des technocultures contemporaines. Cet ouvrage contredira une fois pour toutes ceux qui pensent que le postmodernisme est seulement un mot à la mode, ou un snobisme. L'idée agaçante selon laquelle les théories de critique culturelle sont « trop abstraites », désespérément détachées de la réalité, dépourvues de valeurs éthiques, et surtout incompatibles avec *l'érudition, la pensée systématique et la rigueur intellectuelle* sera purement et simplement pulvérisée [...] Cette collection d'essais rassemble les plus récents travaux de critiques culturels tels que Paul Virilio, Félix Guattari [...] (Gabon 1994, p. 119-120, italiques ajoutées)

Il est amusant de voir les malentendus de cet auteur lorsqu'il essaie à son tour de comprendre (et croit comprendre) les inventions de Virilio sur la relativité (p. 123). En ce qui nous concerne, il faudrait des arguments plus percutants pour pulvériser nos « idées agaçantes ».

Ce verbiage pseudo-scientifique parsème l'œuvre de Virilio [224]. En voici un autre exemple :

> Qu'en est-il de la transparence de l'air, de l'eau ou du verre, autrement dit de « l'espace réel » des choses qui nous entourent, lorsque l'*interface* en « temps réel » succède à l'*intervalle* classique, et que la *distance* cède soudain la place à une *puissance* d'émission et de réception instantanée ? [...] [L]a transparence change de nature puisqu'elle n'est plus celle des rayons lumineux (du Soleil ou de l'électricité) mais celle de la seule célérité des particules élémentaires (électron, photon...) qui se propagent à la vitesse même de la lumière. (Virilio 1990, p. 107 ; Virilio 1989, p. 129 ; italiques dans l'original)

Les électrons, contrairement aux photons, ont une masse différente de zéro et par conséquent *ne peuvent pas* se déplacer à la vitesse de la lumière, d'après justement la théorie de la relativité que Virilio semble tant aimer.

Dans la suite du texte, Virilio continue à utiliser de façon arbitraire un langage scientifique, auquel il ajoute ses propres inventions (*télétopologie, chronoscopie*) :

> De fait, ce dépassement de la transparence directe des matériaux est dû [...] à la mise en œuvre effective de l'*optique ondulatoire*, à côté, tout à côté, de l'*optique géométrique* classique. Ainsi, de même qu'à proximité de la géométrie euclidienne se trouve désormais une géométrie non euclidienne ou topologique, à côté, tout à côté, de l'optique passive de la géométrie des lentilles des objectifs des caméras, des télescopes, se retrouve aussi une optique active : celle de la *télétopologie* des ondes électro-optiques.
>
> [...] À la chronologie traditionnelle — futur, présent, passé — succède désormais la CHRONOSCOPIE — sous-exposé, exposé, surexposé. L'intervalle du genre TEMPS

---

224. Surtout *L'Espace critique* (1984), *L'Inertie polaire* (1990) et *La Vitesse de libération* (1995).

(signe positif) et l'intervalle du genre ESPACE (signe négatif [...] du même nom que la surface d'inscription de la pellicule) ne s'inscrivent que grâce à la LUMIÈRE, à cet intervalle du troisième genre dont le *signe nul* indique l'absolue célérité.

Le temps d'exposition de la plaque photographique n'est donc que l'*exposition du temps* (de l'espace-temps) de sa matière photosensible à la lumière de la vitesse, c'est-à-dire, finalement, à la fréquence de l'onde porteuse des photons. (Virilio 1990, p. 108-109, 115 ; Virilio 1989, p. 129 ; italiques et majuscules dans l'original[225])

Ce mélange d'optique, de géométrie, de relativité et de photographie se passe de commentaires.

Terminons notre lecture des écrits de Virilio sur la vitesse par cette petite perle :

Rappelons ici que l'*espace dromosphérique*, l'espace-vitesse, est physiquement décrit par ce qu'on appelle « l'équation logistique », résultat du produit de la masse déplacée par la vitesse de son déplacement (M × V). (Virilio 1984, p. 176, italiques dans l'original)

L'équation logistique est une équation différentielle étudiée dans la théorie biologique des populations (parmi d'autres domaines) ; elle s'écrit $dx/dt = \lambda x(1-x)$ et fut introduite par le mathématicien Verhulst (1838). Elle n'a rien à voir avec $M \times V$. En mécanique newtonienne, $M \times V$ est appelé « quantité de mouvement » ou « impulsion » ; en mécanique relativiste,

---

225. Cet article est originellement paru en traduction anglaise (Virilio 1989) ; une version plus étendue et légèrement remaniée est parue plus tard en français (Virilio 1990, p. 107-136). Dans cet extrait nous avons utilisé la version française (Virilio 1990, p. 107-109, 115) sauf pour la phrase qui commence par « À la chronologie traditionnelle... », qui n'apparaît que dans la version anglaise et dont la traduction ici est la nôtre. Le thème de la « chronoscopie » est repris, entre autres, dans Virilio. (1995, p. 166)

$M \times V$ n'apparaît pas. L'*espace dromosphérique* est une invention virilienne.

Bien entendu, aucune œuvre de ce genre ne serait complète sans un détour par Gödel :

> Avec cette dérive des figures et des figurations géo-métrales, l'effraction des dimensions et les mathématiques transcendantales, nous atteignons des sommets « surréalistes » de la théorie scientifique, sommets qui culminent, me semble-t-il, avec le théorème de Kurt Gödel : *la preuve existentielle*, méthode qui prouve mathématiquement l'existence d'un objet sans le pro-duire [...] (Virilio 1984, p. 80, italiques dans l'original)

En réalité, les preuves existentielles sont bien anté-rieures à l'œuvre de Gödel, et la preuve de son théo-rème est par contre tout à fait constructive : elle produit explicitement une proposition qui n'est démontrable ni réfutable dans le système donné (à condition que le système soit non contradictoire) [226].

Et, pour finir :

> La profondeur de temps succédant ainsi aux profon-deurs de champ de l'espace sensible, la commutation de l'interface supplantant la délimitation des surfaces, la transparence renouvelant les apparences, ne serions-nous pas en droit de nous demander si ce que l'on persiste encore à nommer ESPACE n'est pas tout bonne-ment la LUMIÈRE, une lumière subliminaire, para-optique, dont celle du soleil ne serait qu'une phase, qu'un reflet, et ceci, dans une durée dont l'étalon serait moins le *temps qui passe* de l'histoire et de la chrono-logie que le *temps qui s'expose* instantanément ; le temps de cet instant sans durée, un « temps d'exposi-tion » (de surexposition ou de sous-exposition) dont les techniques photographiques et cinématographiques auraient préfiguré l'existence, le temps d'un CONTI-NUUM privé de dimensions physiques, où le QUANTUM d'action (énergétique) et le PUNCTUM d'observation (cinématique) seraient soudain devenus les derniers

---

226. Voir, par exemple, Nagel *et al.* (1989).

repères d'une réalité morphologique disparue, transfé-
rée dans l'éternel présent d'une relativité dont l'épais-
seur, la profondeur topologique et téléologique seraient
celles de cet ultime *instrument de mesure*, cette vitesse
de la lumière qui possède une direction qui est à la fois
sa grandeur et sa dimension et qui se propage à la
même vitesse dans tous les azimuts... (Virilio 1984,
p. 77, italiques et majuscules dans l'original)

Cette dernière phrase est le meilleur exemple de logor-
rhée que nous ayons jamais rencontré. Elle contient à
peine 193 mots mais l'auteur considère néanmoins
qu'elle est incomplète — d'où les points de suspension
à la fin — et, pour autant qu'on puisse voir, elle ne
veut absolument rien dire.

10

QUELQUES ABUS DU THÉORÈME DE GÖDEL ET DE LA THÉORIE DES ENSEMBLES

> Du jour où Gödel a démontré qu'il n'existe pas de démonstration de consistance de l'arithmétique de Peano formalisable dans le cadre de cette théorie (1931), les politologues avaient les moyens de comprendre pourquoi il fallait momifier Lénine et l'exposer aux camarades « accidentels » sous un mausolée, au Centre de la Communauté nationale.
>
> Régis Debray, *Le Scribe* (1980, p. 70)

> En appliquant donc le théorème de Gödel aux questions du clos et de l'ouvert, touchant la sociologie, Régis Debray boucle et récapitule d'un geste l'histoire et le travail des deux cents ans qui précèdent.
>
> Michel Serres, *Éléments d'histoire des sciences* (1989, p. 359-360)

Le théorème de Gödel est une source presque inépuisable d'abus intellectuels : nous en avons déjà rencontré chez Kristeva et chez Virilio, et on pourrait sans doute écrire tout un livre à ce sujet. Nous en donnerons quelques exemples plutôt extraordinaires, où le théorème de Gödel et d'autres concepts tirés des fondements des mathématiques sont extrapolés de façon totalement arbitraire pour être appliqués au domaine politique et social[227].

Régis Debray consacre un chapitre de son ouvrage théorique, *Critique de la raison politique* (1981), à expliquer que « la démence collective trouve son fondement ultime dans un axiome logique lui-même sans fondement : *l'incomplétude* » (p. 10). Cet « axiome » (qui est aussi appelé « thèse » ou « théorème ») est introduit de façon plutôt grandiloquente :

> L'énoncé du « secret » des malheurs collectifs, c'est-à-dire de la condition *a priori* de toute histoire politique passée, présente et à venir, tient en quelques mots simples et enfantins. Si l'on veut bien observer que les définitions du surtravail et de l'inconscient tiennent chacune en une phrase (et, dans les sciences physiques, l'équation de la relativité générale en trois lettres), on se gardera de confondre simplicité avec simplisme. Ce secret a la forme d'une loi logique, généralisation du théorème de Gödel : il n'y a pas de système organisé sans clôture, et *aucun système ne peut se clore à l'aide des seuls éléments intérieurs au système.* (p. 256, italiques dans l'original)

Passons sur l'allusion à la relativité générale. Ce qui est plus grave, c'est l'invocation du théorème de Gödel, qui concerne certains systèmes formels en logique mathématique, pour expliquer le « secret des malheurs collectifs ». Il n'y a simplement aucune relation logique entre ce théorème et l'organisation sociale[228].

---

227. Voir également Bouveresse (1998) pour une critique détaillée des abus du théorème de Gödel.

228. Le texte cité ici est relativement ancien ; mais on retrouve la même idée dans *Manifestes médiologiques* (1994, p. 12). Plus récemment, toutefois, Debray semble s'être rendu compte de la faiblesse de son argument : dans une conférence récente (Debray 1996) il reconnaît que « la gödelite est une maladie répandue » (p. 6) et qu'« extrapoler un résultat scientifique, et le généraliser en dehors de son champ spécifique de pertinence expose [...] à de

Néanmoins, les conclusions que Debray tire de sa « généralisation du théorème de Gödel » sont assez spectaculaires, par exemple :

> De même que l'engendrement d'un individu par lui-même serait une opération biologiquement contradictoire (du « clonage » intégral comme aporie biologique ?), le gouvernement d'un collectif par lui-même — *verbi gracia*, « du peuple par le peuple » — serait une opération logiquement contradictoire (de « l'auto-gestion généralisée » comme aporie politique). (p. 264)

Et aussi :

> Il est donc rationnel qu'il y ait de l'irrationnel dans les groupes, car s'il n'y en avait pas, il n'y aurait plus de groupes. Il est positif qu'il y ait du mythique, car une société démystifiée serait une société pulvérisée. (p. 262)

Par conséquent, ni un gouvernement « du peuple par le peuple » ni une société démystifiée ne sont possibles, et cela apparemment pour des raisons strictement *logiques.*

Mais si le raisonnement était valide, pourquoi ne pas l'utiliser pour prouver tout simplement l'existence de Dieu, comme le suggère le passage suivant :

> L'incomplétude stipule qu'un ensemble ne peut être par définition une substance, au sens spinoziste : ce qui existe en soi, et est conçu par soi. Il lui faut une cause (d'où s'engendrer) et il n'est pas cause de soi. (p. 264)

Néanmoins, Debray rejette l'existence de Dieu (p. 263), sans expliquer pourquoi ce ne serait pas une conséquence tout aussi « logique » que les autres de son « théorème ».

Le fond du problème, c'est que Debray n'explique pas quel rôle il veut faire jouer au théorème de Gödel.

---

grossières bévues » (p. 7) ; il dit que son usage du théorème de Gödel est « à titre simplement métaphorique ou isomorphique » (p. 7).

S'il s'agit de l'utiliser dans un raisonnement sur l'organisation sociale, alors il se trompe. Si, par contre, il s'agit d'une analogie, elle pourrait être suggestive mais certainement pas démonstrative. Il faudrait donner des arguments portant sur les êtres humains et leur comportement social, non sur la logique mathématique[229].

Le théorème de Gödel sera encore vrai dans dix mille ans ou dans un million d'années ; mais personne ne peut dire à quoi ressemblera la société dans un avenir aussi lointain. L'invocation de ce théorème donne, par conséquent, l'apparence d'une dimension « éternelle » à des thèses qui sont, au mieux, valables dans un contexte et à une époque donnée. De plus, l'allusion au caractère « biologiquement contradictoire » du « clonage intégral » paraît bien dépassée à l'heure de « Dolly », ce qui montre qu'il faut être prudent avec les « applications » du théorème de Gödel.

Comme cette idée de Debray ne paraît pas très sérieuse, nous avons été surpris de la voir élevée au niveau d'un « principe de Gödel-Debray » par Michel Serres[230] qui explique par ailleurs que

> Régis Debray applique aux groupes sociaux ou retrouve en eux le théorème d'incomplétude valable pour les systèmes formels et montre que les sociétés ne s'organisent qu'à l'expresse condition de se fonder sur autre chose qu'elles, à l'extérieur de leur définition ou frontière. Elles ne peuvent pas se suffire à elles-mêmes. Il appelle religieuse cette fondation. Par Gödel, il accomplit Bergson, dont *Les Deux Sources de la morale et de la religion* opposaient les sociétés ouvertes aux closes. Non, dit-il, la cohérence de l'in-

---

229. Salanskis (1998, p. 183-6), qui défend l'usage du théorème de Gödel fait par Debray, semble ne pas avoir compris cette distinction élémentaire entre contexte de découverte et contexte de justification.

230. Serres (1989, p. 359). Voir aussi Dhombres (1994, p. 195) pour une remarque critique sur ce « principe ».

terne se garantit par l'externe, le groupe ne se ferme
que s'il s'ouvre. Les saints, génies, héros, modèles,
toutes sortes de champions, ne brisent pas les institutions, mais les rendent possibles. (Serres 1989, p. 358)

Serres continue :

> Or, depuis Bergson, les historiens les plus notables
> recopient *Les Deux Sources* [...] Loin de transcrire un
> modèle, comme elles, Régis Debray résout un pro-
> blème. Là où les historiens décrivent des passages ou
> transgressions de limites sociales ou conceptuelles,
> sans les comprendre, parce qu'ils ont emprunté à
> Bergson un schéma tout fait, que Bergson a fabriqué à
> partir de Carnot et de la thermodynamique, Régis
> Debray fabrique directement et donc comprend un
> schéma nouveau, à partir de Gödel et des systèmes
> logiques.
> L'apport de Gödel-Debray, décisif, nous délivre des
> anciens modèles et de leur répétition. (Serres 1989,
> p. 358)

Dans la suite du texte[231], Serres applique le « principe
de Gödel-Debray » à l'histoire des sciences, où il est
tout aussi peu pertinent qu'en politique.

Notre dernier exemple fait indirectement penser à la
parodie de Sokal, où il joue sur le mot « choice » en
anglais pour faire un lien complètement fantaisiste
entre l'axiome du choix[232], qui intervient dans la théorie mathématique des ensembles, et le mouvement
politique qu'on appelle « pro-choice », c'est-à-dire qui
est favorable au droit à l'avortement. Il pousse la plaisanterie jusqu'à invoquer le théorème de Cohen, qui
montre que l'axiome du choix et l'hypothèse du

---

231. Où l'on trouve cette perle de clarté : parlant de l'Ancien
Régime, Serres écrit que « le clergé occupait une place très précise
dans la société. Dominante et dominée, ni dominée ni dominante,
cette place, intérieure à chaque classe, dominante ou dominée,
n'appartient à aucune des deux, ni à la dominée ni à la dominante. »
(Serres 1989, p. 360)

232. Voir p. 81-82 ci-dessus.

continu [233] sont indépendants (au sens technique de ce terme en logique) des autres axiomes de la théorie des ensembles, pour affirmer que cette théorie est insuffisante pour une mathématique « libératoire ». Là encore, on assiste à un saut complètement arbitraire entre les fondements des mathématiques et des considérations politiques.

Ce passage étant un des plus ouvertement ridicules de la parodie, nous avons été fort surpris de découvrir que des arguments fort semblables ont été soutenus tout à fait sérieusement — du moins semble-t-il — par Alain Badiou, dans des textes qui, il faut le souligner, sont assez anciens [234]. Dans *Théorie du sujet* (1982), Badiou mélange allègrement politique, lacanisme et théorie des ensembles. Un extrait du chapitre intitulé « Logique de l'excès » en donne la saveur. Après une brève discussion de la situation des travailleurs immigrés, Badiou fait référence à l'hypothèse du continu, et enchaîne (p. 282-283) :

> Ce qui est en jeu n'est rien moins que la fusion de l'algèbre (succession ordonnée des cardinaux) et de la topologie (excès du partitif sur l'élémentaire). La vérité de l'hypothèse du continu ferait loi de ce que l'excès dans le multiple n'a pas d'autre assignation que l'occupation de la place vide, que l'existence de l'inexistant propre du multiple initial. Il y aurait cette filiation maintenue de la cohérence, que ce qui excède intérieurement le tout ne va pas plus loin qu'à nommer le point limite de ce tout.
>
> Mais l'hypothèse du continu n'est pas démontrable.
>
> Triomphe mathématicien de la politique sur le réalisme syndical.

---

233. Voir note 44 ci-dessus.

234. Après la publication de la première édition de notre livre, Badiou a publié son *Abrégé de métapolitique* (1998) où il se livre à des méditations pseudo-mathématiques qui sont au moins aussi bizarres que celles citées ici (voir p. ex. le chapitre 10).

On se demande si quelques paragraphes n'étaient pas peut-être omis avant la dernière phrase de cette citation, mais ce n'est pas le cas : le saut entre mathématiques et politique est aussi abrupt qu'il paraît[235].

___

235. Remarquons d'ailleurs que ces « mathématiques » n'ont pas beaucoup de sens.

11

UN REGARD SUR L'HISTOIRE DES RAPPORTS ENTRE SCIENCE ET PHILOSOPHIE : BERGSON ET SES SUCCESSEURS [236]

Un des effets négatifs d'une philosophie anti-intellectuelle telle que celle de Bergson est qu'elle prospère grâce aux erreurs et aux confusions de l'intellect. Par conséquent, elle tend à préférer les mauvais raisonnements aux bons, à déclarer insoluble chaque difficulté momentanée, et à considérer chaque erreur idiote comme révélant la faillite de l'intellect et le triomphe de l'intuition. On trouve dans les travaux de Bergson de nombreuses allusions aux mathématiques et à la science, et, aux yeux d'un lecteur non averti, ces allusions semblent renforcer beaucoup sa philosophie. En science, en particulier en biologie et en physiologie, je ne suis pas compétent pour critiquer ses interprétations. Mais en ce qui concerne les mathématiques, il a délibérément préféré les erreurs traditionnelles d'interprétation aux vues plus modernes qui ont prévalu parmi les mathématiciens durant les quatre-vingts dernières années.

Bertrand Russel,
Histoire de la philosophie occidentale
(1961, p. 762)

---

236. À part quelques détails, nous n'avons rien changé à ce chapitre ; mais comme il a suscité pas mal de malentendus, nous avons

En analysant les abus et les confusions scientifiques des auteurs dits « postmodernes », nous nous sommes interrogés sur les origines historiques de cette façon cavalière de parler des sciences. Ces origines sont multiples, et nous reviendrons sur cette question dans l'épilogue. Néanmoins, il nous semble qu'il existe une filiation historique avec une tradition philosophique qui privilégie l'intuition, ou l'expérience subjective, sur la raison. Et l'un des plus brillants représentants de cette façon de penser est sans conteste Bergson, qui a poussé cette démarche jusqu'à débattre avec Einstein sur la théorie de la relativité. Le livre dans lequel il expose son point de vue, *Durée et simultanéité* (1922), est intéressant à un double titre : d'une part, il illustre bien une certaine attitude philosophique vis-à-vis des sciences ; et d'autre part, il a influencé pas mal de philosophes, jusqu'à Deleuze, en passant par Jankélévitch et Merleau-Ponty.

Bien entendu, Bergson n'est pas un auteur postmoderne, même si la primauté qu'il accorde à l'intuition contribue sans doute au regain d'intérêt dont il jouit aujourd'hui[237]. D'ailleurs, les confusions qu'il entre-

---

ajouté des notes de bas de page pour tenter de les dissiper. Commençons par souligner que notre but n'est nullement de discréditer toute l'œuvre de Bergson en rappelant son incompréhension de la relativité. Ce qui nous paraît plus important, c'est que cette incompréhension continue chez ses successeurs jusqu'à une date récente et témoigne d'une absence quasi totale de communication entre les scientifiques et certains philosophes célèbres, qui s'expriment néanmoins sur les sciences.

237. Comparons avec ce qu'écrivait, il y a plus de vingt-cinq ans, Jacques Monod :

> On sait que grâce à un style séduisant, à une dialectique dépourvue de logique mais non de poésie, cette philosophie a connu un immense succès. Elle semble tombée aujourd'hui dans un discrédit presque complet, alors que, dans ma jeunesse, on ne pouvait espérer réussir au bachot à moins d'avoir lu *L'Évolution créatrice*. (Monod 1970, p. 39)

Et il ajoutait, avec autant d'ironie que de prémonition :

> Si Bergson avait employé une langue moins claire, un style plus « profond », on le relirait aujourd'hui. (p. 40)

tient à propos de la relativité sont fort différentes des confusions scientifiques qu'on trouve chez les autres auteurs discutés dans ce livre. Il y a certainement un sérieux chez Bergson qui contraste nettement avec la désinvolture et le caractère blasé des postmodernes. De plus, il ne cherche certainement pas à jeter des mots savants à la tête du lecteur. Son attitude est, même s'il s'en défend, proche d'une démarche philosophique de type aprioriste : il ne cherche pas réellement à voir ce qu'il y a de neuf dans la relativité et à en tirer éventuellement des implications philosophiques ; ces dernières sont posées dès le départ et toute l'analyse vise à montrer que la théorie physique les confirme. Quelle que soit l'opinion qu'on puisse avoir, en général, sur cette façon d'envisager les rapports entre science et philosophie, nous allons montrer que, dans ce cas précis, Bergson se trompe. Et cette erreur n'est pas une question de philosophie ou d'interprétation, comme on le pense souvent ; elle porte sur la compréhension de la théorie physique et entre, en fin de compte, en conflit avec l'expérience.

Ce qui est surprenant, c'est la volonté de Bergson de porter le débat sur la place publique et la persistance de ses confusions au cours du temps, surtout si l'on considère les efforts de physiciens éminents pour lui expliquer la relativité, y compris à travers lettres et contacts personnels : Jean Becquerel [238], André Metz [239]

Monod précise quand même, en note, que « la pensée de Bergson ne manque pas, bien entendu, d'obscurités ni de contradictions apparentes » (p. 40). Nous renvoyons au livre de Monod pour une critique du vitalisme de Bergson ; voir aussi l'étude de Balan (1996) sur *L'Évolution créatrice*.

238. Qui expliqua personnellement à Bergson ses erreurs. Voir Bergson (1968 [1923], p. 185), Metz (1926, p. 188) et Barreau (1973, p. 114).

239. Voir Metz (1923, 1926) ainsi que l'échange entre Bergson et Metz dans la *Revue de philosophie* : Metz (1924a), Bergson (1924a), Metz (1924b), Bergson (1924b).

et Albert Einstein [240] lui-même. Il y a par conséquent chez lui une indifférence aux arguments empiriques qui le rapproche également des postmodernes.

Remarquons que si Bergson a cessé de rééditer *Durée et simultanéité* après 1931 [241], l'ouvrage a été republié en 1968 et réimprimé plusieurs fois depuis lors [242], précédé d'un « Avertissement » signé par Jean Wahl, Henri Gouhier, Jean Guitton et Vladimir Janké-lévitch, justifiant la réédition de l'ouvrage par « l'inté-rêt philosophique et historique » du texte, qui est « tout à fait indépendant des discussions proprement scienti-fiques et techniques qu'il a pu provoquer. » Nous sommes d'accord sur l'intérêt historique de *Durée et simultanéité*, en tout cas comme exemple de la manière dont un philosophe célèbre peut se méprendre sur la physique à cause de ses préjugés philosophiques. Quant à la philosophie, *Durée et simultanéité* soulève une question intéressante : dans quelle mesure la conception du temps qu'avait Bergson peut-elle être réconciliée avec la relativité ? Nous laisserons cette question en suspens, nous contentant de souligner que la tentative de Bergson lui-même échoue complète-ment. Notons quand même le jugement sévère d'Hervé Barreau dans sa remarquable étude sur Bergson et Einstein :

> Il ne suffit pas de dire que Bergson n'a pas compris la théorie de la Relativité, il faut dire que Bergson, s'il restait fidèle à sa propre philosophie du temps, ne pou-vait pas la comprendre ou devait la refuser. (Barreau 1973, p. 119-120)

---

240. Qui rencontra Bergson à une réunion de la Société fran-çaise de philosophie, le 6 avril 1922.

241. Tout en reprenant les mêmes idées dans *La Pensée et le mouvant* (1960 [1934], p. 37-39, note). Voir aussi Barreau (1973, p. 124).

242. Il est aussi inclus dans *Mélanges* : voir Bergson (1972, p. 57-244).

Certes, les erreurs de Bergson sur la relativité sont bien connues et ont été corrigées de façon très pédagogique, même à l'époque[243]. Mais ce qui est peut-être moins connu, c'est la manière dont ses erreurs ont été répétées par ses admirateurs jusqu'à une époque récente. Cela reflète, à notre avis, une tragique absence de communication entre les scientifiques et certains philosophes (et non des moindres).

Durée et Simultanéité

Les méprises de Bergson sur la relativité sont assez élémentaires, mais contrairement au cas des auteurs postmodernes, il n'étale pas une fausse érudition. Pour comprendre ses malentendus, il faut connaître un peu les idées de base de la relativité. Nous en donnerons donc une brève explication, en omettant tous les détails techniques ainsi que beaucoup de nuances plus ou moins importantes[244].

Le premier point concerne le *principe de relativité*. Pour une formulation claire et éloquente de celui-ci, on ne peut faire mieux que de lire ce qu'a écrit Galilée en 1632 :

> Enfermez-vous avec un ami dans la plus grande cabine sous le pont d'un grand navire et prenez avec vous des mouches, des papillons et d'autres petites bêtes qui volent ; munissez-vous aussi d'un grand récipient rempli d'eau avec de petits poissons ; accrochez aussi un petit seau dont l'eau coule goutte à goutte dans un autre vase à petite ouverture placé en dessous. Quand le navire est immobile, observez soigneusement comme les petites bêtes qui volent vont à la même vitesse dans toutes les directions de la cabine, on voit

---

243. Voir, par exemple, Metz (1923, 1926).
244. Nous nous limiterons à ce qu'on appelle la *relativité restreinte* (1905). La *relativité générale* (1915), qui s'occupe de la gravitation, est mathématiquement beaucoup plus difficile.

les poissons nager indifféremment de tous les côtés, les gouttes qui tombent entrent toutes dans le vase placé dessous ; si vous lancez quelque chose à votre ami, vous n'avez pas besoin de jeter plus fort dans une direction que dans une autre lorsque les distances sont égales [...] Quand vous aurez soigneusement observé cela [...] faites aller le navire à la vitesse que vous voulez ; pourvu que le mouvement soit uniforme, sans balancement dans un sens ou l'autre, vous ne remarquerez pas le moindre changement dans tous les effets qu'on vient d'indiquer ; aucun ne vous permettra de vous rendre compte si le navire est en marche ou immobile. (Galilée 1992 [1632], p. 213)

Le lecteur moderne aura remarqué le même effet dans les avions : lorsque le mouvement de l'avion est uniforme — sans ascension, descente, accélération, décélération, virage ou turbulence — aucune expérience physique (ou biologique) ne peut le distinguer d'un avion à l'arrêt.

Plus formellement, on exprime cette idée de la façon suivante. Parmi les systèmes de référence [245], on en distingue certains qu'on appelle « *inertiels* ». En première approximation, un système de référence attaché à la Terre est inertiel, ainsi que tout système qui se déplace uniformément par rapport à la Terre [246]. Or, le principe de la relativité affirme que *toutes les lois de la physique sont identiques par rapport à n'importe quel système de référence inertiel*. Évidemment, le mot « inertiel » dans ce principe est crucial : sans lui, le principe est tout simplement faux, et pour le comprendre, il suffit de penser à toutes les « forces » qu'on subit dans une voiture qui accélère ou décélère [247].

---

245. Voir p. 176 ci-dessus pour une explication du concept de *système de référence* (également appelé *repère*).

246. Ce n'est qu'approximativement vrai, à cause (entre autres) de la rotation de la Terre autour de son axe. Voir la note 95 ci-dessus.

247. [Pour les experts :] Notre présentation de la théorie de la relativité restreinte est relativement « classique ». Nous laissons de côté, pour simplifier, des versions plus modernes de la théorie qui

Ce qu'on vient de voir — l'équivalence des systèmes inertiels et la non-équivalence des systèmes non inertiels — peut être résumé (un peu sommairement) en disant que *la vitesse est relative, mais l'accélération est absolue*. On ne peut jamais distinguer le repos d'un mouvement uniforme, mais on peut distinguer ceux-ci d'un mouvement accéléré.

Il faut souligner que ce principe est tiré de notre expérience du monde réel ; nous ne connaissons aucun moyen de le justifier par des raisonnements philosophiques *a priori*. On peut imaginer des mondes (et des lois physiques correspondantes) dans lesquels la vitesse est absolue ; en effet, Aristote pensait que nous vivions dans l'un de ces mondes. Nous savons maintenant qu'Aristote avait tort, mais pour des raisons empiriques, pas logiques. De la même façon, on peut imaginer des mondes dans lesquels même l'accélération est relative. Mais nous ne vivons pas dans un tel monde non plus.

Toutefois, Bergson insistait sur l'idée que « le mouvement peut être uniforme ou varié, peu importe : il y aura toujours réciprocité entre les deux systèmes » (p. 198). Sa motivation était justement un raisonnement philosophique *a priori* :

> Aucun philosophe ne pouvait se contenter tout à fait d'une théorie qui tenait la mobilité pour une simple relation de réciprocité dans le cas du mouvement uniforme, et pour une réalité immanente à un mobile dans le cas du mouvement accéléré. (p. 32)

> Or, si tout mouvement [même accéléré] est relatif et s'il n'y a pas de point de repère absolu, pas de système privilégié, l'observateur intérieur à un système n'aura évidemment aucun moyen de savoir si son système est en mouvement ou en repos. [...] Il est libre de décréter ce qui lui plaît : son système sera immobile, par définition

---

mettent l'accent sur les propriétés qui caractérisent l'espace-temps minkowskien dans des systèmes de référence arbitraires (inertiels ou non), à savoir le fait que la courbure est nulle.

> même, s'il en fait son « système de référence » et s'il y
> installe son observatoire [...] un système quelconque est
> en repos ou en mouvement, à volonté. (p. 34)

Mais Bergson confond ici deux choses : la description
du mouvement (cinématique) et les lois qui le régissent
(dynamique). Il est vrai, du moins en cinématique newtonienne, que les formules de transformation entre deux
systèmes de référence sont parfaitement réciproques,
même si leur mouvement relatif est accéléré. Toutefois,
cela n'implique nullement que les lois dynamiques
soient les mêmes par rapport aux deux systèmes et,
comme nous l'avons vu, ce n'est effectivement *pas* le
cas. Le raisonnement de Bergson (p. 197) repose sur une
confusion élémentaire entre un système de référence
(par exemple, celui attaché à un train en mouvement
accéléré) et le mouvement d'objets matériels (par exemple, des boules placées dans le train) par rapport à ce
système.

Ce que nous avons esquissé jusqu'à maintenant fait
partie de la mécanique de Galilée et de Newton. Quelle
est donc la nouveauté apportée par Einstein ? Elle peut
être résumée ainsi.

Au dix-neuvième siècle se développe la théorie de
l'électricité et du magnétisme, qui culmine dans les
équations de Maxwell (1865). Or, *à première vue* ces
équations semblent *contredire* le principe de relativité.
Car elles président la propagation d'ondes électromagnétiques (lumière, radio, etc.) à une certaine vitesse c (à
peu près 300 000 kilomètres par seconde) et *seulement à
cette vitesse*. Mais si un rayon lumineux se propage à la
vitesse c par rapport à la Terre, et si nous poursuivons ce
rayon dans une voiture se déplaçant (sans accélération)
à une vitesse $\frac{9}{10} c$, alors on s'attend à voir le rayon s'éloi-
gner de nous à une vitesse $\frac{1}{10} c$. Or cela, *si c'était vrai*,
impliquerait que les équations de Maxwell ne sont pas
valables par rapport au système de référence de la voi-

ture, donc que le principe de relativité est faux pour les phénomènes électromagnétiques.

Le génie d'Einstein fut de voir qu'on peut réconcilier les équations de Maxwell avec le principe de relativité si l'on change les équations décrivant le passage d'un système de référence inertiel à un autre. Nous n'allons pas entrer dans les détails, mais seulement remarquer que ces nouvelles équations (appelées « *transformations de Lorentz* ») ont des conséquences fort contre-intuitives. Par exemple, si un rayon lumineux se propage à la vitesse c par rapport à la Terre et si nous poursuivons ce rayon à une vitesse $\frac{9}{10}c$, alors le rayon s'éloigne de nous *non pas* à la vitesse $\frac{1}{10}c$, mais à la vitesse c ! En effet, la vitesse de propagation de la lumière, dans n'importe quelle direction, est toujours c par rapport à *n'importe quel système de référence inertiel*.

Il faut souligner que ces phénomènes, bien que contre-intuitifs, sont *réels* : la théorie de la relativité, ainsi que la théorie électromagnétique de Maxwell, ont été confirmées expérimentalement, pendant les quatre-vingt-dix dernières années, par des milliers d'expériences différentes avec une précision impressionnante. Évidemment, nous ne disposons pas de voitures capables de se déplacer à la vitesse $\frac{9}{10}c$, mais on a fait des expériences plus ou moins équivalentes, entre autres avec des particules élémentaires. Et si ces phénomènes sont contre-intuitifs, il faut rappeler que ce que nous appelons « intuition » est liée à notre expérience accumulée et à nos réflexions théoriques sur celle-ci ; et peu d'entre nous ont eu beaucoup d'expériences à des vitesses voisines de c [248].

---

248. Plusieurs commentateurs (p. ex. Nordon 1998 ; Prado 1998 ; Jurdant 1998, p. 15-16) ont cru voir une contradiction entre

Une deuxième conséquence contre-intuitive de la relativité einsteinienne concerne la notion de *simultanéité*. Observons d'abord que si deux événements ont lieu simultanément *au même endroit*, tous les systèmes de référence seront d'accord sur ce fait. Mais, comme Einstein l'a montré, ce n'est nullement le cas si les deux événements ont lieu en des *endroits différents*. Pour le comprendre, imaginons un quai et un train munis tous deux d'électrodes à la tête et à la queue, de façon à produire une étincelle — et donc l'émission d'un rayon lumineux — lorsque la tête du train rencontre la tête du quai, et lorsque la queue du train rencontre la queue du quai. Supposons que Pierre soit installé au milieu du quai et que, lorsqu'un train passe, il reçoive simultanément les deux rayons lumineux. Il en déduira que les deux rayons ont été *émis* simultanément : car les distances parcourues sont égales, ainsi que les vitesses de propagation.

Introduisons maintenant un nouveau personnage, Paul, qui est un voyageur assis au milieu du train. Continuons à analyser la situation (pour le moment) par rapport au système de référence du quai. Paul se trouve en face de Pierre au moment de l'émission des deux rayons : mais comme il se déplace avec le train, il rencontrera le rayon issu de la tête *avant* que Pierre ne le rencontre, tandis qu'il rencontrera le rayon issu de la queue *après* que Pierre l'eut rencontré. Donc, il

les arguments philosophiques développés dans notre chapitre 3 et le caractère contre-intuitif de la théorie de la relativité. Mais cette « contradiction » est inexistante. Nous avons déjà souligné que le lien entre la science et le « sens commun » est au niveau de la démarche, pas des conclusions. On peut justement utiliser l'exemple de la relativité pour illustrer cette distinction. Effectivement, les affirmations de la théorie de la relativité sont contre-intuitives. Pourquoi donc devrions-nous les croire ? Essentiellement à cause de l'accord spectaculaire entre les prédictions de la théorie et les expériences. Et, si l'on y réfléchit, on s'aperçoit que cette justification-là est reliée, en fin de compte, à l'attitude rationnelle courante.

rencontrera le rayon de la tête *avant* celui issu de la queue. C'est un fait objectif, sur lequel tous les observateurs seront d'accord[249]. Mais comment Paul interprète-t-il ce fait par rapport au système de référence (lui aussi inertiel) du train ? Il raisonne ainsi : j'ai reçu le rayon issu de la tête du train avant celui issu de la queue ; je suis équidistant de la tête et de la queue ; les vitesses de propagation *sont égales*[250] ; donc, le rayon de la tête a été *émis* avant celui de la queue. Conséquence : deux événements qui se produisent simultanément mais à des endroits différents par rapport à un premier système de référence, peuvent ne pas être simultanés par rapport à un autre système de référence.

Cela contredit évidemment notre notion intuitive du temps : nous sommes habitués à considérer la simultanéité d'événements même éloignés comme une notion absolue et non problématique. Mais cette intuition n'est due qu'à la pauvreté de notre expérience : la vitesse de la lumière est si grande et les distances quotidiennes sont si petites, qu'on ne remarque pas les effets relativistes — on ne remarque même pas que la vitesse de la lumière est finie — sans des instruments raffinés[251]. En tout cas, il n'y a aucune contradiction

---

249. « Paul » pourrait être, par exemple, un photodétecteur couplé à un ordinateur ; et après l'expérience, tout le monde peut interroger la mémoire de l'ordinateur et constater quel rayon lumineux est arrivé le premier.

Fourez (1998) a cru voir dans cette remarque la preuve que nous utilisons le mot « fait » dans le même sens que lui, à savoir pour indiquer un simple accord intersubjectif (voir p. 151 ci-dessus). Mais ce n'est nullement le cas. L'accord entre les « observateurs » (s'ils fonctionnent correctement) est un *indice* entre autres du fait objectif sous-jacent, mais pour nous le fait lui-même ne se réduit pas à cet accord.

250. C'est évidemment dans ce dernier pas qu'intervient l'idée contre-intuitive, mais expérimentalement confirmée, d'Einstein.

251. Cependant, ceux qui ont vu à la télévision les astronautes sur la Lune se souviendront du délai d'à peu près deux secondes entre une remarque de la tour de contrôle et la réponse des astronautes.

entre la relativité et notre expérience quotidienne ; la contradiction est plutôt entre la relativité et *une extra-polation naturelle mais* (nous le savons maintenant) *erronée* de notre expérience quotidienne.

Ces idées ont déjà été expliquées de façon très péda-gogique à l'époque de Bergson [252], mais celui-ci ne les a pas comprises. En parlant de deux systèmes de réfé-rence, S et S', il maintenait que

> les formules de Lorentz expriment tout simplement ce que doivent être les mesures *attribuées* à S' pour que le physicien en S voie le physicien *imaginé par lui* en S' trouver la même vitesse que lui à la lumière. (p. 193, les italiques sont dans l'original)

C'est tout simplement faux. On peut demander à S et S' d'observer la même série d'événements et d'en noter les coordonnées (x, y, z, t ou x', y', z', t', respectivement). Après l'expérience, on pourra interroger les deux systè-mes [253] et comparer les coordonnées *mesurées* ; elles satisferont aux transformations de Lorentz. Contraire-ment à ce que prétend Bergson, les coordonnées x', y', z', t' ne sont pas simplement « attribuées » par le physi-cien en S pour qu'un physicien « imaginé » en S' trouve la vitesse habituelle de la lumière ; en fait, le physicien en S' (le vrai !) *trouve* la vitesse habituelle de la lumière lorsqu'il la mesure, et c'est parce que les coordonnées x', y', z', t' sont bien celles qu'il mesure [254].

C'est parce qu'il fallait une seconde pour que le signal radio arrive à la Lune (qui est située à peu près à 300 000 km de la Terre) et une seconde pour que la réponse revienne.

252. Mentionnons par exemple les livres d'Einstein (1976 [1920]) et Metz (1923). Notre discussion de la simultanéité suit Metz (1923, chapitre V), où l'on peut trouver quelques précisions supplémentaires.

253. Qui, rappelons-le, pourraient être entièrement composés de machines. Il s'agirait donc d'interroger la mémoire d'un ordinateur.

254. Il est expérimentalement vérifié que les équations de Max-well sont valables par rapport à n'importe quel système de réfé-rence inertiel (c'est-à-dire, par rapport aux distances et aux temps effectivement mesurés par ces systèmes). Et les transformations

Une troisième conséquence contre-intuitive de la relativité est liée à l'écoulement du temps. Soit A un « événement » dans l'espace-temps, c'est-à-dire tout simplement un certain endroit à un certain temps : par exemple, Paris le 14 juillet 1789. Soit B un autre événement dans l'espace-temps, par exemple, Paris le 14 juillet 1989. Et soit C un « chemin dans l'espace-temps » qui conduit de A à B : par exemple, le chemin qui reste tout le temps à Paris, ou bien le chemin constitué par un voyage à la vitesse $\frac{9}{10}c$

vers une étoile éloignée de 90 années-lumière[255] de Paris et du retour à la même vitesse. Dans une telle situation, la théorie de la relativité donne une formule pour calculer l'intervalle de temps mesuré par une « horloge idéale »[256] transportée le long du chemin C (ce qu'on appelle le *temps propre* pour le chemin C). Les détails de cette formule n'ont pas d'importance pour la discussion présente ; seule nous intéresse une de ses conséquences remarquables : le temps propre dépend non seulement du point initial A et du point final B, *mais aussi du chemin C*. Le chemin droit

---

de Lorentz sont les *seules* transformations des coordonnées spatio-temporelles qui préservent les équations de Maxwell et possèdent certaines autres propriétés requises.

255. Une année-lumière est la distance parcourue par un rayon lumineux (qui se propage donc à la vitesse c) en une année. Elle est égale approximativement à dix millions de milliards de mètres ($9,46 \times 10^{15}$ mètres).

256. Cela veut dire (à peu près) une horloge qui n'est pas sensiblement affectée par les éventuelles accélérations le long du chemin C. Par exemple, si dans le second chemin mentionné, on effectue le demi-tour trop abruptement, l'horloge peut tout simplement se casser (pensez à un accident sur l'autoroute) ou, dans un cas moins extrême, son fonctionnement peut être affecté. Une telle horloge ne serait pas « idéale » pour le chemin C. Une plus longue discussion permet de montrer qu'il est possible (en principe) de « construire » des horloges aussi proches qu'on veut d'horloges idéales, pour n'importe quel chemin dans l'espace-temps.

entre A et B donne le temps propre le plus grand, tandis que tous les autres chemins donnent des temps propres plus petits. Par exemple, dans le cas considéré, le temps propre pour le chemin qui reste à Paris est de 200 ans (aucune surprise), tandis que le temps propre pour le chemin du voyage est de 87 ans[257], ce qui est peut-être plus surprenant[258].

Cette prédiction contredit évidemment nos idées intuitives sur le temps. Mais avant de rejeter hâtivement la relativité, souvenons-nous que l'effet n'est grand que lorsque la vitesse du chemin C approche celle de la lumière. Pour des vitesses plus petites, l'effet est extrêmement faible : par exemple, si la vitesse est de 300 mètres par seconde — ce qui est déjà plus rapide que la plupart des avions modernes — le temps propre pour le chemin du voyage est de 199,999999999999 ans. Évidemment, la plupart d'entre nous n'ont aucune expérience de vitesses proches de celle de la lumière, ni avec des horloges super-précises transportées à des vitesses plus familières. Il n'y a donc aucune contradiction entre les prédictions de la relativité et notre expérience quotidienne ; de nouveau, la contradiction est entre la relativité et une extrapolation *erronée* de notre expérience quotidienne.

Cet aspect de la relativité est souvent illustré par

---

257. Plus exactement, $200 \sqrt{1 - (\frac{9}{10})^2} \approx 87{,}178$ ans.

258. Voici une analogie qui pourrait rendre ce fait un peu moins étrange : tout le monde sait que la *longueur* d'un chemin C entre deux points A et B dans l'*espace* dépend non seulement des points A et B mais aussi du chemin ; en effet, le chemin droit est le plus court, et tous les autres chemins sont plus longs. Il se trouve que cette analogie entre la géométrie tridimensionnelle de l'espace et la géométrie quadridimensionnelle de l'espace-temps est assez étroite : la seule différence importante entre les deux cas est un changement de signe, lequel explique pourquoi le chemin droit dans l'espace a la longueur la plus *petite*, tandis que le chemin droit dans l'espace-temps a le temps propre le plus *grand*. Pour une belle explication de cette analogie, voir Taylor et Wheeler (1970).

l'histoire suivante. Des jumeaux, Pierre et Paul, se séparent : Pierre reste sur Terre tandis que Paul monte dans une fusée (à l'époque de Bergson, on parlait de « boulet ») qui va à une vitesse proche de celle de la lumière, voyage un certain temps, fait demi-tour, et revient sur Terre. À son retour, on constate que Paul est plus jeune que Pierre. Bien sûr, on n'a jamais fait l'expérience avec des jumeaux parce qu'on est incapable d'accélérer des êtres humains à des vitesses proches de celle de la lumière. Mais on a fait des expériences analogues avec de nombreuses particules élémentaires — dont la désintégration radioactive constitue une sorte d'« horloge » — ainsi qu'avec des horloges atomiques super-précises transportées en avion ; et les prévisions quantitatives de la théorie de la relativité ont été confirmées très précisément [259]. Le but du physicien en donnant l'exemple des jumeaux est évidemment pédagogique : illustrer de façon vivante une conséquence de la théorie.

Mais Bergson rejette carrément la prédiction de la relativité concernant « l'effet des jumeaux ». Pour mieux comprendre le malentendu, il est important de séparer deux problèmes : les effets relativistes et les complications supplémentaires introduites (pour Bergson) lorsqu'il s'agit d'« horloges » biologiques et surtout conscientes (comme des êtres humains). Commençons donc par examiner ce que Bergson dit de l'expérience avec des horloges ordinaires — où il commet déjà des graves erreurs — puis revenons au problème des horloges biologiques. Bergson affirme :

> En somme, il n'y a rien à changer à l'expression mathématique de la théorie de la Relativité. Mais la physique rendrait service à la philosophie en abandonnant cer-

---

259. Voir, par exemple, Hafele et Keating (1972). Cette expérience confirme une prédiction qui résulte d'une combinaison de la relativité restreinte et de la relativité générale.

taines manières de parler qui induisent le philosophe en erreur, et qui risquent de tromper le physicien lui-même sur la portée métaphysique de ses vues. On nous dit par exemple ci-dessus [260] que, « si deux horloges identiques et synchrones sont au même endroit dans un système de référence, si l'on déplace l'une et si on la ramène près de l'autre au bout d'un temps t (temps du système), elle retardera de $t - \int_0^t \alpha \, dt$ sur l'autre horloge [261] ». Il faudrait en réalité dire que l'horloge mobile présente ce retard à l'instant précis où elle touche, mouvante encore, le système immobile et où elle *va y rentrer*. Mais aussitôt rentrée, elle marque la même heure que l'autre (il va de soi que ces deux instants sont pratiquement indiscernables). (p. 207-208, italiques dans l'original)

Examinons attentivement ces assertions.

Dans les deux premières phrases, Bergson énonce son point de vue : la physique a le droit d'utiliser toutes les « expressions mathématiques » qu'elle veut, à condition de ne pas leur attribuer une « portée métaphysique » excessive. Mais le différend entre Bergson et la relativité n'est nullement « métaphysique » : elle concerne en réalité une simple prédiction empirique, comme on le voit clairement dans la suite du texte. Bergson commence en faisant référence au « problème des jumeaux » — mais avec des horloges au lieu des jumeaux — et il cite correctement la prédiction de la relativité pour les temps écoulés sur les deux horloges. Ensuite, après un bref raisonnement plutôt confus [262], il offre sa propre prédiction

---

260. Bergson renvoie ici à un passage, qu'il cite, d'un livre du physicien Jean Becquerel (1922, p. 48-51).

261. Cette formule est celle utilisée par Becquerel. [Note ajoutée par nous]

262. Bergson semble penser que l'horloge indiquera deux temps différents à deux instants différents mais « pratiquement indiscernables » : dans notre exemple, il s'agirait de 87 ans au premier instant et de 200 ans au second. Cette suggestion est pour le moins bizarre : comment l'horloge pourrait-elle « sauter » de 113 ans entre deux instants « pratiquement indiscernables » ?

empirique, *différente de celle de la relativité* : « aussitôt rentrée, elle marque la même heure que l'autre ». Cette prédiction est réfutée par de nombreuses expériences. Évidemment, on ne peut pas reprocher à Bergson de ne pas avoir anticipé ces résultats expérimentaux, qui vinrent en général bien après la publication de *Durée et simultanéité* ; mais ni lui ni ses successeurs ne disent clairement que leur théorie, c'est-à-dire en fait leur intuition, *contredit* les prédictions empiriques de la relativité. Ils font comme s'il s'agissait uniquement d'interpréter correctement le formalisme utilisé par le physicien.

Une méprise courante concernant l'effet des jumeaux consiste à penser que les rôles de Pierre et Paul sont interchangeables et qu'un raisonnement qui conclut que Paul est plus jeune que Pierre est nécessairement faux, puisqu'en interchangeant leurs rôles, on aboutirait à la conclusion que Pierre est plus jeune que Paul. Bergson formule explicitement cette idée :

> Tout ce que nous disions de Pierre, il faut maintenant que nous le répétions de Paul : le mouvement étant réciproque, les deux personnages sont interchangeables. (p. 77)

Mais c'est tout à fait faux : leurs rôles ne sont pas interchangeables. Paul doit subir trois accélérations (ou décélérations) — une au départ, une autre au demi-tour, et finalement une à l'arrivée — tandis que Pierre n'en subit aucune. Le principe de relativité énonce l'équivalence des lois physiques entre systèmes de référence *inertiels*. Mais une telle équivalence n'a pas lieu pour des systèmes de référence *non inertiels*, comme le serait un système attaché à un voyageur en mouvement accéléré. L'asymétrie est

---

Un tel saut serait au moins aussi contre-intuitif que la théorie de la relativité.

d'ailleurs évidente : si Paul accélère ou décélère trop abruptement, c'est lui qui pourrait se casser le cou, pas Pierre[263, 264] !

L'incompréhension de Bergson est donc double : d'une part, il est trop « relativiste » (au sens de la théorie de la relativité, pas au sens philosophique) puisqu'il pense que la relativité implique que Pierre et Paul sont interchangeables, sans comprendre que la relativité ne suppose nulle part une équivalence entre mouvements *accélérés*. Mais, d'autre part, il n'est pas assez « relativiste », car il refuse d'accorder la même objectivité aux temps propres mesurés par les deux.

Remarquons finalement que Bergson fait référence à plusieurs reprises dans *Durée et simultanéité* à des physiciens (tels que Pierre et Paul) « *vivants et conscients* ». Cela pourrait laisser croire que Bergson est uniquement préoccupé par l'application de la physique à des sujets conscients, et qu'il s'oppose aux physiciens seulement sur le problème des rapports

---

263. On pourrait s'étonner que ces trois accélérations — qui pourraient durer aussi peu de temps que l'on veut, par exemple quelques secondes — puissent donner lieu à une différence de 113 ans dans le temps propre. Mais ce n'est que l'analogue, pour l'espace-temps, d'un fait bien connu en géométrie ordinaire : à savoir que la somme des deux côtés d'un triangle peut être (disons) 113 mètres plus longue que le troisième côté.

264. Une méprise plus subtile — commise même dans certains textes de physique — est d'accepter la prédiction einsteinienne pour l'effet des jumeaux mais de prétendre que la déduction de celle-ci nécessite la relativité *générale*. C'est faux. On peut parfaitement analyser l'effet des jumeaux en utilisant uniquement (comme nous l'avons fait) un système de référence *inertiel* (par exemple, celui de la Terre, ou n'importe quel autre) pour calculer les temps propres. Il n'y a aucune *nécessité* d'utiliser « le système de référence de Paul ». Toutefois, on a le *droit* de réanalyser le problème à partir de ce système-ci ; et, puisqu'il n'est pas inertiel, une telle analyse requiert certains outils liés à la relativité générale. On arrive, après des raisonnements bien plus longs (qui font intervenir le décalage gravitationnel vers le rouge), à la même prédiction pour le retard de l'horloge du voyageur.

entre l'esprit et le corps. Comme nous venons de le voir, ce n'est nullement le cas ; soulignons néanmoins que les conclusions de l'effet des jumeaux appliquées à des êtres conscients ne supposent pas d'hypothèses particulièrement matérialistes. En effet, il suffit de noter que les rythmes biologiques fonctionnent essentiellement comme des horloges et que, en vertu justement du principe de relativité, le rapport entre les âges biologiques des *corps* de Pierre et Paul [265] sera exactement égal au rapport des temps écoulés sur leurs montres. Et quelle que soit l'opinion qu'on a sur la relation entre l'esprit et le corps, il est difficile d'imaginer un esprit qui se souvient d'avoir vécu soixante-dix ans dans un corps de vingt ans !

Vladimir Jankélévitch

En 1931, le philosophe Vladimir Jankélévitch consacre un livre à Bergson et y discute *Durée et simultanéité*. Parlant de « la fausse optique d'intellectualisme » qui donne lieu aux « sophismes de Zénon aussi bien que des paradoxes d'Einstein », il écrit :

> Bergson ne consacre-t-il pas tout un livre à montrer que les apories soulevées par la théorie de la Relativité naissent en général de cette distance trompeuse, et pourtant si nécessaire, qui s'interpose entre l'observateur et la chose observée ? Les temps fictifs du relativiste sont des temps « où l'on n'est pas » : comme ils nous sont devenus extérieurs, ils se disloquent, par un effet de réfraction illusoire, en durées multiples où la simultanéité s'étire en succession. (p. 37)

---

265. Manifestés, par exemple, par le grisonnement des cheveux, les rides de la peau, etc.

Et, un peu plus loin :

> Mais que le spectateur monte à son tour sur la scène
> et se mêle aux personnages du drame, que l'esprit, ces-
> sant de se retrancher dans l'impassabilité d'un savoir
> spéculatif, consente à participer de sa propre vie, —
> et aussitôt nous verrons Achille rattraper la tortue, les
> javelots atteindre leur but, le temps universel de tout
> le monde chasser, comme un mauvais rêve, les vains
> fantômes du physicien. (p. 38)

Même si le style est fort littéraire, Jankélévitch semble
admettre que la théorie de la relativité (« les vains fan-
tômes du physicien ») et les idées de Bergson sont bel et
bien *en contradiction*. Évidemment, il ne se demande
pas de quel côté pencherait la balance si l'on comparait
les théories d'un point de vue expérimental [266].
  Dans le paragraphe suivant il continue :

> Le livre *Durée et simultanéité* nous offre ici encore une
> réponse des plus nettes. Dans cet écrit les paradoxes
> d'Einstein obligent Bergson à faire une fois pour toutes
> le départ du réel et du fictif. [...] D'un côté tout ce
> qui appartient au philosophe ou au métaphysicien ; de
> l'autre tous les symboles de la physique. Réelle, ou
> métaphysique, la durée que j'*expérimente* personnelle-
> ment à l'intérieur de mon « système de référence » ;
> symboliques, les durées que j'*imagine* vécues par des
> voyageurs fantasmatiques [...] La pensée symbolique
> ne puise donc plus le réel à sa source [...] (p. 39-41,
> italiques dans l'original)

Ici Jankélévitch ne fait que répéter l'erreur de Bergson,
en refusant d'admettre que le temps t', qui est en réalité
celui *mesuré* par le système de référence S' — et aussi
vécu et *expérimenté* si l'observateur S' est un être
humain — est tout aussi « réel », quel que soit le sens

---

266. Déjà à l'époque, il existait un grand nombre de données
expérimentales en faveur de la théorie de la relativité, même si les
expériences similaires à l'effet des jumeaux n'avaient pas encore
été faites. Voir, par exemple, Becquerel (1922) et Metz (1923).

qu'on donne à ce mot, que le temps t mesuré/vécu/expérimenté par le système de référence S.

Maurice Merleau-Ponty

L'un des plus illustres philosophes de notre époque est sans doute Maurice Merleau-Ponty. Dans son cours au Collège de France portant sur « Le concept de nature » (1956-57), il consacre une longue partie à « la science moderne et l'idée de la nature » et une section de celle-ci au « temps ». À propos de la relativité, il écrit :

> Après la critique du temps absolu et du temps unique par Einstein, on ne pouvait plus se représenter, sans plus, le temps selon les conceptions classiques. Mais s'il est vrai qu'il y a négation de l'idée de simultanéité appliquée à l'ensemble de l'univers, et donc de l'unicité du temps, il y a deux manières de comprendre cette idée : soit d'une manière paradoxale qui consiste à prendre le contre-pied du sens commun en affirmant la pluralité des temps, soit au niveau même où se situe le sens commun, comme traduction psychologique et donc exotérique des conceptions physiques [...] [O]n peut présenter [la physique relativiste] comme un remplacement du sens commun, et on a alors souvent une ontologie naïve ; on peut, au contraire, [la] présenter [...] en se contenant de dire ce que la science dit assurément, et en y voyant des données dont doit tenir compte toute élaboration ontologique. (Merleau-Ponty 1995, p. 145)

Le premier point de vue, auquel Merleau-Ponty reproche sa « manière paradoxale » et son « ontologie naïve », est évidemment celui des physiciens qui, en effet, opère « un remplacement du sens commun ». Merleau-Ponty entend clairement développer le deuxième point de vue. Après un rappel (un peu confus) des énoncés de la relativité, qui se termine avec l'effet des jumeaux, il ajoute :

On éprouve un certain malaise devant de tels paradoxes. [...] [I]l faut rappeler ce que Bergson disait à
propos des équations de Lorentz, dans *Durée et simultanéité*. Le physicien ayant mis sur pied un système
qui permet de passer d'une référence à une autre ne
peut le faire qu'en prenant pied dans un système qu'il
immobilise par rapport à d'autres qui apparaissent
comme mobiles. Il est nécessaire d'admettre un point
de station, et de supposer qu'en d'autres points le
temps n'est pas le même pour les observateurs qui
viendraient à y être placés. Mais dans ce cas, il n'y a
qu'un seul temps vécu, les autres ne sont qu'attribués.
(p. 147)

Tout d'abord, on peut comprendre le malaise de Merleau-Ponty : les affirmations de la relativité sont en
effet choquantes à première vue. Mais il faut souligner
qu'elles sont « paradoxales » pour autant qu'elles
contredisent nos *préjugés*, nullement au sens où elles
contiennent une quelconque contradiction logique[267].
Et ces prévisions « paradoxales » ont été vérifiées
expérimentalement (du moins pour les horloges) ; nos
préjugés sont simplement *faux* (bien qu'ils soient de
très bonnes approximations lorsque les vitesses sont
petites par rapport à celle de la lumière). Tout le reste
du passage n'est qu'une réitération des erreurs de
Bergson sur les temps « attribués ».

---

267. Merleau-Ponty semble ne pas le comprendre, car il écrit
dans un autre article à propos de la relativité : « Or cette raison
physicienne [...] abonde en paradoxes, et se détruit, par exemple,
quand elle enseigne que mon présent est simultané avec l'avenir
d'un autre observateur assez éloigné de moi, et ruine ainsi le sens
même de l'avenir » (Merleau-Ponty 1968, p. 320). Soulignons
encore une fois que la relativité « ruine » uniquement le sens *intuitif*
de l'avenir que Merleau-Ponty, tout comme Bergson, semble obs-
tiné à préserver à tout prix. Notons aussi que Merleau-Ponty a peut-
être, comme le soutient Jean Khalfa (1998, p. 239-240), un point
de vue philosophique différent de celui de Bergson. Mais ce qui
est certain c'est qu'il n'a pas du tout compris en quoi les idées de
Bergson contredisent la théorie de la relativité.

Merleau-Ponty enchaîne en disant que

> Cette opération étant réversible, il revient au même de fixer le point de station en S ou en S'. (p. 147)

Il semble vouloir en conclure, comme Bergson, que les jumeaux auront le même âge (et que leurs montres indiqueront la même heure) à la fin du voyage. Mais, contrairement à l'exposé de Bergson, l'« élaboration ontologique » de Merleau-Ponty ne débouche sur aucun énoncé clair à propos de cette question cruciale.

Gilles Deleuze

En 1968, Deleuze publie un ouvrage sur *Le Bergsonisme*, dont le chapitre 4 est consacré à « Une ou plusieurs durées ? ». On y trouve le résumé suivant de *Durée et simultanéité* :

> Retenons sommairement les traits principaux de la théorie d'Einstein, telle que Bergson la résume : tout part d'une certaine idée du mouvement qui entraîne une contraction des corps et une dilatation du temps ; on en conclut à une dislocation de la simultanéité, ce qui est simultané dans un système fixe cessant de l'être pour un système mobile ; bien plus, en vertu de la relativité du repos et du mouvement, en vertu de la relativité du mouvement même accéléré, ces contractions d'étendue, ces dilatations de temps, ces ruptures de simultanéité deviennent absolument réciproques [...] (Deleuze 1968b, p. 79)

Tout le problème vient justement de l'idée (qui n'est nullement celle d'Einstein) de « la relativité du mouvement *même accéléré* ». Comme on l'a vu plus haut, si l'on admettait cette relativité, on devrait dire, par symétrie, que les jumeaux auront le même âge lorsqu'ils se rencontrent. Mais la relativité des mouvements *accélérés* n'existe tout simplement pas.

La suite du texte ne fait que répéter les erreurs de

Bergson sur les temps « attribués ». Deleuze « précis-s[e] » ainsi la « démonstration bergsonienne du caractère contradictoire de la pluralité des temps » :

> Einstein dit que le temps des deux systèmes, S et S', n'est pas le même. Mais quel est cet *autre* temps ? Ce n'est ni celui de Pierre en S, ni celui de Paul en S', puisque, par hypothèse, ces deux temps ne diffèrent que quantitativement, et que cette différence s'annule quand on prend tour à tour S et S' comme systèmes de référence. [...] Bref, l'*autre* temps est quelque chose qui ne peut être vécu ni par Pierre ni par Paul, ni par Paul tel que Pierre se l'imagine [...] Ainsi, dans l'hypothèse de la Relativité, il devient évident qu'il ne peut y avoir qu'un seul temps vivable et vécu. (p. 84-85, italiques dans l'original)

> Bref, ce que Bergson reproche à Einstein d'un bout à l'autre de *Durée et Simultanéité*, c'est d'avoir confondu le virtuel et l'actuel (l'introduction du facteur symbolique, c'est-à-dire d'une fiction, exprime cette confusion). (p. 87)

Et Deleuze défend Bergson contre les critiques des physiciens :

> On a souvent dit que le raisonnement de Bergson impliquait un contresens sur Einstein. Mais souvent aussi, on a fait un contresens sur le raisonnement de Bergson lui-même. [...] Ce qu'il reproche à la Relativité, c'est [... que] l'image que je me fais d'autrui, ou que Pierre se fait de Paul, est alors une image qui ne peut pas être vécue ou pensée comme vivable sans contradiction (par Pierre, par Paul, *ou par Pierre tel qu'il imagine Paul*). En termes bergsoniens, ce n'est pas une image, c'est un « symbole ». Si l'on oublie ce point, tout le raisonnement de Bergson perd son sens. (p. 85, note, italiques dans l'original)

Effectivement ! Mais le temps t' n'est pas seulement un « symbole » ou une « fiction », et il n'y a aucune contradiction dans la relativité.

On retrouve des idées similaires, bien qu'exprimées

de façon beaucoup plus confuse, dans *Mille Plateaux* (1988, p. 603-604) et dans *Qu'est-ce que la philosophie ?* (1991, p. 125-126).

Erreur terminée et erreur interminable

L'un d'entre nous (J.B.) a entendu parler pour la première fois de la théorie de la relativité (il y a trente ans) à travers la prétendue réfutation de Bergson. Plusieurs générations de philosophes ont également « appris » la relativité dans *Durée et simultanéité*. Or, cet ouvrage n'est pas seulement un livre de philosophie : c'est aussi un livre de physique, bien qu'erroné. Qu'un tel livre, vieux de soixante-quinze ans, soit toujours en vente, contrairement à l'excellent exposé de Metz[268], en dit long sur le prestige dont jouit Bergson[269]. Cette tradition illustre aussi les problèmes auxquels on s'expose lorsqu'on cherche à découvrir la structure du monde réel en se fondant principalement sur son intuition.

Plus récemment, dans un appendice d'un livre destiné au grand public, Prigogine et Stengers terminent une discussion très technique en déclarant :

> Ainsi, l'introduction de processus dynamiques instables permet-elle de réconcilier l'idée fondamentale d'Einstein de temps multiples attachés à différents

---

268. Qui explique très pédagogiquement la relativité et réfute non seulement *Durée et simultanéité* mais bien d'autres critiques erronées de la relativité. Voir Metz (1923, 1926).

269. Certains commentateurs (par exemple Portevin 1997) ont vu dans cette remarque une volonté de censure de notre part. Mais ce n'est nullement de cela qu'il s'agit. Nous pensons effectivement que le livre de Bergson présente un intérêt principalement historique et que, d'un point de vue scientifique, il est presque entièrement faux. Malheureusement, cela n'est pas compris par tous, en particulier par les auteurs de l'« Avertissement » que l'on trouve au début de l'édition actuellement disponible. Nous regrettons également le relatif manque de bons livres de vulgarisation, en français, sur la théorie de la relativité.

observateurs avec l'existence d'un devenir universel
défendu par Bergson. (Prigogine et Stengers 1988,
p. 202)

Les erreurs qui les mènent à cette conclusion sont fla-
grantes mais elles sont aussi fort techniques [270]. Dans
le premier tome de sa série *Cosmopolitiques* (1996),
Isabelle Stengers discute de philosophie des sciences
et rappelle en note « la critique de Bergson à l'encontre
de la relativité d'Einstein » (p. 20), sans signaler que
cette critique est fondée sur de profondes confusions.
Plus récemment encore, dans une biographie de
Bergson parue en 1997, on parle, à propos de *Durée
et simultanéité*, d'une « confrontation scientifique qui
reste en partie à mener [271] ». Décidément, il y a des
erreurs qui refusent de disparaître.

---

270. [Pour les experts : Prigogine et Stengers associent, à
chaque solution $\psi(x, t)$ de l'équation d'onde, une fonction $\langle T \rangle(x, t)$
qu'ils appellent « temps interne ». Ils affirment que « le champ [ψ]
lui-même est Lorentz-invariant » (p. 200), ce qui est faux : une
transformation de Lorentz applique le champ $\psi(x, t)$ sur une *autre*
solution de l'équation d'onde. Leur assertion que la fonction $\langle T \rangle(x, t)$
est Lorentz-invariante (p. 202) est donc également fausse. Peut-être
veulent-ils dire seulement que l'*application* $\psi \mapsto \langle T \rangle$ est Lorentz-
*co*variante, mais cette propriété de covariance n'implique nulle-
ment les conclusions qu'ils veulent en tirer, et en particulier ne
soutient nullement l'idée bergsonienne d'un « temps universel ».

271. Soulez (1997, p. 197). Cela malgré le fait que l'auteur fait
référence aux excellentes critiques de Metz (1923, 1926) et de Barreau (1973).

12

ÉPILOGUE

Dans ce dernier chapitre, nous tenterons de répondre à un certain nombre de questions historiques, sociologiques et politiques assez générales qui sont soulevées tant par la parodie que par les textes analysés ici. Nous nous contenterons d'expliquer notre point de vue sans le justifier en détail, en insistant sur le fait que nous ne prétendons à aucune compétence particulière dans ces domaines. Si nous ne voulons pas rester silencieux sur ces questions, c'est principalement pour éviter qu'on nous attribue des idées ou des intentions qui ne sont nullement les nôtres (ce qui a déjà été fait) et pour démontrer que, sur un bon nombre de problèmes, notre position est en fait assez nuancée.

Pour le dire en un mot, la plupart des questions tournent autour du postmodernisme, courant intellectuel qui est supposé avoir supplanté la pensée rationaliste moderne[272]. Néanmoins, le terme « postmodernisme » recouvre une galaxie mal définie d'idées — allant de l'art et de l'architecture aux sciences humaines et la

---

272. Nous ne souhaitons nullement entrer dans une discussion terminologique concernant la distinction entre « postmodernisme », « poststructuralisme », etc. Pour simplifier, nous utiliserons le mot « postmodernisme », en soulignant que nous nous concentrons sur un courant philosophique et intellectuel, et que la validité de nos arguments ne dépend pas de l'usage d'un mot.

philosophie — et nous ne souhaitons nullement aborder la plupart de ces domaines [273]. Nous nous limiterons à certains aspects intellectuels qui ont eu un impact en sciences humaines et en philosophie, à savoir l'engouement pour des discours obscurs, le relativisme cognitif lié à un scepticisme généralisé vis-à-vis du discours scientifique, l'intérêt excessif pour les croyances subjectives indépendamment de leur valeur de vérité, et l'importance accordée au discours et au langage par opposition aux faits auxquels ceux-ci font référence (ou, pire, le rejet de l'idée même qu'il y ait des faits ou qu'on puisse y faire référence).

Soulignons d'abord que pas mal d'idées postmodernes, exprimées sous une forme modérée, apportent une correction nécessaire au modernisme naïf (croyance au progrès indéfini et continu, scientisme, eurocentrisme culturel, etc.). C'est la version radicale du postmodernisme que nous mettons en cause, ainsi qu'un certain nombre de confusions mentales qu'on retrouve dans des versions plus modérées et qui sont en quelque sorte héritées de la version radicale [274].

Nous commencerons par envisager les tensions qui ont toujours existé entre scientifiques et littéraires mais qui semblent s'être aggravées ces dernières années, ainsi que les perspectives d'un dialogue fructueux entre sciences exactes et sciences humaines. Nous aborderons ensuite la question des sources intellectuelles et historiques, entre autres politiques, du postmodernisme et du relativisme. Finalement, nous discuterons leurs effets négatifs, tant sur le plan culturel que politique.

---

273. Nous n'avons pas d'opinions tranchées sur le postmodernisme en art, en architecture, ou en littérature.

274. Voir aussi Epstein (1997) pour une distinction utile entre les versions « faible » et « forte » du postmodernisme.

Pour un véritable dialogue entre les « deux cultures »

Notre époque semble placée sous le signe de la pluridisciplinarité. Même si le risque d'une perte de rigueur liée à la dilution de la spécialisation est inquiétant, les avantages d'un contact entre les savoirs ne peuvent être ignorés. Et loin de vouloir mettre fin à une interaction entre les sciences physico-mathématiques et les sciences humaines, notre but est plutôt de souligner quelques conditions nécessaires à l'instauration d'un véritable dialogue.

Ouvrons d'abord une parenthèse. Au cours des dernières années, on a assisté au développement d'une soi-disant « guerre des sciences[275] ». Comment a-t-on pu inventer une expression si malheureuse ? Qui peut bien faire la guerre et à qui ?

Depuis longtemps, les sciences et les techniques suscitent un certain nombre de débats politiques et philosophiques : sur les armements et l'énergie nucléaires, le programme du génome humain, la sociobiologie, et bien d'autres sujets. Mais ces débats ne constituent nullement une « guerre des sciences ». En effet, il existe différentes positions raisonnables dans ces débats qui sont soutenues tant par des scientifiques que par des non-scientifiques, en utilisant des arguments (scientifiques et éthiques) qui peuvent être évalués rationnellement par toutes les personnes concernées, quelle que soit leur profession.

---

275. Il semble que cette expression ait été utilisée pour la première fois par Andrew Ross, un des éditeurs de *Social Text* (Ross 1995) ; elle fut reprise ensuite comme titre du numéro spécial de cette revue où est parue la parodie. En Europe, Isabelle Stengers l'a utilisée comme titre du premier tome de sa série *Cosmopolitiques* (1996). Ce ne sont donc pas « les amis de Sokal » qui ont inventé cette expression, comme semblent le penser Amy Dahan Dalmedico et Dominique Pestre (1998, p. 103) ; en ce qui nous concerne, nous avons toujours évité d'utiliser cette expression, sauf pour la critiquer.

Cependant, certains développements récents peuvent laisser craindre qu'on assiste à tout autre chose. Par exemple, les chercheurs en sciences humaines peuvent légitimement se sentir menacés par l'idée selon laquelle la neurophysiologie et la sociobiologie vont remplacer les sciences humaines traditionnelles. Réciproquement, les chercheurs en sciences exactes peuvent se sentir attaqués lorsque Feyerabend parle de la science comme d'une « superstition particulière[276] » ou quand certains courants de la sociologie des sciences donnent l'impression de mettre astronomie et astrologie sur le même pied[277].

Pour apaiser ces craintes, il faut sans doute distinguer entre les prétentions des programmes de recherche, qui ont tendance à être grandioses, et les réalisations scientifiques effectives, qui sont généralement plutôt modestes. Si les principes de base de la chimie reposent aujourd'hui entièrement sur la mécanique quantique, donc sur la physique, la chimie comme activité autonome n'a pas pour autant disparu (même si certaines de ses branches se sont rapprochées de la physique). De même, si un jour la base biologique de notre comportement était suffisamment bien comprise pour servir de fondement à l'étude de l'humain, il n'y aurait aucune raison de craindre que les disciplines actuellement appelées « sciences humaines » disparaissent ou deviennent de simples branches de la biologie[278]. Réciproquement, les scientifiques n'ont rien à craindre d'une vision réaliste — historique et sociologique — de l'activité scientifique, pourvu

---

276. Voir Feyerabend (1979, p. 348).
277. Voir, par exemple, Barnes, Bloor et Henry (1996, p. 41) ; et pour une critique perspicace, voir Mermin (1998b).
278. Ce qui ne veut pas dire qu'elles ne seraient pas profondément modifiées, comme l'a été la chimie.

qu'on évite un certain nombre de confusions épistémologiques [279].

Mettons donc de côté la « guerre des sciences », et
cherchons à dégager certains enseignements que la lecture des textes rassemblés ici nous suggère en ce qui
concerne les sciences humaines et leurs relations avec
les sciences exactes [280].

1. *Savoir de quoi on parle*. Si l'on tient à parler des
sciences exactes — et nul n'est obligé de le faire —, il
faut s'informer sérieusement et éviter de dire n'importe
quoi sur leur contenu ou sur leur épistémologie. Cette
remarque est banale, mais nous avons suffisamment
montré qu'elle est souvent ignorée, même (ou surtout)
par des intellectuels célèbres.

Il est évidemment légitime de réfléchir philosophiquement au contenu des sciences. Il y a de nombreux
concepts utilisés par les scientifiques qui sont loin
d'être entièrement clairs, comme la notion de loi, d'explication ou de causalité. Une réflexion philosophique
sur ces notions est certainement utile. Mais, pour aborder ces sujets, il faut bien connaître les théories scientifiques en question [281], au lieu d'exposer sa propre
incompréhension à longueur de pages (comme le font,
par exemple, Bergson et certains de ses successeurs).

2. *Tout ce qui est obscur n'est pas nécessairement
profond*. Il faut distinguer entre des discours qui sont

---

279. Voir Sokal (1998) pour une liste assez détaillée, bien que
non exhaustive, de ce que nous considérons comme des tâches
importantes pour l'histoire et la sociologie des sciences.

280. Soulignons que ce qui suit n'est certainement pas une liste
complète des conditions requises pour qu'un dialogue fructueux
s'instaure entre les sciences humaines et exactes, mais simplement
une réflexion sur les leçons suggérées *par la lecture des textes
rassemblés dans ce livre*. Pas mal d'autres critiques peuvent être
faites sur les sciences humaines et sur les sciences exactes, mais
elles vont au-delà de la présente discussion.

281. Comme exemples positifs de cette démarche, citons entre
autres les travaux d'Albert (1992) et de Maudlin (1994) sur les
fondements de la mécanique quantique.

difficiles d'accès à cause du sujet traité et ceux dont la vacuité ou la banalité sont soigneusement cachées par l'obscurité délibérée des propos. Ce problème n'est d'ailleurs pas spécifique aux sciences humaines : il existe de nombreux articles en physique ou en mathématiques qui utilisent un langage plus compliqué qu'il n'est strictement nécessaire. Il est parfois difficile de déterminer le type de difficulté que l'on rencontre, et les auteurs accusés d'utiliser un langage obscur répondent fréquemment que les ouvrages de sciences exactes utilisent également un langage technique qui ne peut être maîtrisé qu'après de longues études. Il nous semble néanmoins qu'on peut tenter de distinguer entre les deux genres de difficulté. Premièrement, dans les cas de difficulté légitime, on peut expliquer en termes simples, à un certain niveau, quels phénomènes la théorie cherche à étudier, quels sont ses principaux résultats et quels sont les arguments les plus forts en sa faveur [282]. Deuxièmement, on peut indiquer un chemin, peut-être très long, qui mène progressivement à une connaissance plus approfondie du sujet. Par contre, certains discours obscurs donnent l'impression qu'on invite le lecteur à faire un saut qualitatif ou une expérience semblable à une révélation, pour accéder à leur compréhension [283]. De nouveau, on ne peut s'empêcher de penser aux habits du roi qui était nu [284].

3. *La science n'est pas un « texte »*. Les sciences exactes ne sont pas un réservoir de métaphores prêtes

---

282. Pour ne prendre que quelques exemples, citons Feynman (1980) en physique, Dawkins (1989) en biologie, et Pinker (1995) en linguistique. Nous ne sommes pas nécessairement d'accord avec toutes les assertions de ces auteurs, mais nous les considérons comme des modèles de clarté.

283. Pour un commentaire similaire, voir les propos de Noam Chomsky recueillis par Barsky (1997, p. 197-198).

284. Nous ne voulons pas être trop pessimistes, mais remarquons que le conte sur les habits neufs de l'empereur se termine ainsi : « Et les chambellans allèrent, portant la traîne qui n'existait pas. »

à être utilisées en sciences humaines. Un non-scientifique peut être tenté d'isoler, dans une théorie scientifique, des « thèmes » généraux qui peuvent être résumés en quelques mots comme « incertitude », « discontinuité », « chaos » ou « non-linéarité », puis analysés de façon purement verbale. Néanmoins, les théories scientifiques ne sont pas comme des romans : leurs termes ont un sens *précis*, qui diffère de façon subtile mais cruciale de leur sens courant et qu'ils acquièrent uniquement à l'intérieur d'un ensemble théorico-expérimental complexe. Si on les utilise à des fins de métaphore, on s'expose facilement à des contresens [285].

4. *Ne pas imiter les sciences exactes*. Les sciences humaines ont leurs propres méthodes et n'ont nul besoin de suivre chaque « changement de paradigme » (réel ou imaginaire) en physique ou en biologie. Par exemple, même si les lois physiques au niveau atomique sont exprimées actuellement dans un langage probabiliste, cela n'empêche pas que des théories déterministes puissent être valides (avec une très bonne approximation) à d'autres niveaux, par exemple en mécanique des fluides ou même éventuellement (et plus approximativement encore) pour certains phénomènes sociaux ou économiques. Réciproquement, même si les lois physiques fondamentales étaient parfaitement déterministes, notre ignorance nous forcerait à introduire un grand nombre de modèles probabilistes pour étudier les phénomènes à d'autres niveaux, comme les gaz ou les sociétés. De plus, même si l'on

---

285. Par exemple, une amie sociologue nous a demandé, non sans raison : n'est-il pas contradictoire que la mécanique quantique possède à la fois un caractère « discontinu » et « interconnecté » ? Ces propriétés ne sont-elles pas opposées l'une à l'autre ? La réponse brève est que ces propriétés caractérisent la mécanique quantique *dans des sens très spécifiques* — qui nécessitent une connaissance mathématique de la théorie pour être bien compris — et que, dans *ces sens-là*, ces notions ne sont pas contradictoires.

adopte une attitude *philosophique* réductionniste, celle-ci n'oblige pas le chercheur à suivre une *méthodologie* réductionniste[286]. En pratique, il y a tant d'ordres de grandeur qui séparent les molécules des fluides ou des cerveaux, que les modèles et les méthodes utilisés pour étudier les uns et les autres peuvent être très différents, si bien qu'établir un lien direct entre les deux n'est pas forcément une priorité. Autrement dit, le type d'approche dans chaque domaine de recherche devrait dépendre des phénomènes spécifiques qu'on cherche à y étudier. Après tout, les psychologues n'ont pas besoin de s'appuyer sur la mécanique quantique pour soutenir que *dans leur domaine* « l'observation affecte l'observé » ; c'est une banalité, quel que soit le comportement des électrons ou des atomes.

De plus, il y a tant de phénomènes, même en physique, qui sont imparfaitement compris, du moins pour le moment, qu'il n'y a aucune raison de chercher à singer les sciences exactes lorsqu'on veut aborder des problèmes humains complexes. Il est parfaitement légitime de se tourner vers l'intuition ou la littérature pour avoir une forme de compréhension, non scientifique, de certains aspects de l'expérience humaine qui échappent à une compréhension plus rigoureuse.

5. *Contre l'argument d'autorité.* Si les sciences humaines veulent profiter des succès indubitables des sciences exactes, elles pourraient, plutôt que d'extrapoler les concepts techniques de celles-ci, s'inspirer de ce qu'il y a de meilleur dans leurs principes méthodologiques : en premier lieu, évaluer la validité d'une proposition en fonction des faits et des raisonnements qui la soutiennent, et non de l'identité ou des qualités de la personne qui l'énonce.

Insistons sur le fait qu'il s'agit ici de principes et qu'il arrive fréquemment en sciences exactes que ceux-

---

286. Voir, par exemple, Weinberg (1997, chapitre III) et Weinberg (1995).

ci soient partiellement ou même totalement ignorés en pratique : les scientifiques sont des êtres humains et ils ne sont insensibles ni aux phénomènes de mode, ni à l'adulation des génies. Il n'empêche que ce qu'on pourrait appeler « l'épistémologie des Lumières » nous a légué une méfiance totalement justifiée envers l'interprétation de textes sacrés (et des textes qui ne sont pas religieux au sens usuel du terme peuvent très bien remplir ce rôle) ainsi qu'envers l'argument d'autorité.

Nous avons rencontré à Paris un étudiant qui, après avoir brillamment terminé une maîtrise de physique, s'est tourné vers la philosophie et en particulier vers Deleuze. Il s'efforçait de comprendre *Différence et répétition*. Ayant lu les passages mathématiques que nous critiquons, il admettait qu'il ne voyait pas où Deleuze voulait en venir. Néanmoins, la réputation de profondeur dont jouit ce philosophe était telle qu'il hésitait à en conclure que si lui-même, après avoir étudié le calcul différentiel et intégral pendant plusieurs années, ne comprenait pas ces textes, c'est probablement parce qu'ils ne voulaient rien dire. Il nous semble, au contraire, que cet exemple aurait dû l'inciter à analyser de façon plus critique le reste de l'œuvre de Deleuze.

6. *Ne pas mélanger scepticisme spécifique et scepticisme radical*. Il faut distinguer soigneusement entre deux types de critique envers les sciences : celles qui s'opposent à une théorie particulière en fonction d'arguments spécifiques, et celles qui répètent sous une forme ou une autre les arguments traditionnels du scepticisme radical. Les premières peuvent être intéressantes, mais peuvent aussi être réfutées, tandis que les deuxièmes sont irréfutables mais inintéressantes (puisque universelles). Il est important de ne pas mélanger les arguments : car si l'on veut faire de la science, qu'elle soit physique ou sociale, il faut abandonner les doutes radicaux concernant la logique ou la possibilité de connaître le monde au moyen de l'expé-

rience. Évidemment, on peut toujours douter de n'importe quelle théorie particulière. Mais les arguments sceptiques généraux avancés pour étayer ces doutes sont sans pertinence aucune, à cause justement de leur généralité.

7. *L'ambiguïté utilisée comme subterfuge.* Nous avons rencontré pas mal de textes ambigus qui peuvent être interprétés de deux façons différentes : comme une affirmation vraie mais relativement banale, ou comme une affirmation radicale mais manifestement fausse. Nous ne pouvons nous empêcher de penser que, dans un bon nombre de cas, ces ambiguïtés sont délibérées. En effet, elles offrent un avantage certain dans les joutes intellectuelles : l'interprétation radicale peut servir à attirer les lecteurs ou auditeurs relativement inexpérimentés ; et si l'absurdité de celle-ci est mise en évidence, on peut toujours répondre qu'on est mal compris, et se rabattre sur l'interprétation banale.

Comment en est-on arrivé là ?

Dans les débats qui ont suivi la publication du canular, il nous a souvent été demandé : pourquoi et comment les courants que vous critiquez se sont-ils développés ? Il s'agit là d'une question de sociologie et d'histoire des idées, extrêmement compliquée et sur laquelle nous n'avons pas d'opinion tranchée. Nous voulons soumettre quelques idées à la réflexion du lecteur, en insistant beaucoup sur l'aspect conjectural de ces remarques ainsi que sur leur caractère incomplet (il y a sûrement d'autres éléments que nous sous-estimons ou auxquels nous n'avons pas pensé). De plus, comme toujours dans ce genre de phénomène social complexe, il existe un mélange entre causes de nature très diverse. Nous nous limiterons dans cette section aux facteurs qui sont proprement académiques, et nous envisagerons ceux qui sont d'origine politique dans la section suivante.

1. *L'oubli de l'empirique*. Pendant longtemps, il a été de bon ton de dénoncer l'empirisme ; et si par « empirisme » on entend une méthode fixe permettant d'extraire des théories à partir des faits, nous ne pouvons qu'approuver. L'activité scientifique a toujours comporté une interaction complexe entre observation et théorie, et les scientifiques le savent depuis longtemps[287]. La science soi-disant « empiriste » n'est qu'une caricature appartenant aux mauvais manuels scolaires.

Néanmoins, il faut bien justifier nos théories sur le monde physique ou social d'une façon ou d'une autre ; or, si l'on abandonne l'apriorisme, l'argument d'autorité et la référence à des textes sacrés, il ne reste pas grand-chose d'autre comme méthode que la confrontation des théories aux observations et aux expériences. Il ne faut nullement être poppérien strict pour admettre que toute théorie a besoin d'être soutenue, au moins indirectement, par des arguments empiriques afin d'être prise au sérieux.

Certains des textes que nous avons cités ignorent complètement l'aspect empirique de la science et se concentrent exclusivement sur le formalisme théorique et le langage. À les lire, on a l'impression qu'un discours est scientifique dès qu'il est superficiellement cohérent, même s'il n'est jamais soumis à des tests empiriques. Ou, pire encore, qu'il suffit de plaquer des formules mathématiques sur des problèmes pour faire avancer la recherche.

2. *Le scientisme en sciences humaines*. Ce deuxième point peut paraître bizarre : le scientisme n'est-il pas l'apanage des physiciens ou des biologistes qui veulent

---

287. Pour prendre la mesure de la complexité de l'interaction entre observation et théorie, voir Weinberg (1997, chapitre V) et Einstein (1949).

« tout » réduire à de la matière en mouvement, à la sélection naturelle ou à l'ADN ? Oui et non. Définissons, pour les besoins de la discussion, le scientisme comme l'illusion que des méthodes simplistes mais soi-disant « objectives » ou « scientifiques » peuvent permettre de résoudre des problèmes fort complexes (d'autres définitions sont certainement possibles). Le problème auquel on se heurte sans arrêt lorsqu'on succombe à de telles illusions, c'est qu'on oublie des parties importantes de la réalité simplement parce qu'elles ne rentrent pas dans le cadre posé *a priori*. Les exemples de scientisme sont nombreux en sciences humaines : on peut penser, entre autres, à certains courants en sociologie quantitative, en économie néo-classique, dans le behaviorisme, dans la psychanalyse ou dans le marxisme [288]. Souvent, on part d'un ensemble d'idées ayant une certaine validité dans un domaine donné et, au lieu de chercher à les tester et éventuellement à les corriger, on les étend au-delà de toute raison.

Malheureusement, le scientisme a souvent été confondu — tant par ses partisans que par ses détracteurs — avec l'attitude scientifique. Dans cette situation, la réaction tout à fait justifiée contre le scientisme en science humaine a parfois donné lieu à une réaction tout aussi injustifiée contre l'attitude scientifique comme telle — et ceci de la part tant des ex-partisans que des ex-opposants des vieux scientismes. Par exemple, en France après mai 68, la réaction contre le scientisme de certaines variantes plutôt dogmatiques du structuralisme et du marxisme a été un des facteurs (parmi beaucoup d'autres) qui ont contribué au surgissement du postmodernisme (« l'incrédulité à l'égard

---

288. On trouve des exemples plus récents, et encore plus extrêmes, du scientisme dans les prétendues « applications » des théories du chaos, de la complexité et de l'auto-organisation en sociologie, en histoire et en gestion des entreprises.

des métarécits », pour reprendre la célèbre phrase de Lyotard[289]). Une évolution similaire a eu lieu, dans les années 90, parmi certains intellectuels des ex-pays communistes : par exemple, le président tchèque Václav Havel a écrit que

> La chute du communisme peut être vue comme un signe que la pensée moderne — fondée sur la prémisse que le monde est objectivement connaissable, et que la connaissance ainsi obtenue peut être absolument généralisée — est entrée dans une crise finale. (Havel 1992)

On se demande pourquoi un intellectuel renommé comme Havel est incapable d'opérer la distinction élémentaire entre la science et la *prétention* injustifiée des régimes communistes à posséder une théorie soi-disant « scientifique » de l'histoire humaine.

En combinant l'oubli de l'empirique avec une solide dose de dogmatisme scientiste, on peut tomber dans les pires élucubrations, et nous en avons rencontré suffisamment d'exemples. Mais on peut également tomber dans une sorte de découragement : puisque telle ou telle méthode (simpliste) à laquelle on a cru dogmatiquement ne marche pas, alors rien ne marche, toute connaissance est impossible ou subjective, etc. On passe ainsi facilement du climat des années 60-70 au postmodernisme. Mais c'est mal identifier la source du problème.

Un des derniers avatars de l'attitude scientiste en sciences humaines est, paradoxalement, le « programme fort » en sociologie des sciences. Croire qu'on peut expliquer le contenu d'une théorie scientifique sans faire intervenir, même en partie, la rationalité de l'activité scientifique, c'est éliminer *a priori* un élément de la réalité et, à notre avis, se priver *ipso facto* de la possibilité d'une compréhension effective du phénomène. Bien entendu, toute étude scientifique doit

---

289. Lyotard (1979, p. 7).

faire des simplifications et des approximations ; et la démarche du « programme fort » serait légitime si l'on donnait des arguments empiriques ou logiques tendant à montrer que les facteurs négligés sont en effet d'une importance négligeable (ou nulle) pour les phénomènes étudiés. Mais on ne trouve pas de tels arguments ; le principe est posé *a priori*. En réalité, on fait de nécessité vertu : comme l'étude de la rationalité interne des sciences exactes est difficile pour le sociologue, on déclare qu'il est « scientifique » de l'ignorer. C'est un peu comme tenter de compléter un puzzle dont on sait que la moitié des pièces manquent.

En fin de compte, nous croyons que l'attitude scientifique, entendue dans un sens très large — un respect pour la clarté et la cohérence logique des théories et pour la confrontation de celles-ci avec les faits — est aussi pertinente en sciences humaines qu'en sciences exactes. Mais il faut être très prudent au sujet des prétentions de scientificité en sciences humaines, et cela vaut également (ou surtout) pour les courants aujourd'hui dominants en économie, en sociologie et en psychologie. Tout simplement, les problèmes traités par les sciences humaines sont extrêmement complexes, et les arguments empiriques étayant leurs théories sont souvent assez faibles.

3. *Le prestige des sciences exactes*. Il n'y a aucun doute que les sciences exactes jouissent d'un prestige énorme, y compris parmi leurs détracteurs, à cause de leurs succès théoriques et pratiques. Il est certain que les scientifiques abusent parfois de ce prestige en exhibant un sentiment de supériorité injustifié. De plus, il arrive assez souvent que des scientifiques exposent, dans la littérature de vulgarisation, des idées fort spéculatives comme si elles étaient bien établies, ou extrapolent leurs résultats en dehors du contexte où ils ont été vérifiés. Finalement, il y a une fâcheuse tendance — exacerbée sans doute par les exigences du marketing — à voir une « révolution conceptuelle radicale »

dans chaque nouveauté. Tout cela mis ensemble donne certainement au public cultivé une image déformée de l'activité scientifique.

Mais ce serait infantiliser les philosophes, les psychologues et les sociologues que de supposer qu'ils sont sans défense devant ces scientifiques et que les abus dénoncés dans ce livre sont en quelque sorte inévitables. Il est évident que personne, et en particulier aucun scientifique, n'a forcé Lacan ou Deleuze à discourir comme ils le font. On peut parfaitement être psychologue ou philosophe et, soit parler des sciences naturelles en connaissance de cause, soit ne pas en parler et s'occuper d'autre chose.

4. *Le relativisme « naturel » en sciences humaines*. Dans plusieurs branches des sciences humaines, notamment en anthropologie, une certaine attitude relativiste est méthodologiquement naturelle, en particulier lorsqu'on étudie les goûts ou les coutumes : l'anthropologue cherche à comprendre leur rôle dans une société donnée et l'on voit mal ce qu'il gagnerait en faisant intervenir dans sa recherche ses propres préférences esthétiques. De même, lorsqu'il étudie certains aspects cognitifs, par exemple la façon dont les croyances cosmologiques d'une culture fonctionnent dans le cadre de son organisation sociale, il ne s'intéresse pas principalement à la question de savoir si ces croyances sont vraies ou fausses [290].

Mais cette attitude méthodologique raisonnable entraîne parfois, à la suite de confusions de langage et de pensée, un relativisme cognitif radical, à savoir

---

290. Cette dernière question est néanmoins un peu subtile. Toutes les croyances, même mythiques, sont conditionnées, au moins en partie, par les phénomènes auxquels elles font référence. Et, comme nous l'avons vu dans le chapitre 3, le « programme fort » en sociologie des sciences, qui est une sorte de relativisme anthropologique appliqué aux sciences contemporaines, se fourvoie justement parce qu'il néglige cet aspect, qui joue un rôle prépondérant en sciences exactes.

l'idée selon laquelle les affirmations de fait — qu'il s'agisse des mythes traditionnels ou des théories scientifiques modernes — ne peuvent être considérées comme vraies ou fausses que « par rapport à une certaine culture ». Cela revient à confondre les rôles psychologiques et sociaux d'un système de pensée avec sa valeur cognitive et à ignorer la force des arguments empiriques qui peuvent être avancés en faveur d'un système ou d'un autre.

Voici un exemple d'une telle confusion : il existe au moins deux points de vue sur l'origine des Indiens d'Amérique. La théorie généralement acceptée, et fondée sur de nombreuses données archéologiques, est que leurs ancêtres sont venus d'Asie. Mais certains mythes créationnistes indiens soutiennent que leurs ancêtres ont toujours vécu en Amérique, du moins depuis l'époque où ils ont émergé d'un monde souterrain peuplé d'esprits. Un reportage du *New York Times* (22 octobre 1996) observe que beaucoup d'archéologues, « tiraillés entre leur tempérament scientifique et leurs sentiments favorables aux cultures qu'ils étudient... se rapprochent d'un relativisme postmoderne pour lequel la science est simplement un système de croyances parmi d'autres ». Par exemple, un anthropologue britannique, Roger Anyon, qui a travaillé parmi le peuple Zuni, déclare que « la science n'est qu'une façon parmi d'autres de connaître le monde. [...] [La vision du monde des Zunis] est aussi valide que le point de vue archéologique sur ce qu'est la préhistoire [291] ».

Les propos d'Anyon ont peut-être été mal reproduits par le journaliste [292], mais ce genre d'assertion n'est pas rare et nous voulons l'analyser. Remarquons tout

---

291. Johnson (1996, p. C13). Une présentation plus détaillée des vues d'Anyon se trouve dans Anyon *et al.* (1996).

292. Mais probablement pas, parce que des vues pratiquement identiques se trouvent dans Anyon *et al.* (1996).

d'abord que le mot « valide » est ambigu : faut-il l'entendre dans un sens cognitif ou dans un autre sens (par exemple, psychologique) ? Nous n'aurions aucune objection s'il s'agissait d'un sens non-cognitif, mais l'usage de l'expression « connaître le monde » suggère le contraire. Or, en philosophie comme dans le langage ordinaire, on distingue entre la *connaissance* (mot qui désigne, en gros, une opinion vraie et justifiée) et la simple *opinion* ; c'est pourquoi le mot « connaissance » a une connotation positive, alors que le mot « opinion » est plus neutre. Que veut donc dire, pour Anyon, « connaître le monde » ? S'il entend le mot « connaître » au sens traditionnel, son assertion est simplement fausse : les deux théories en question sont mutuellement incompatibles, donc ne peuvent pas être toutes deux vraies (ou même approximativement vraies)[293]. Si, au contraire, il fait simplement remarquer que différentes personnes ont des opinions différentes, alors ce qu'il dit est correct (et banal), mais il est alors singulièrement inapproprié d'utiliser le terme à connotation positive « connaissance »[294].

---

293. Lors d'un débat à l'Université de New York, où cet exemple a été mentionné, un bon nombre de personnes semblaient ne pas comprendre ou accepter cette remarque élémentaire. Le problème vient sans doute, en partie, du fait qu'ils ont redéfini la « vérité » comme une opinion qui est « localement acceptée comme vraie » ou encore comme une « interprétation » qui remplit un certain rôle psychologique ou social. Il est difficile de dire ce qui nous choque le plus : quelqu'un qui croit que les mythes créationnistes sont *vrais* (au sens usuel du terme) ou quelqu'un qui adhère systématiquement à cette redéfinition du mot « vrai ». Pour une discussion plus approfondie de cet exemple et en particulier des sens distincts qu'on peut attribuer au mot « valide », voir Boghossian (1996). Pour une tentative amusante, de la part d'un professeur de logique et d'épistémologie, d'expliquer comment ces deux théories peuvent être simultanément vraies en s'appuyant sur la mécanique quantique et la logique modale, voir Gautero (1998, p. 67).

294. Lorsque ce genre d'objections est soulevé, les anthropologues relativistes *nient* parfois qu'il existe une distinction entre la connaissance (c'est-à-dire des opinions vraies et justifiées) et la

L'anthropologue s'est probablement égaré en mélangeant ses sympathies culturelles à ses théories. Mais aucun argument ne peut justifier une telle attitude. Nous pouvons parfaitement défendre les revendications légitimes de ceux qui ont survécu à l'un des pires génocides de l'histoire sans accepter de façon naïve (ou hypocrite) les mythes créationnistes traditionnels de leurs sociétés. Après tout, si l'on veut défendre les revendications des Indiens concernant leurs terres, est-ce qu'il importe vraiment de savoir s'ils sont là « depuis toujours » ou seulement depuis 10 000 ans ? De plus, l'attitude relativiste est fort condescendante : elle traite une société complexe comme s'il s'agissait d'un tout monolithique, oublie les conflits qui la divisent et fait comme si ses représentants les plus obscurantistes en étaient les seuls porte-parole légitimes.

5. *La formation philosophico-littéraire traditionnelle*. Nous ne souhaitons nullement critiquer cette formation en tant que telle ; en effet, elle est sans doute adéquate aux objectifs qu'elle poursuit. Néanmoins, elle peut constituer un handicap lorsqu'on aborde des textes scientifiques, et cela pour deux raisons dont il vaut mieux être conscient.

Tout d'abord, l'auteur et la littéralité du texte ont, en lettres ou même en philosophie, une importance qu'elles n'ont pas en sciences. On peut fort bien étudier la physique sans lire Galilée, Newton ou Einstein, et la biologie sans lire Darwin[295]. Ce qui compte, ce

---

simple opinion, en rejetant l'idée que des opinions — même des opinions de type cognitif concernant le monde extérieur — puissent être objectivement (c'est-à-dire transculturellement) vraies ou fausses. Mais il est difficile de prendre ce point de vue au sérieux. Est-ce que des millions d'Indiens d'Amérique ne sont pas *réellement* morts suite à l'invasion européenne ? Est-ce là seulement une opinion acceptée dans certaines cultures ?

295. Ce qui ne veut pas dire que l'étudiant ou le chercheur ne peuvent pas profiter d'une lecture des ouvrages classiques. Cela dépend évidemment des qualités pédagogiques des auteurs en question. Les physiciens d'aujourd'hui peuvent lire, par exemple, Gali-

sont les arguments théoriques et factuels de ces auteurs, et non les mots qu'ils ont utilisés. Par ailleurs, leurs idées peuvent être profondément modifiées et même dépassées par le développement ultérieur de leur discipline. En outre, les qualités personnelles des scientifiques n'ont aucune pertinence pour les sciences : le mysticisme et l'alchimie de Newton, par exemple, ont de l'importance pour l'histoire de la science et plus généralement pour l'histoire de la pensée humaine, mais pas pour la physique.

Le deuxième problème vient du privilège accordé à la théorie sur l'expérience, privilège également lié à celui accordé au texte. Le lien entre une théorie scientifique et sa vérification par l'expérience est souvent extrêmement complexe et indirect. Par conséquent, un philosophe abordera de préférence les théories scientifiques sous leur angle purement conceptuel (nous aussi d'ailleurs). Mais tout le problème provient justement du fait que, si l'on ne prend pas aussi l'aspect empirique en ligne de compte, alors le discours scientifique devient effectivement un « mythe » ou une « narration » parmi d'autres.

Et la politique dans tout ça ?

> Ce n'est pas nous qui dominons les choses, semble-t-il, mais les choses qui nous dominent. Or cette apparence subsiste parce que certains hommes, par l'intermédiaire des choses, dominent d'autres hommes. Nous ne serons libérés des puissances naturelles que lorsque nous serons libérés de la violence des hommes. Si nous voulons profiter en tant qu'hommes de notre connaissance de la nature, il nous faut ajouter à

---

lée et Einstein avec plaisir et profit. Et les biologistes peuvent sûrement faire de même avec Darwin.

> notre connaissance de la nature la connaissance de la société humaine.
>
> Bertolt Brecht
> (1972 [1939-1940], p. 515-516)

Les origines du postmodernisme ne sont pas purement intellectuelles. Le relativisme philosophique, ainsi que l'œuvre de certains des auteurs analysés ici, ont eu un attrait spécifique à l'intérieur de certaines tendances politiques qu'on peut décrire (ou qui se décrivent elles-mêmes), dans un sens très large, comme étant de gauche ou progressistes. De plus, la soi-disant « guerre des sciences » est fréquemment vue comme un conflit politique entre « progressistes » et « conservateurs »[296]. Bien entendu, il existe une longue tradition antirationaliste dans certains courants politiques de droite, mais ce qui est à la fois nouveau et curieux dans le cas du postmodernisme, c'est qu'on se trouve face à une pensée antirationaliste qui séduit une partie de la gauche[297]. Nous essayerons d'analyser comment ce lien sociologique s'est établi et d'expliquer pourquoi il nous semble dû à un certain nombre de confusions. Nous nous limiterons principalement à l'analyse de la situation aux États-Unis, où le lien entre le postmodernisme et certaines tendances politiques de gauche est particulièrement clair. On peut être tenté de comparer cette situation à celle de la France des années soixante-dix, mais l'analogie serait superficielle.

Remarquons d'abord que, lorsqu'on discute d'un point de vue politique un ensemble d'idées, comme le postmodernisme, il faut distinguer soigneusement entre leur valeur intellectuelle intrinsèque, le rôle politique objectif qu'elles jouent et les raisons subjectives pour

---

296. Pour des versions extrêmes de cette idée, voir Ross (1995) et Harding (1996).

297. Mais pas seulement la gauche : voir par exemple le texte de Václav Havel cité ci-dessus (p. 283).

lesquelles différentes personnes les défendent ou les attaquent. Il faut aussi éviter de confondre l'existence d'un lien logique ou rationnel entre différentes idées et l'existence d'un lien sociologique entre celles-ci. Or, il arrive fréquemment qu'un groupe social donné partage deux idées, ou deux ensembles d'idées, A et B. Supposons que A soit relativement valide, que B le soit beaucoup moins, et qu'il n'y ait pas de véritable lien logique entre les deux. Les personnes faisant partie de ce groupe social tenteront de légitimer B en invoquant la validité de A ainsi que l'existence d'un lien sociologique entre A et B. Réciproquement, leurs adversaires tenteront de dénigrer A en utilisant la non-validité de B et le même lien sociologique [298].

L'existence d'un tel lien entre gauche et postmodernisme constitue à première vue un sérieux paradoxe. Durant la majeure partie des deux derniers siècles, la gauche s'est identifiée à la lutte de la science contre l'obscurantisme : elle a cru que la pensée rationnelle et l'analyse objective des réalités naturelles et sociales étaient des outils essentiels pour combattre les mystifications propagées par ceux qui détiennent le pouvoir, tout en étant par ailleurs des buts intrinsèquement désirables. Mais durant ces vingt dernières années, un bon nombre d'intellectuels de gauche, surtout aux États-Unis, se sont détournés de cet héritage des Lumières et ont adhéré à une forme ou à une autre de relativisme cognitif. Ce sont sur les causes de ce détournement historique que nous nous interrogeons.

Nous distinguerons trois types de sources intellectuelles et sociologiques liées à l'émergence du postmodernisme au sein de la gauche [299].

---

298. La même remarque vaut également lorsqu'un individu célèbre soutient des idées du type A et B.

299. Pour des discussions plus détaillées, voir Eagleton (1995) et Epstein (1995, 1997).

1. *Les nouveaux mouvements sociaux*. Dans les années soixante, les « nouveaux mouvements sociaux » — antiracistes, féministes et homosexuels, entre autres — ont fait leur apparition. Ils luttaient contre des formes d'oppression qui avaient été largement sous-estimées par la gauche traditionnelle. Plus récemment, certaines tendances issues de ces mouvements en sont arrivées à la conclusion qu'une forme ou une autre de postmodernisme était la philosophie répondant le plus adéquatement à leurs aspirations.

Il y a deux questions distinctes qu'il faut envisager. La première est purement conceptuelle : existe-t-il un lien logique, dans un sens ou dans l'autre, entre les nouveaux mouvements sociaux et le postmodernisme ? L'autre question est sociologique : dans quelle mesure les membres de ces mouvements ont-ils adhérés au postmodernisme, et pour quelles raisons ?

Un facteur qui a poussé les nouveaux mouvements sociaux vers le postmodernisme est, incontestablement, le désenchantement face aux orthodoxies de la gauche traditionnelle. Celle-ci, marxiste ou non, se considérait en général comme héritière légitime des Lumières et comme l'incarnation de la science et de la rationalité. De plus, le marxisme reliait explicitement le matérialisme philosophique à une théorie de l'histoire qui donnait un rôle prépondérant, parfois même exclusif, aux facteurs économiques et à la lutte des classes. Le caractère manifestement étroit de cette dernière perspective a mené certains courants dans les nouveaux mouvements sociaux à rejeter la science et la rationalité en tant que telles, ou au moins à s'en méfier.

On peut comprendre cette attitude, mais elle constitue néanmoins une erreur conceptuelle, qui est comme le reflet d'une erreur similaire commise par la gauche marxiste traditionnelle. En réalité, des théories socio-politiques concrètes ne peuvent jamais être déduites logiquement de schémas philosophiques abstraits ; et réciproquement, il n'existe pas de position philosophique unique compatible avec un programme socio-politique donné. En particulier, comme Bertrand Russell l'a fait remarquer il y a longtemps, il n'y a pas de lien logique entre le matérialisme philosophique et le matérialisme historique marxiste. Le matérialisme philosophique (entendu comme l'idée que les phénomènes mentaux sont réductibles à des phénomènes physiques) est parfaitement compatible avec l'idée que l'histoire est principalement déterminée par la religion, la sexualité ou le climat (ce qui irait à l'encontre du matérialisme historique) ; et inversement, les facteurs économiques pourraient être les facteurs déterminants de l'histoire humaine même si les phénomènes mentaux étaient suffisamment indépendants des phénomènes physiques pour que le matérialisme philosophique soit faux. Russell en conclut : « Il est assez important de comprendre de telles idées, sinon les théories politiques sont défendues ou attaquées pour des raisons sans pertinence et des arguments philosophiques théoriques sont utilisés pour résoudre des problèmes qui dépendent de faits concrets à propos de la nature humaine. Cette confusion fait du tort à la fois à la politique et à la philosophie et il est par conséquent important de l'éviter [300]. »

Le lien sociologique entre le postmodernisme et les nouveaux mouvements sociaux est extrêmement compliqué. Une analyse satisfaisante exigerait, au minimum, que l'on démêle les différentes idées qui composent le « postmodernisme » (vu que les liens logiques entre elles sont très faibles), que l'on traite chacun des nouveaux mouvements sociaux individuellement (vu que leurs histoires sont très différentes) et que l'on distingue les différents courants dans ces mouvements ainsi que les rôles joués par militants et théoriciens. Ce problème requiert une étude empirique soignée, que nous laissons aux sociologues et aux his-

---

300. Russell (1949 [1920], p. 80), reproduit dans Russell (1961b, p. 528-9).

toriens des idées. Exprimons seulement, à titre de *conjecture*, l'idée que l'intérêt des nouveaux mouvements sociaux pour le postmodernisme existe principalement dans les milieux académiques et qu'il est bien plus faible que ce qui est décrit à la fois par la gauche postmoderne et par la droite traditionnelle [301].

2. *Le découragement politique.* Une autre source des idées postmodernes est la situation désespérée et la désorientation générale de la gauche, situation qui semble être unique dans son histoire. Le « socialisme réel » s'est effondré, les partis sociaux-démocrates appliquent des politiques néo-libérales, et les mouvements politiques du Tiers Monde qui ont mené leurs pays à l'indépendance ont en général renoncé à toute tentative de développement autonome. Bref, le libéralisme le plus dur semble être devenu l'horizon indépassable de notre temps. Jamais les idéaux de justice et d'égalité n'ont paru aussi utopiques. Sans entrer dans une analyse des causes de cette situation (et encore moins proposer des solutions), il est facile de comprendre qu'elle engendre une attitude de découragement qui s'exprime partiellement dans le postmodernisme. Le linguiste et militant politique américain Noam Chomsky décrit très bien cette évolution [302].

> Si vous vous dites, « voyons, il est trop difficile de traiter les véritables problèmes », il existe de nombreuses façons d'éviter de le faire. L'une d'entre elles est de poursuivre des chimères qui n'ont pas réellement d'importance. Une autre façon de faire consiste à adhérer à des cultes académiques qui sont coupés de toute réalité et qui permettent de ne pas faire face au monde tel qu'il est. C'est très fréquent, y compris à gauche. J'en ai vu des exemples déprimants lors d'un voyage en Égypte, il y a quelques semaines. Je devais parler de problèmes internationaux. Il y a là une communauté

---

301. Pour une analyse plus approfondie, voir Epstein (1995, 1997).

302. Voir aussi Eagleton (1995).

intellectuelle très vivante et cultivée, des gens très courageux qui ont passé des années dans les prisons de Nasser, étant pratiquement torturés à mort, et qui en sont sortis en continuant à lutter. Mais maintenant dans l'ensemble du Tiers Monde il y a beaucoup de désespoir et de découragement. La façon dont cela se manifestait là-bas, dans des milieux cultivés liés à l'Europe, était de s'enfoncer complètement dans les dernières folies de la culture parisienne et de se concentrer entièrement sur celles-ci. Par exemple, quand je faisais des exposés sur la situation actuelle, même dans des instituts de recherche consacrés aux problèmes stratégiques, les participants voulaient que cela soit traduit dans le jargon postmoderne. Plutôt que de me demander de parler des détails de la politique américaine ou du Moyen-Orient, là où ils habitent, qui est trop sale et inintéressant, ils voulaient savoir comment la linguistique moderne fournit un nouveau paradigme du discours sur les affaires internationales qui remplacera le texte post-structuraliste. Cela les fascinait. Mais pas ce que les archives ministérielles israéliennes démontraient concernant leur planification interne. Cette situation est vraiment déprimante. (Chomsky 1994b, p. 163-164)

Mais cette fuite en avant revient à enfoncer le dernier clou dans le cercueil des idéaux de progrès ; nous proposons modestement de laisser passer un peu d'air en espérant que le cadavre se réveille un jour.

3. *La science comme cible facile.* Dans cette atmosphère de découragement généralisé, on peut être tenté de s'attaquer à quelque chose qui est suffisamment lié au pouvoir dominant pour ne pas être très sympathique, mais suffisamment faible pour constituer une cible plus ou moins accessible (la concentration du pouvoir et de l'argent étant hors de portée). La science remplit parfaitement ces conditions et cela explique en partie les attaques dont elle fait l'objet. Pour bien analyser ces attaques, il faut distinguer au moins quatre sens différents du mot « science » : une démarche intellec-

tuelle visant à une compréhension rationnelle du monde ; un ensemble de connaissances théoriques et expérimentales acceptées ; une communauté sociale avec ses propres mœurs, institutions et liens à la société qui l'entoure ; et finalement la science appliquée et la technologie (avec laquelle la science est souvent confondue). Or, des arguments valides contre la science, entendue dans l'un de ces sens, sont souvent pris pour des arguments contre la science dans un sens différent [303]. Ainsi, il est incontestable que la science, comme institution sociale, est liée au pouvoir économique et militaire et que le rôle qu'elle y joue est souvent odieux. Il est également vrai que la technologie a des effets mitigés — parfois franchement désastreux — et qu'elle apporte rarement les solutions miracles que ses avocats les plus enthousiastes promettent régulièrement [304]. Par ailleurs, la science, considérée comme ensemble de connaissances, est toujours faillible, et les erreurs des scientifiques sont parfois dues à toutes sortes de préjugés sociaux, politiques, philosophiques ou religieux. Nous sommes favorables à des critiques raisonnables de la science prise dans ces sens-là. En particulier, les critiques de la science entendue comme ensemble de connaissances — du moins les critiques qui sont les plus convaincantes — suivent en général la démarche suivante : on montre d'abord, en utilisant des arguments scientifiques, que la recherche que l'on critique est erronée ; dans un deuxième temps, on cherche à déterminer comment les préjugés idéologiques, éventuellement inconscients, du chercheur l'ont égaré. On peut être tenté de sauter directement au

---

303. Pour un exemple de telles confusions, voir l'essai de Raskin et Bernstein (1987, p. 69-103) ; et, pour une bonne analyse de ces confusions, voir les réponses de Chomsky dans ce même ouvrage. (p. 104-156)

304. Il faut néanmoins souligner que la technologie est souvent blâmée pour des effets qui sont plus liés à la structure sociale qu'à elle-même.

deuxième aspect, mais la critique perd ainsi beaucoup de sa force.

Malheureusement, certaines critiques ne se limitent nullement à ce qu'il y a de pire dans la science (militarisme, sexisme, etc.) et s'attaquent à ce qu'il y a de meilleur, à savoir la tentative d'une compréhension rationnelle du monde et la méthode scientifique, entendue comme un respect pour les tests empiriques et le raisonnement logique[305]. Il faudrait être naïf pour croire que ce n'est pas la vision rationnelle qui est réellement mise en cause dans l'attitude postmoderne. De plus, cet aspect-là constitue une cible facile car on trouve sans difficulté un grand nombre d'alliés quand on s'attaque à la rationalité en tant que telle : tous ceux, et ils sont nombreux, qui sont attachés aux superstitions, qu'elles soient traditionnelles (par exemple, l'intégrisme religieux) ou *New Age*[306]. Si l'on y ajoute une confusion facile entre science et technologie, on arrive à un combat relativement populaire mais pas particulièrement progressiste.

Tous ceux qui possèdent un pouvoir politique ou économique préféreront que la science ou la technologie soient attaquées en tant que telles, car ces attaques contribuent à occulter les rapports de force, qui eux n'ont rien de rationnel, mais sur lesquels leur pouvoir est fondé. D'ailleurs, en s'en prenant à la rationalité, la gauche postmoderne se prive d'un puissant outil pour

---

305. Soulignons au passage que c'est justement l'insistance sur l'objectivité et la vérification qui offre la principale protection contre les biais idéologiques de ce qui se fait passer pour de la science.

306. D'après des sondages récents, 47 % des Américains croient que la création du monde s'est faite selon le récit de la Genèse, 49 % croient à la possession par le diable, 36 % à la télépathie, 25 % à l'astrologie, 11 % à la communication avec les morts, mais, heureusement, seulement 7 % au pouvoir curatif des pyramides. Pour plus de détails et pour les références aux sources originales, voir Sokal (1996c, note 17).

critiquer l'ordre social actuel. Chomsky fait remarquer que, dans un passé pas si lointain,

> Les intellectuels de gauche participèrent activement à la vie animée de la culture ouvrière. Certains cherchèrent à compenser le caractère de classe des institutions culturelles par des programmes d'éducation des ouvriers ou par des ouvrages de vulgarisation — qui connurent un franc succès — sur les mathématiques, les sciences et d'autres sujets. Il est remarquable de constater qu'aujourd'hui leurs héritiers de gauche cherchent souvent à priver les travailleurs de ces instruments d'émancipation, nous informant que le « projet des Encyclopédistes » est mort, que nous devons abandonner les « illusions » de la science et de la rationalité — un message qui réjouira le cœur des puissants, ravis de monopoliser ces instruments pour leur propre usage. (Chomsky 1994a, p. 325-326)

Envisageons pour finir les raisons subjectives de ceux qui s'opposent au postmodernisme. Elles sont assez compliquées à analyser, et les réactions qui ont suivi la publication du canular suggèrent une réflexion prudente. D'une part, pas mal de gens sont simplement irrités par l'arrogance postmoderne, le verbiage creux et l'existence d'une communauté intellectuelle dans laquelle tout le monde répète des phrases que personne ne comprend. Évidemment, nous partageons, avec des nuances, cette attitude.

Mais d'autres réactions, moins plaisantes, illustrent bien la confusion entre lien sociologique et lien logique. Par exemple, le *New York Times* a présenté « l'affaire Sokal » comme une opposition entre des conservateurs qui croient en l'objectivité et des « gauchistes » qui la nient. Manifestement, la situation est plus complexe. Tous les gauchistes ne nient pas l'objectivité [307], et par ailleurs il n'existe pas de lien logique

---

307. Voir, par exemple, Chomsky (1992-3), Ehrenreich (1992-3), Albert (1992-3, 1996), Epstein (1997) et nous-mêmes, parmi bien d'autres.

simple entre des opinions épistémologiques et politiques [308]. D'autres commentaires relient cette affaire aux attaques contre le « multiculturalisme » et le « politiquement correct ». Discuter en détail ces questions nous entraînerait trop loin, mais soulignons que nous ne rejetons nullement l'ouverture aux autres cultures ou le respect des minorités qui sont en général ridiculisés dans ce genre d'attaques.

Quelle importance ?

> Le concept de « vérité », compris comme dépendant de faits qui dépassent largement le contrôle humain, a été l'une des voies par lesquelles la philosophie a, jusqu'ici, inculqué la dose nécessaire d'humilité. Lorsque cette entrave à notre orgueil sera écartée, un pas de plus aura été fait sur la route qui mène à une sorte de folie — l'intoxication de la puissance qui a envahi la philosophie avec Fichte et à laquelle les hommes modernes, qu'ils soient philosophes ou non, ont tendance à succomber. Je suis persuadé que cette intoxication est le plus grand danger de notre temps et que toute philosophie qui y contribue, même non-intentionnellement, augmente le danger d'un vaste désastre social.
>
> Bertrand Russell,
> *Histoire de la philosophie occidentale*
> (1961, p. 782)

Pourquoi passer notre temps à dénoncer ces impostures ? Les postmodernes représentent-ils un véritable

---

308. Beaucoup plus loin dans l'article du *New York Times* (Scott 1996), la journaliste mentionne les positions politiques de gauche de Sokal et le fait qu'il a enseigné les mathématiques au Nicaragua à l'époque sandiniste. Mais la contradiction n'est pas relevée et encore moins résolue.

danger ? Certainement pas pour les sciences exactes, du moins pas pour le moment. Les problèmes que rencontrent ces sciences sont liés au financement de la recherche et à la menace que fait peser sur son intégrité le déplacement progressif du financement du public vers le privé. Mais le postmodernisme n'a pas grand-chose à voir là-dedans [309]. Ce sont plutôt les sciences humaines qui souffrent de l'effet corrupteur du non-sens aujourd'hui à la mode, quand les jeux de langage chassent l'analyse critique et rigoureuse des réalités sociales.

L'impact négatif du postmodernisme est triple : une perte de temps en sciences humaines, une confusion culturelle qui favorise l'obscurantisme, et un affaiblissement de la gauche politique.

Premièrement, le discours postmoderne, illustré par les textes que nous citons, fonctionne entre autres comme un cul de sac dans lequel s'égare une partie des sciences humaines. Aucune recherche, qu'elle porte sur le monde naturel ou sur l'être humain, ne peut progresser sur une base conceptuellement confuse et radicalement éloignée des données empiriques.

On pourrait nous objecter que les auteurs des textes cités ici n'ont pas d'impact réel sur le travail de recherche proprement dit, parce que leur manque de sérieux est bien connu dans les milieux académiques. Ce n'est que partiellement vrai : cela dépend des auteurs, des pays, des domaines de recherche et des époques. Par exemple, l'œuvre de Barnes-Bloor et de Latour a eu une influence certaine en sociologie des sciences, même si elle n'a jamais été hégémonique. La même chose vaut pour Lacan en psychologie, pour

---

309. Observons, néanmoins, que les postmodernes et les relativistes sont mal placés pour *critiquer* ces menaces pesant sur l'objectivité scientifique, puisqu'ils rejettent l'objectivité même comme but.

Deleuze en philosophie et pour Irigaray dans les *women's studies*.

Ce qui est plus grave, à notre avis, c'est l'effet néfaste que l'abandon de la pensée claire a sur l'enseignement et sur la culture. Les étudiants apprennent à répéter et à élaborer des discours auxquels ils ne comprennent pas grand-chose. Ils peuvent même faire carrière à l'université en devenant expert dans l'art de manipuler un jargon érudit [310]. Après tout, l'un d'entre nous a réussi, grâce à trois mois d'étude, à maîtriser suffisamment le langage postmoderne pour publier un article dans une revue prestigieuse. Comme la commentatrice américaine Katha Pollitt l'a très justement fait remarquer, « l'aspect comique de l'incident Sokal est qu'il suggère que même les postmodernes ne comprennent pas réellement ce qu'écrivent leurs collègues, et qu'ils se déplacent à travers les textes en passant d'un nom ou mot familier à un autre, comme une grenouille qui traverse un étang boueux en sautant sur les nénuphars [311] ». En fin de compte, les discours délibérément obscurs et la malhonnêteté intellectuelle qui les accompagne empoisonnent une partie de la vie intellectuelle et renforcent l'anti-intellectualisme facile qui est déjà fort répandu dans la population.

L'attitude désinvolte à l'égard de la rigueur scientifique, qu'on trouve chez Lacan, Kristeva, Baudrillard ou Deleuze, a eu un succès certain en France dans les années 70, et y exerce encore une influence étonnante [312].

---

310. Ce phénomène n'est nullement une nouveauté due au postmodernisme — Andreski (1975) l'a brillamment illustré en ce qui concerne les sciences sociales traditionnelles — et les sciences exactes n'en sont pas exemptes. Néanmoins, le jargon du postmodernisme et la faiblesse de son contact avec les réalités concrètes exacerbent cette situation.

311. Pollitt (1996).

312. Dans la première édition de cet ouvrage, nous avions écrit « mais y est sans doute un peu passée de mode », mais des contacts ultérieurs nous ont fait changer d'avis. Par exemple, le lacanisme semble être encore fort influent en France.

Par contre, cette façon de penser s'est diffusée hors de France, principalement dans le monde anglo-saxon, dans les années 80 et 90. Inversement, le relativisme cognitif s'est développé à partir des années 70 surtout dans le monde anglo-saxon (pensons par exemple au début du « programme fort ») et s'est répandu plus tard en France.

Ces deux démarches sont conceptuellement distinctes, et l'on peut suivre l'une avec ou sans l'autre. Toutefois, elles sont indirectement liées : si l'on peut faire dire n'importe quoi, ou presque, au discours scientifique, pourquoi le prendre au sérieux ? Réciproquement, si l'on admet le relativisme, des commentaires arbitraires sur les théories scientifiques semblent légitimes. D'ailleurs, lorsqu'on demande à ceux qui font de tels commentaires de se justifier, il arrive fréquemment qu'ils se rabattent sur des arguments relativistes, faute de mieux. Ainsi, le relativisme et la désinvolture se renforcent mutuellement.

Mais les conséquences culturelles les plus graves du relativisme proviennent de son application en sciences humaines. L'historien anglais Eric Hobsbawm dénonce en termes éloquents

> la croissance des modes intellectuelles « postmodernes » dans les universités occidentales, en particulier dans les départements de littérature et d'anthropologie, qui impliquent que tous les « faits » qui prétendent à une existence objective sont simplement des constructions intellectuelles. En bref, qu'il n'y a pas de différence claire entre les faits et la fiction. Mais il y en a une et, pour les historiens, même pour les anti-positivistes les plus militants parmi nous, il est absolument essentiel de pouvoir distinguer entre les deux. (Hobsbawm 1993, p. 63)

Hobsbawm enchaîne en montrant comment un travail historique rigoureux permet de réfuter les mythes utilisés par des nationalistes réactionnaires en Inde, en Israël, dans les Balkans et ailleurs, et comment l'attitude postmoderne nous désarme face à ces menaces.

À l'heure où la superstition, l'obscurantisme et le fanatisme nationaliste et religieux se portent à merveille — y compris dans l'Occident « développé » —, il est à tout le moins irresponsable de traiter avec légèreté ce qui, historiquement, a été le seul rempart contre ces folies, à savoir la vision rationnelle du monde. Favoriser l'obscurantisme n'est sans doute pas l'intention des auteurs postmodernes, mais c'est une conséquence inévitable de leur démarche.

Finalement, pour nous et pour tous ceux qui se situent politiquement à gauche, le postmodernisme a des conséquences négatives spécifiques. Premièrement, la focalisation sur le langage et l'élitisme lié à l'usage d'un jargon prétentieux contribuent à enfermer les intellectuels dans des débats stériles et à les isoler des mouvements sociaux qui se passent en dehors de leur tour d'ivoire. Les étudiants progressistes qui arrivent sur les campus américains peuvent facilement être déroutés par l'idée que ce qu'il y a de plus radical (même politiquement) est le scepticisme intégral et l'analyse du discours. Deuxièmement, la persistance d'idées confuses et de discours obscurs dans certaines parties de la gauche a tendance à discréditer la gauche tout entière ; et la droite ne se prive pas d'utiliser démagogiquement cette opportunité [313].

Mais le problème le plus important, c'est que toute possibilité d'une critique sociale qui pourrait tenter de toucher ceux qui ne sont pas convaincus d'avance devient logiquement impossible, à cause des partis pris subjectivistes [314]. Si tout discours n'est que récit ou narration, et si aucun discours n'est plus objectif ou plus

---

313. Voir, par exemple, Kimball (1990) et D'Souza (1993).

314. Le mot « logiquement » est important ici. En pratique, un certain nombre d'individus qui utilisent le langage postmoderne s'opposent aux discours racistes ou sexistes en invoquant des arguments parfaitement rationnels. Nous pensons simplement qu'il y a une incohérence entre leur pratique et leur philosophie (ce qui n'est peut-être pas trop grave).

véridique qu'un autre, alors il faut admettre les pires préjugés racistes et sexistes et les théories socio-économiques les plus réactionnaires comme « également valables », du moins comme description ou comme analyse du monde réel (à supposer qu'on admette l'existence de celui-ci). Manifestement, le relativisme est une base extrêmement faible sur laquelle fonder une critique de l'ordre social établi.

Si les intellectuels, en particulier ceux qui se situent à gauche, veulent apporter une contribution positive à l'évolution de la société, ils peuvent le faire surtout en clarifiant les idées ambiantes et en démystifiant les discours dominants, pas en ajoutant leurs propres mystifications. Une pensée ne devient pas « critique » simplement en s'attribuant ce titre, mais en vertu de son contenu.

Bien entendu, les intellectuels ont tendance à exagérer l'importance de leur impact sur la culture et nous voulons éviter de tomber dans ce travers. Nous pensons néanmoins que les idées des universitaires ont des effets culturels en dehors des milieux académiques. Sans doute, Bertrand Russell exagère lorsqu'il dénonce les effets sociaux pervers de la confusion mentale et du subjectivisme, mais ses craintes ne sont pas sans objet.

Finalement, souvenons-nous qu'il y a bien longtemps, il était un pays où des penseurs et des philosophes étaient inspirés par les sciences, pensaient et écrivaient clairement, cherchaient à comprendre le monde naturel et social, s'efforçaient de répandre ces connaissances parmi leurs concitoyens, et mettaient en question les iniquités de l'ordre social. Cette époque était celle des Lumières, et ce pays était la France.

Appendice A

TRANSGRESSER LES FRONTIÈRES :
VERS UNE HERMÉNEUTIQUE TRANSFORMATIVE
DE LA GRAVITATION QUANTIQUE*

> Transgresser les frontières entre les disci-
> plines [... est] une entreprise subversive, car
> elle profanera très probablement les cha-
> pelles des formes reconnues de la percep-
> tion. Parmi les frontières les plus fortifiées
> se trouvent celles qui séparent les sciences
> naturelles et les lettres.
>
> Valerie Greenberg,
> *Transgressive Readings* (1990, p. 1)

> La lutte pour la transformation de l'idéo-
> logie en une science critique [...] est fondée
> sur l'idée que la critique de toutes les pré-
> suppositions de la science et de l'idéologie
> doit être le seul principe absolu de la
> science.
>
> Stanley Aronowitz,
> *Science as Power* (1988b, p. 339)

Beaucoup de scientifiques, et en particulier de physiciens, continuent à rejeter l'idée que les disciplines pra-

* Traduit de l'américain par les auteurs. Publication originale :
Alan D. Sokal, « Transgressing the Boundaries : Toward a Transformative Hermeneutics of Quantum Gravity », *Social Text* **#46/47**
(spring/summer 1996), pages 217-252. © Duke University Press.

tiquant la critique sociale ou culturelle puissent avoir un impact autre que marginal sur leur recherche. Ils acceptent encore moins l'idée que les fondements mêmes de leur vision du monde doivent être revus ou reconstruits à la lumière de telles critiques. Au contraire, ils s'accrochent au dogme imposé par la longue hégémonie des Lumières sur la pensée occidentale, qui peut brièvement être résumé ainsi : il existe un monde extérieur à notre conscience, dont les propriétés sont indépendantes de tout individu et même de l'humanité tout entière ; ces propriétés sont encodées dans des lois physiques « éternelles » ; et les êtres humains peuvent obtenir de ces lois une connaissance fiable, bien qu'imparfaite et sujette à révision, en suivant les procédures « objectives » et les contraintes épistémologiques de la (soi-disant) méthode scientifique.

Mais des bouleversements conceptuels dans la science du vingtième siècle ont mis en question cette métaphysique cartésiano-newtonienne [1] ; des études qui ont révisé en profondeur l'histoire et la philosophie des sciences ont encore aggravé les doutes à son sujet [2] ; et, plus récemment, les critiques féministes et poststructuralistes ont démystifié le contenu de la pratique scientifique occidentale dominante, révélant l'idéologie de domination cachée derrière la façade de « l'objectivité » [3]. Il est ainsi devenu de plus en plus clair que la « réalité » physique, tout autant que la « réalité » sociale, est fondamentalement une construction linguistique et sociale ; que la « connaissance » scientifique, loin d'être objective, reflète et encode les idéologies dominantes et les relations de pouvoir de la

---

1. Heisenberg (1962), Bohr (1963).
2. Kuhn (1983), Feyerabend (1979), Latour (1995), Aronowitz (1988b), Bloor (1991).
3. Merchant (1980), Keller (1985), Harding (1986, 1991), Haraway (1989, 1991), Best (1991).

culture qui l'a produite ; que les assertions de la science sont, de façon inhérente, dépendantes de la théorie [*theory-laden*] et auto-référentielles ; et, par conséquent, que le discours de la communauté scientifique, malgré sa valeur indéniable, ne peut pas prétendre à un statut épistémologique privilégié par rapport aux narrations contre-hégémoniques émanant de communautés dissidentes ou marginalisées. Ces thèmes peuvent être repérés, malgré des différences d'accent, dans l'analyse par Aronowitz du climat culturel qui a produit la mécanique quantique [4] ; dans la discussion par Ross des discours oppositionnels dans la science post-quantique [5] ; dans l'exégèse par Irigaray et par Hayles de l'encodage sexuel dans la mécanique des fluides [6] ; et dans la critique approfondie faite par Harding de l'idéologie sexiste qui sous-tend les sciences naturelles et surtout la physique [7].

Mon but ici sera de faire avancer d'un pas ces profondes analyses, en tenant compte des développements récents de la gravitation quantique : cette branche émergente de la physique dans laquelle la relativité générale d'Einstein et la mécanique quantique d'Heisenberg sont à la fois synthétisées et dépassées. Dans la gravitation quantique, comme nous le verrons, la variété d'espace-temps cesse d'exister comme réalité physique objective ; la géométrie devient relationnelle et contextuelle ; et les catégories conceptuelles fondamentales de la science antérieure — entre autres, l'existence elle-même — deviennent problématisées et relativisées. Cette révolution conceptuelle a, comme je vais le soutenir, des implications profondes pour le contenu d'une science future qui soit à la fois postmoderne et libératoire.

---

4. Aronowitz (1988b, en particulier les chapitres 9 et 12).
5. Ross (1991, introduction et chapitre 1).
6. Irigaray (1977), Hayles (1992).
7. Harding (1986, en particulier les chapitres 2 et 10) ; Harding (1991, en particulier le chapitre 4).

Je vais suivre l'approche suivante : d'abord, je passerai brièvement en revue quelques questions philosophiques et idéologiques soulevées par la mécanique quantique et par la relativité générale classique. Ensuite, j'esquisserai dans les grandes lignes la théorie émergente de la gravitation quantique et je discuterai certaines questions conceptuelles qu'elle soulève. Finalement, je ferai quelques commentaires sur les implications culturelles et politiques de ces développements scientifiques. Il faut souligner que cet article a nécessairement un caractère conjectural et préliminaire ; je ne prétends pas répondre à toutes les questions que je soulève. Mon but est plutôt d'attirer l'attention des lecteurs sur ces développements importants dans les sciences physiques et d'esquisser autant que je puisse le faire leurs implications philosophiques et politiques. Je me suis efforcé d'utiliser un minimum de mathématiques ; mais j'ai fourni des références où les lecteurs qui le souhaitent pourront trouver tous les détails requis.

La mécanique quantique : incertitude, complémentarité, discontinuité et interconnexité

Ce n'est pas mon intention d'entrer ici dans le long débat sur les fondements conceptuels de la mécanique quantique[8]. Il me suffira de dire que quiconque a sérieusement étudié les équations de la mécanique quantique ne peut que partager l'opinion mesurée (excusez le jeu de mot) d'Heisenberg, qui résume ainsi son célèbre *principe d'incertitude* :

On ne peut plus parler du comportement de la particule

---

8. Pour un échantillon de points de vue, voir Jammer (1974), Bell (1987), Albert (1992), Dürr, Goldstein et Zanghi (1992), Weinberg (1992, chapitre IV), Coleman (1993), Maudlin (1994), Bricmont (1995).

sans tenir compte du processus d'observation. En conséquence, les lois naturelles que, dans la théorie des quanta, nous formulons mathématiquement, ne concernent plus les particules élémentaires proprement dites, mais la connaissance que nous en avons. La question de savoir si ces particules existent « en elles-mêmes » dans l'espace et dans le temps ne peut donc plus être posée sous cette forme [...]

S'il est permis de parler de l'image de la nature selon les sciences exactes de notre temps, il faut entendre par là, plutôt que l'image de la nature, *l'image de nos rapports avec la nature*. [...] La science, cessant d'être le spectateur de la nature, se reconnaît elle-même comme partie des actions réciproques entre la nature et l'homme [*sic*]. La méthode scientifique, qui choisit, explique et ordonne, admet les limites qui lui sont imposées par le fait que l'emploi de la méthode transforme son objet et que, par conséquent, la méthode ne peut plus se séparer de son objet [9, 10].

Allant dans le même sens, Niels Bohr écrivait :

9. Heisenberg (1962, p. 18, 33-34), les italiques sont dans le texte original. Voir aussi Overstreet (1980), Craige (1982), Hayles (1984), Greenberg (1990), Booker (1990) et Porter (1990) pour des exemples d'inter-fertilisation entre la théorie relativiste quantique et la critique littéraire.

10. Malheureusement, le principe d'incertitude d'Heisenberg a souvent été mal interprété par des philosophes amateurs. Comme le font remarquer avec lucidité Gilles Deleuze et Félix Guattari (1991, p. 123) :

dans la physique quantique, le démon d'Heisenberg n'exprime pas l'impossibilité de mesurer à la fois la vitesse et la position d'une particule, sous prétexte d'une interférence subjective de la mesure avec le mesuré, mais il mesure exactement un état de choses objectif qui laisse hors du champ de son actualisation la position respective de deux de ses particules, le nombre de variables indépendantes étant réduit et les valeurs des coordonnées ayant même probabilité. [...] Le perspectivisme ou relativisme scientifique n'est jamais relatif à un sujet : il ne constitue pas une relativité du vrai, mais au contraire une vérité du relatif, c'est-à-dire des variables dont il ordonne les cas d'après les valeurs qu'il en dégage dans son système de coordonnées...

Une réalité physique indépendante dans le sens physique ordinaire ne peut [...] être assignée ni aux phénomènes ni aux moyens d'observation[11].

Stanley Aronowitz a montré de façon convaincante que cette vision du monde trouve son origine dans la crise de l'hégémonie libérale en Europe centrale avant et après la première guerre mondiale[12, 13].

Un deuxième aspect important de la mécanique quantique est son principe de *complémentarité*, ou de *dialecticisme*. La lumière est-elle une particule ou une onde ? La complémentarité « c'est se rendre compte que le comportement corpusculaire et ondulatoire sont mutuellement exclusifs, et que néanmoins les deux sont nécessaires pour une description complète de tous les phénomènes[14] ». Plus généralement, comme le remarque Heisenberg,

---

11. Bohr (1928), cité par Pais (1991, p. 314).

12. Aronowitz (1988b, p. 251-256).

13. Voir aussi Porush (1989) pour une analyse fascinante montrant comment un deuxième groupe de scientifiques et d'ingénieurs — les cybernéticiens — ont trouvé le moyen de subvertir, avec beaucoup de succès, les implications les plus révolutionnaires de la physique quantique. La principale limitation de la critique de Porush est qu'elle reste uniquement sur un plan philosophique et culturel ; ses conclusions seraient considérablement renforcées par une analyse des facteurs économiques et politiques. (Par exemple, Porush omet de mentionner que l'ingénieur-cybernéticien Claude Shannon a travaillé pour ce qui était à l'époque un monopole du téléphone, AT&T.) Une analyse soigneuse montrerait, je pense, que la victoire de la cybernétique sur la mécanique quantique dans les années 40 et 50 s'explique en grande partie par le rôle central joué par la cybernétique dans l'effort capitaliste pour automatiser la production industrielle, comparé au rôle industriel marginal joué par la mécanique quantique.

14. Pais (1991, p. 23). Aronowitz (1981, p. 28) a fait remarquer que la dualité onde-corpuscule problématise sérieusement la « volonté de totalité de la science moderne » :

Les différences en physique entre les théories corpusculaires et ondulatoires de la matière, le principe d'indétermination découvert par Heisenberg, la théorie de la relativité d'Einstein, sont des façons de s'accommoder de l'impossibilité d'arles diverses images claires au moyen desquelles nous décrivons des systèmes d'atomes, tout en s'appliquant à certaines expériences, s'annulent pourtant réciproquement. Ainsi, il est possible de décrire l'atome de Bohr comme un petit système planétaire : au centre, un noyau ; tout autour, des électrons qui gravitent autour de ce noyau. Pour d'autres expériences, il sera pourtant utile de se représenter que le noyau est entouré d'un système d'ondes statiques dont la fréquence décide de la radiation de l'atome. Enfin, on peut aussi considérer l'atome comme un objet de la chimie. [...] Il en ressort que des diverses images sont correctes à condition de les employer correctement ; mais elles se contredisent et, en conséquence, on les dit complémentaires l'une de l'autre [15].

Et pour citer à nouveau Bohr :

Une élucidation complète d'un seul et même objet peut nécessiter des points de vue divers qui défient une description unique. En fait, strictement parlant, l'analyse consciente de n'importe quel concept est en relation d'exclusion avec son application immédiate [16].

---

river à une théorie du champ unifiée, dans laquelle « l'anomalie » de la différence pour une théorie qui pose l'identité peut être résolue sans mettre en cause les présupposés de la science elle-même.
Pour un développement ultérieur de ces idées, voir Aronowitz (1988a, p. 524-525, 533).
15. Heisenberg (1962, p. 47-48).
16. Bohr (1934), cité par Jammer (1974, p. 102). L'analyse de Bohr du principe de complémentarité l'a aussi amené à un point de vue social qui était, relativement à l'époque et au lieu, remarquablement progressiste. Voyons l'extrait suivant, qui fait partie d'une conférence donnée en 1938 (Bohr 1991, p. 192-193) :
Rappelez-vous à quel point, dans certaines sociétés, les rôles de l'homme et de la femme sont inversés, en ce qui concerne non seulement leurs devoirs domestiques et sociaux, mais aussi leur comportement et leur mentalité. Bien que la plupart d'entre nous, dans cette situation, hésiteraient probablement d'abord à admettre que seul un caprice du sort a donné à ces peuples leur culture propre, à nous la nôtre, et non l'inverse, il est clair que le moindre soupçon dans ce sens est déjà un

Cette anticipation de l'épistémologie postmoderniste n'est nullement une coïncidence. Les liens profonds entre complémentarité et déconstruction ont récemment été élucidés par Froula[17] et Honner[18] et, de façon approfondie, par Plotnitsky[19, 20, 21].

---

abandon de l'orgueil national inhérent à toute culture humaine originale qui se repose sur elle-même.

17. Froula (1985).

18. Honner (1994).

19. Plotnitsky (1994). Ce travail impressionnant explique aussi les relations avec la preuve par Gödel de l'incomplétude des systèmes formels et avec la construction par Skolem de modèles non standards de l'arithmétique, ainsi qu'avec l'économie générale de Bataille. Pour une discussion plus complète de la physique de Bataille, voir Hochroth (1995).

20. Beaucoup d'autres exemples pourraient être donnés. Par exemple, Barbara Johnson (1989, p. 12) ne fait pas spécifiquement référence à la physique quantique ; mais sa description de la déconstruction est un résumé mystérieusement exact du principe de complémentarité :

Au lieu d'une simple structure « soit/soit », la déconstruction tente d'élaborer un discours qui ne dit *ni* « soit/soit », *ni* « l'un/et l'autre » ni même « ni/ni », et qui, en même temps, n'abandonne pas totalement ces logiques.

Voir aussi McCarthy (1992) pour une analyse provocatrice et qui soulève des questions dérangeantes sur la « complicité » entre la physique quantique (non relativiste) et la déconstruction.

21. Permettez-moi de rapporter un souvenir personnel : il y a quinze ans, quand je préparais ma thèse de doctorat, ma recherche en théorie quantique des champs m'a amené à une approche que j'ai appelé « théorie quantique des champs dé[con]structive » (Sokal 1982). Évidemment, à l'époque, j'ignorais totalement le travail de Jacques Derrida sur la déconstruction en philosophie et en théorie littéraire. Rétrospectivement, il y a une affinité frappante : mon travail peut être lu comme une exploration de la façon dont le discours orthodoxe sur la théorie quantique d'un champ scalaire en quatre dimensions d'espace-temps (en termes techniques, la « théorie des perturbations renormalisée » pour la théorie ϕ^4_4) affirme sa propre non-fiabilité et par conséquent sape ses propres affirmations. Depuis lors, mon travail s'est déplacé vers d'autres questions, principalement reliées aux transitions de phase ; mais des homologies subtiles entre les deux domaines peuvent être discernées, notamment le thème de la discontinuité (voir les notes 22

Un troisième aspect de la physique quantique est la *discontinuité*, ou la *rupture* : comme l'expliquait Bohr,

> [l']essence [de la théorie quantique] peut être exprimée par le soi-disant postulat quantique, qui attribue à tout processus atomique une discontinuité essentielle, ou plutôt une individualité, qui est complètement étrangère aux théories classiques et qui est symbolisée par le quantum d'action de Planck [22].

Un demi-siècle plus tard, l'expression « saut quantique » est tellement entrée dans le vocabulaire quotidien que nous l'utilisons probablement sans penser à ses origines physiques.

Finalement, le théorème de Bell [23] et ses généralisations récentes [24] montrent qu'une observation faite ici et maintenant peut non seulement affecter l'objet observé — comme nous l'a appris Heisenberg — mais aussi un objet *aussi éloigné qu'on veut* (disons, sur la galaxie d'Andromède). Ce phénomène — qu'Einstein appelait « fantomatique » — impose une réévaluation radicale des concepts mécanistes traditionnels d'espace, d'objet et de causalité [25], et suggère une vision

---

et 81 ci-dessous). Pour d'autres exemples de déconstruction en théorie quantique des champs, voir Merz et Knorr Cetina (1994).

22. Bohr (1928), cité par Jammer (1974, p. 90).

23. Bell (1987, particulièrement les chapitres 10 et 16). Voir aussi Maudlin (1994, chapitre 1) pour un exposé clair qui ne présuppose rien de plus que les mathématiques apprises au lycée.

24. Greenberger *et al.* (1989, 1990), Mermin (1990, 1993).

25. Aronowitz (1988b, p. 331) a fait une observation provoquante à propos de la causalité non linéaire en mécanique quantique et sa relation à la construction sociale du temps :

> La causalité linéaire suppose que la relation entre cause et effet peut être exprimée comme fonction de la succession temporelle. À cause de développements récents en mécanique quantique, nous pouvons postuler qu'il est possible de connaître les effets de causes absentes ; c'est-à-dire, pour parler métaphoriquement, les effets peuvent anticiper les causes de telle façon que notre perception de ceux-là peut précéder le moment où la « cause » physique se produit. L'hypothèse qui met en question notre conception conventionnelle du

du monde alternative dans laquelle l'univers est caractérisé par l'interconnexité et le holisme [*(w)holism* dans le texte anglais] : ce que le physicien David Bohm a appelé « l'ordre impliqué » [*implicate order*][26]. Les interprétations « New Age » de ces idées de la physique quantique ont souvent débouché sur des spéculations injustifiées, mais l'idée générale est sans aucun doute correcte[27]. Comme le dit Bohr, « la découverte par Planck du *quantum élémentaire d'action* [...] a révélé un aspect *holistique* inhérent à la physique ato-

---

temps linéaire et de la causalité, et qui affirme la possibilité d'un renversement du temps soulève aussi la question du degré auquel le concept de « flèche du temps » est inhérent à toute théorie scientifique. Si ces expériences sont couronnées de succès, les conclusions concernant la façon dont le temps en tant que « temps-horloge » s'est constitué historiquement seront mises en question. On aura « prouvé » au moyen d'expériences ce qui a depuis longtemps été pressenti par les philosophes et les critiques sociaux et littéraires : que le temps est, en partie, une construction conventionnelle, et que sa segmentation en heures et en minutes est le produit d'un besoin de discipline industrielle, pour une organisation rationnelle du travail social au début de l'ère bourgeoise. Les analyses théoriques de Greenberger *et al.* (1989, 1990) et de Mermin (1990, 1993) fournissent un exemple frappant de ce phénomène ; voir Maudlin (1994) pour une analyse détaillée de ses implications pour les concepts de causalité et de temporalité. Un test expérimental, étendant le travail d'Aspect *et al.* (1982), sera probablement fait dans quelques années.

26. Bohm (1990). Les relations intimes entre la mécanique quantique et le problème de l'esprit et du corps sont discutées dans Goldstein (1983, chapitres 7 et 8).

27. Dans la vaste littérature sur ce sujet, on peut recommander le livre de Capra (1975), qui est à la fois scientifiquement exact et accessible aux non-spécialistes. De plus, le livre de Sheldrake (1981), bien que parfois spéculatif, est en général solide. Pour une analyse critique mais non dénuée de sympathie des théories New Age, voir Ross (1991, chapitre 1). Pour une critique du travail de Capra d'après une perspective venant du Tiers Monde, voir Alvares (1992, chapitre 6).

mique, qui va bien au-delà de l'idée ancienne de la divisibilité limitée de la matière[28] ».

Herméneutique de la relativité générale classique

Dans la conception mécaniste newtonienne du monde, l'espace et le temps sont distincts et absolus[29]. Dans la théorie de la relativité restreinte d'Einstein (1905), la distinction entre l'espace et le temps se dissout : il n'y a qu'une nouvelle unité, l'espace-temps à quatre dimensions, et la façon dont l'observatrice perçoit « l'espace » et le « temps » dépend de son état de mouvement[30]. Pour

---

28. Bohr (1963, p. 2), les italiques sont dans le texte original.

29. L'atomisme newtonien traite les particules comme hyperséparées dans l'espace et le temps en reléguant leur interconnexion en toile de fond (Plumwood 1993a, p. 125) ; en effet, « la seule "force" autorisée dans le cadre mécaniste est l'énergie cinétique — l'énergie du mouvement par contact — toutes les autres prétendues forces, y compris une action à distance, sont considérées comme occultes » (Mathews 1991, p. 17). Pour des analyses critiques de la conception mécaniste newtonienne du monde, voir Weil (1968, particulièrement le chapitre 1), Merchant (1980), Berman (1981), Keller (1985, chapitres 2 et 3), Mathews (1991, chapitre 1) et Plumwood (1993a, chapitre 5).

30. D'après la présentation traditionnelle qu'on trouve dans les manuels, la relativité restreinte s'occupe des transformations de coordonnées entre *deux* repères en mouvement uniforme relatif. Mais ceci est une simplification abusive, comme l'a fait remarquer Latour (1988) :

> Comment décider si une observation faite dans un train à propos d'une pierre qui tombe peut être amenée à coïncider avec une observation faite sur la même pierre à partir du quai ? S'il n'y a qu'un ou même *deux* repères, aucune solution ne peut être trouvée, puisque l'homme dans le train dit qu'il observe une ligne droite et celui qui se trouve sur le quai observe une parabole. [...] La solution d'Einstein est de considérer *trois* acteurs : l'un dans le train, l'autre sur le quai, et un troisième, l'auteur [l'énonciateur] ou l'un de ses représentants, qui essaye de superposer les observations codées qui sont envoyées par les deux autres. [...] [S]ans la position de l'énonciateur (cachée dans le compte rendu d'Einstein) et

reprendre la phrase célèbre d'Hermann Minkowski (1908) :

> Dorénavant l'espace en tant que tel et le temps en tant que tel sont condamnés à devenir de simples ombres, et seulement une sorte d'union des deux conservera une réalité indépendante [31].

Néanmoins, la géométrie sous-jacente de l'espace-temps minkowskien reste absolue [32].

C'est dans la théorie générale de la relativité d'Einstein (1915) que se produit la rupture conceptuelle radicale : la géométrie de l'espace-temps devient contingente et dynamique, encodant en elle-même le champ gravitationnel. Mathématiquement, Einstein rompt avec

---

> sans la notion de centre de calcul, l'argument technique d'Einstein est incompréhensible [...] [p. 10-11 et 35, les italiques sont dans le texte original]

En fin de compte, comme Latour le fait remarquer avec humour mais aussi avec précision, la relativité restreinte se ramène à la proposition que :

> plus de repères avec moins de privilège peuvent être atteints, réduits, accumulés et combinés, des observateurs peuvent être délégués à plus d'endroits dans l'infiniment grand (le cosmos) et l'infiniment petit (électrons) et les relevés qu'ils envoient seront compréhensibles. Le livre [d'Einstein] pourrait bien s'intituler : « Nouvelles instructions pour ramener les voyageurs scientifiques qui parcourent de longues distances ». [p. 22-23]

L'analyse critique faite par Latour de la logique d'Einstein fournit une introduction à la relativité restreinte qui est éminemment accessible aux non-scientifiques.

31. Minkowski (1908), traduit dans Lorentz *et al.* (1952, p. 75).

32. Il va sans dire que la relativité restreinte introduit non seulement de nouveaux concepts d'espace et de temps, mais aussi de mécanique. En relativité restreinte, comme Virilio (1984, p. 176) l'a remarqué, « l'*espace dromosphérique*, l'espace-vitesse, est physiquement décrit par ce qu'on appelle "l'équation logistique", résultat du produit de la masse déplacée par la vitesse de son déplacement $(M \times V)$. » Cette altération radicale de la formule de Newton a de profondes conséquences, en particulier dans la théorie quantique : voir Lorentz *et al.* (1952) et Weinberg (1992) pour une discussion plus approfondie.

la tradition remontant à Euclide (et qui est encore infligée aux étudiants aujourd'hui !) et la remplace par la géométrie non euclidienne développée par Riemann. Les équations d'Einstein sont hautement non linéaires, ce qui explique pourquoi les mathématiciens formés de façon traditionnelle ont tant de mal à les résoudre[33]. La théorie gravitationnelle de Newton correspond à la troncation grossière (et qui mène à des erreurs conceptuelles) des équations d'Einstein, où la non-linéarité est simplement ignorée. Par conséquent, la relativité générale d'Einstein incorpore tous les succès putatifs de la théorie de Newton, tout en allant au-delà de celle-ci en prédisant des phénomènes radicalement nouveaux qui proviennent directement de la non-linéarité : la déflection de la lumière par le soleil, la précession du périhélie de Mercure, et l'effondrement gravitationnel des étoiles dans des trous noirs.

La relativité générale est tellement étrange que certaines de ses conséquences — déduites par des mathématiques impeccables et confirmées de façon croissante par les observations astrophysiques — se lisent comme de la science-fiction. Les trous noirs sont aujourd'hui bien connus, et les trous de ver [*wormholes*] commencent à faire carrière. On connaît peut-être moins bien la construction par Gödel d'un espace-temps einsteinien qui contient des courbes fermées de genre temps : c'est-

---

33. Steven Best (1991, p. 225) a mis le doigt sur la difficulté fondamentale, à savoir que, « contrairement aux équations linéaires utilisées en mécanique newtonienne et même en mécanique quantique, les équations non linéaires n'ont pas la propriété additive simple grâce à laquelle des chaînes de solutions peuvent être construites à partir de parties indépendantes simples ». Pour cette raison, les stratégies d'atomisation, de réductionnisme et d'isolement hors du contexte qui sont à la base de la méthodologie scientifique newtonienne ne marchent simplement pas en relativité générale.

à-dire un univers dans lequel on peut revenir *dans son propre passé* [34] !

Ainsi, la relativité générale nous impose des notions radicalement nouvelles et contre-intuitives de l'espace, du temps et de la causalité [35, 36, 37, 38] ; par conséquent, il

---

34. Gödel (1949). Pour un résumé du travail récent dans ce domaine, voir 't Hooft (1993).

35. Ces nouvelles notions d'espace, de temps et de causalité sont *en partie* déjà anticipées dans la relativité restreinte. Ainsi, Alexander Argyros (1991, p. 137) a remarqué que

> dans un univers dominé par les photons, les gravitons et les neutrinos, c'est-à-dire au début de l'univers, la théorie de la relativité restreinte suggère que toute distinction entre l'avant et l'après est impossible. Pour une particule voyageant à la vitesse de la lumière, ou pour une particule qui parcourt une distance de l'ordre de la longueur de Planck, tous les événements sont simultanés.

Toutefois, je ne peux partager la conclusion d'Argyros selon laquelle la déconstruction derridienne est par conséquent inapplicable à l'herméneutique de la cosmologie du début de l'univers : l'argument d'Argyros est fondé sur un usage inadmissiblement totalisateur de la relativité restreinte (en termes techniques, les « coordonnées du cône de lumière ») dans un contexte où la relativité *générale* est inévitable. (Pour une erreur similaire, mais moins innocente, voir la note 40 ci-dessous.)

36. Jean-François Lyotard (1988, p. 72) a fait remarquer que non seulement la relativité générale, mais aussi la physique moderne des particules élémentaires, impose de nouvelles notions de temps :

> Dans la physique et l'astrophysique contemporaines [...] une particule dispose quand même d'une sorte de mémoire élémentaire et par conséquent d'un filtre temporel. C'est ainsi que les physiciens contemporains tendent à penser que le temps émane de la matière elle-même, et qu'il n'est pas une entité extérieure ou intérieure à l'univers qui aurait pour fonction de rassembler les différents temps en une histoire universelle. C'est seulement dans certaines régions que de telles synthèses, mais partielles, pourraient être détectées. Il y aurait des aires de déterminisme où la complexité serait en croissance.

De plus, Michel Serres (1992, p. 89-91) a remarqué que la théorie du chaos (Gleick 1989) et la théorie de la percolation (Stauffer 1985) ont mis en question le concept linéaire traditionnel de temps :

> Le temps ne coule pas toujours selon une ligne [...] ni selon un plan, mais selon une variété extraordinairement complexe,

n'est pas surprenant qu'elle ait eu un impact profond non seulement sur les sciences naturelles, mais aussi sur la philosophie, la critique littéraire et les sciences humaines. Par exemple, dans un célèbre symposium qui s'est tenu il y a trente ans, sur *Les Langages critiques et les sciences de l'homme*, Jean Hyppolite a posé une question incisive à propos de la théorie de Jacques Derrida sur la structure et le signe dans le discours scientifique :

> Lorsque je prends, par exemple, la structure de certains ensembles algébriques, où est le centre ? Est-il la connaissance de règles générales qui, d'une certaine façon, nous permettent de comprendre le jeu des éléments entre eux ? Ou bien le centre est-il certains éléments qui bénéficient d'un privilège à l'intérieur de l'ensemble ? [...] Avec Einstein, par exemple, nous assistons à la fin d'une forme de privilège de la preuve empirique. Et, en rapport avec cela, nous voyons apparaître une constante, laquelle est une combinaison d'espace-temps, qui n'appartient à aucun des expérimentateurs qui vivent l'expérience, mais qui,

comme s'il montrait des points d'arrêt, des ruptures, des puits, des cheminées d'accélération foudroyante, des déchirures, des lacunes, le tout ensemencé aléatoirement [...] [L]e temps coule de manière turbulente et chaotique, il percole.

Ces points de vue multiples sur la nature du temps, fournis par différentes branches de la physique, illustrent une fois de plus le principe de complémentarité.

37. La relativité générale peut être vue comme une corroboration de la déconstruction nietzschéenne de la causalité (voir par exemple Culler 1982, p. 86-88), bien que certains relativistes trouvent cette interprétation problématique. Par contre, en mécanique quantique, ce phénomène est plutôt bien établi (voir note 25 ci-dessus).

38. La relativité générale est aussi, évidemment, le point de départ de l'astrophysique contemporaine et de la cosmologie physique contemporaines. Voir Mathews (1991, p. 59-90, 109-116, 142-163) pour une analyse détaillée des liens entre la relativité générale (et ses généralisations appelées « géométrodynamique ») et une vision écologique du monde. Pour les spéculations d'un astrophysicien dans la même veine, voir Primack et Abrams (1995).

d'une certaine manière, domine toute la construction ; et cette notion de la constante — est-ce là le centre [39] ?

La réponse perspicace de Derrida alla au cœur de la relativité générale classique :

> La constante einsteinienne n'est pas une constante, n'est pas un centre. C'est le concept même de variabilité — c'est, en fin de compte, le concept du jeu. En d'autres termes, ce n'est pas le concept de quelque *chose* — d'un centre à partir duquel un observateur pourrait maîtriser le champ — mais le concept même du jeu [40][...]

En termes mathématiques, l'observation de Derrida est reliée à l'invariance de l'équation einsteinienne du champ $G_{\mu\nu} = 8\pi G T_{\mu\nu}$ sous les difféomorphismes non linéaires de l'espace-temps (auto-applications de la variété d'espace-temps qui sont infiniment différentiables mais pas nécessairement analytiques). L'essentiel est que ce groupe d'invariance « agit transitivement » : cela signifie que tout point d'espace-temps, si du moins il existe, peut être transformé en tout autre point. De cette façon, le groupe d'invariance de dimension infinie érode la distinction entre l'observateur et l'observé ; le π d'Euclide et le G de Newton, qu'on croyait jadis constants et universels, sont maintenant perçus dans leur inéluctable historicité ; et l'observateur putatif devient fatalement dé-centré, disconnecté de tout lien épistémique à un point de l'espace-temps qui ne peut plus être défini par la géométrie seule.

---

39. Discussion de Derrida (1970, p. 265-266).
40. Derrida (1970, p. 267). Les commentateurs de droite Gross et Levitt (1994, p. 79) ont ridiculisé cet énoncé en l'interprétant délibérément de façon erronée comme une assertion sur la relativité *restreinte*, dans laquelle la constante einsteinienne c (la vitesse de la lumière dans le vide) est évidemment constante. Aucun lecteur un tant soit peu au courant de la physique moderne — excepté ceux qui sont idéologiquement biaisés — ne peut manquer de comprendre la référence sans équivoque de Derrida à la relativité *générale*.

La gravitation quantique :
corde, tissage ou champ morphogénétique ?

Néanmoins, cette interprétation, bien qu'adéquate en relativité générale classique, devient incomplète dans la vision postmoderne émergente de la gravitation quantique. Lorsque même le champ gravitationnel — la géometrie incarnée — devient un opérateur non commutatif (et donc non linéaire), comment peut-on maintenir l'interprétation classique de $G_{\mu\nu}$ comme entité géométrique ? Non seulement l'observateur, mais le concept même de géometrie, devient relationnel et contextuel.

La synthèse entre la théorie quantique et la relativité générale est donc le principal problème non résolu de la physique théorique [41] ; et nul ne peut prédire aujourd'hui avec certitude ce que seront le langage et l'ontologie, et encore moins le contenu, de cette synthèse, si et quand elle se produit. Il est néanmoins utile d'examiner historiquement les métaphores et les images que les physiciens théoriciens ont employées dans leurs tentatives de comprendre la gravitation quantique.

Les premières tentatives — qui remontent au début des années 60 — de visualiser la géométrie à l'échelle

---

41. Luce Irigaray (1985, p. 315) a fait remarquer que les contradictions entre la théorie quantique et la théorie des champs sont en fait l'aboutissement d'un processus historique qui a commencé avec la mécanique newtonienne :

La coupure newtonienne a fait entrer la démarche scientifique dans un univers où la perception par le sens n'a presque plus cours et qui peut mener à l'annulation même de l'enjeu de l'objet de la physique : la matière (quels qu'en soient les prédicats) de l'univers et des corps qui le constituent. Dans cette science même, d'ailleurs, des clivages existent : théorie des quanta/théorie des champs, mécanique des solides/dynamiques des fluides, par exemple. Mais l'imperceptibilité de la matière étudiée entraîne souvent le privilège paradoxal de la *solidité* dans les découvertes et un retard, voire un abandon, de l'analyse de l'in-fini des champs de forces.

de Planck (approximativement 10^{-33} centimètres) la décrivaient comme une « mousse d'espace-temps » : des bulles de courbure de l'espace-temps, partageant une topologie complexe d'interconnexions en perpétuel changement [42]. Mais les physiciens furent incapables de pousser cette approche plus loin, peut-être à cause d'un développement inadéquat, à l'époque, de la topologie et de la théorie des variétés (voir plus loin).

Dans les années 70, les physiciens essayèrent une approche encore plus conventionnelle : simplifier les équations d'Einstein en faisant comme si elles étaient *presque linéaires*, et en appliquant ensuite les méthodes standard de la théorie quantique des champs à ces équations super-simplifiées. Mais cette méthode échoua elle aussi : il se fait que la relativité générale d'Einstein est, en termes techniques, « perturbativement non renormalisable [43] ». Ceci veut dire que les fortes non-linéarités de la relativité générale d'Einstein sont intrinsèques à la théorie ; toute approche qui prétend que les non-linéarités sont faibles est simplement auto-contradictoire. (Ce qui n'est pas surprenant : l'approche quasi-linéaire détruit les caractéristiques les plus importantes de la relativité générale, telles que les trous noirs.)

Dans les années 80, une approche fort différente, connue sous le nom de théorie des cordes, devint à la mode : dans celle-ci, les constituants fondamentaux de la matière ne sont pas des particules ponctuelles mais plutôt des cordes ouvertes ou fermées minuscules (à l'échelle de Planck) [44]. Dans cette théorie, la variété d'espace-temps n'existe plus comme réalité physique objective ; au contraire, l'espace-temps est un concept dérivé, une approximation qui n'est valable qu'à de grandes échelles (où « grandes » veut dire « bien plus

---

42. Wheeler (1964).
43. Isham (1991, section 3.1.4).
44. Green, Schwarz et Witten (1987).

grandes que 10^{-33} centimètres » !). Pendant un certain temps, plusieurs adhérents enthousiastes de la théorie des cordes pensaient qu'ils se rapprochaient d'une Théorie de Tout — la modestie n'est pas une de leurs vertus — et certains le pensent encore. Mais les difficultés mathématiques dans la théorie des cordes sont redoutables et il n'est nullement évident qu'elles seront résolues dans un proche avenir.

Plus récemment, un petit groupe de physiciens sont retournés aux non-linéarités complètes de la relativité générale d'Einstein et — en utilisant un nouveau symbolisme mathématique inventé par Abhay Ashtekar — ont tenté de visualiser la structure de la théorie quantique correspondante [45]. L'image qu'ils obtiennent est intriguante : comme dans la théorie des cordes, la variété d'espace-temps est seulement une approximation valable à de grandes distances, et non une réalité objective. À de courtes distances (à l'échelle de Planck), la géométrie de l'espace-temps est un *tissage* : une interconnexion complexe de fils.

Finalement, une proposition excitante a pris forme ces dernières années, grâce à une collaboration interdisciplinaire de mathématiciens, d'astrophysiciens et de biologistes : il s'agit de la théorie du champ morphogénétique [46]. Depuis le milieu des années 80, il y a eu une accumulation de données indiquant que ce champ, qui fut d'abord conceptualisé par des biologistes du développement [47], est en fait étroitement lié

---

45. Ashtekar, Rovelli et Smolin (1992), Smolin (1992).

46. Sheldrake (1981, 1991), Briggs et Peat (1984, chapitre 4), Granero-Porati et Porati (1984), Kazarinoff (1985), Schiffmann (1989), Psarev (1990), Brooks et Castor (1990), Heinonen, Kilpeläinen et Martio (1992), Rensing (1993). Pour un traitement approfondi des bases mathématiques de cette théorie, voir Thom (1977, 1988) ; et pour une analyse brève mais perspicace des sous-bassements philosophiques de cette approche et d'autres semblables, voir Ross (1991, p. 40-42, 253n).

47. Waddington (1965), Corner (1966), Gierer *et al.* (1978).

au champ *gravitationnel* quantique[48] : (a) il envahit
tout l'espace ; (b) il interagit avec toute la matière et
l'énergie, indépendamment du fait que cette matière-
énergie soit magnétiquement chargée ou non ; et, de
façon plus significative, (c) il est ce qu'on nomme
mathématiquement un « tenseur symétrique du
deuxième rang ». Ces trois propriétés sont caractéristiques de la gravitation ; et on a prouvé il y a bon
nombre d'années que la seule théorie auto-consistante
non linéaire d'un champ tensoriel symétrique du
deuxième rang, est, au moins à basses énergies, précisément la relativité générale d'Einstein[49]. Donc, si les
indications en faveur de (a), (b) et (c) se maintiennent,
nous pouvons inférer que le champ morphogénétique
est la contrepartie quantique du champ gravitationnel
d'Einstein. Jusqu'il y a peu, cette théorie a été ignorée
ou même méprisée par les membres de l'establishment
de la physique des hautes énergies, qui sont d'habitude
mécontents lorsque des biologistes (pour ne pas parler
des chercheurs en sciences humaines) « marchent sur
leurs plates-bandes[50] ». Néanmoins, certains physiciens théoriciens ont commencé à reconsidérer cette
théorie, et il y a de bonnes chances que des progrès
soient réalisés dans un futur proche[51].

---

48. Au début, certains chercheurs pensaient que le champ morphogénétique pourrait être relié au champ électromagnétique, mais
on se rend compte aujourd'hui qu'il s'agit seulement d'une analogie suggestive : voir Sheldrake (1981, p. 77, 90) pour un exposé
clair. Voir aussi le point (b) ci-dessous.

49. Boulware et Deser (1975).

50. Pour un autre exemple de l'effet « plates-bandes », voir
Chomsky (1977, p. 35-36).

51. Pour être équitable vis-à-vis de l'establishment de la physique des hautes énergies, je dois dire qu'il y a aussi une raison
intellectuelle honnête derrière leur opposition à cette théorie : dans
la mesure où elle postule une interaction sous-quantique qui relie
les formes dans tout l'univers, elle est, pour utiliser la terminologie
des physiciens, une « théorie des champs non locale ». Or, l'histoire de la physique depuis le début du dix-neuvième siècle, depuis
l'électromagnétisme de Maxwell jusqu'à la relativité générale

Il est trop tôt pour dire si la théorie des cordes, le tissage d'espace-temps ou les champs morphogénétiques seront confirmés en laboratoire : les expériences ne sont pas faciles à réaliser. Mais il est remarquable que ces trois théories ont des caractéristiques conceptuelles similaires : une forte non-linéarité, un espace-temps subjectif, un flux inexorable et une insistance sur la topologie de l'interconnexion.

Topologie différentielle et homologie

La physique théorique a connu une transformation significative — bien que ce ne soit encore pas un véritable changement kuhnien de paradigme — dans les années 70 et 80, mais qui est passée inaperçue aux yeux de la plupart des observateurs extérieurs : aux outils traditionnels de la physique mathématique (l'analyse réelle et complexe), qui traitent la variété d'espace-temps seulement localement, se sont ajoutées les approches topologiques (plus précisément, les méthodes de la topologie différentielle[52]) qui rendent

---

d'Einstein, peut être lue, dans un sens très profond, comme une tendance qui va des théories d'action à distance vers des *théories des champs locales* : en termes techniques, celles-ci sont des théories qui s'expriment au moyen d'équations aux dérivées partielles (Einstein et Infeld 1938, Hayles 1984). Donc, une théorie des champs non locale va réellement à contre-courant. Mais comme Bell (1987) et d'autres l'ont montré, la principale propriété de la mécanique quantique est précisément sa *non-localité*, exprimée par le théorème de Bell et ses généralisations (voir notes 23 et 24 ci-dessus). Par conséquent, une théorie des champs non locale, bien que choquant l'intuition classique des physiciens, est non seulement naturelle mais en fait *préférée* (et peut-être même *obligatoire* ?) dans le contexte quantique. C'est pourquoi la relativité générale est une théorie des champs locale, alors que la gravitation quantique (que ce soit une corde, un tissage ou un champ morphogénétique) est, de façon inhérente, non locale.

52. La topologie différentielle est la branche des mathématiques qui s'occupe des propriétés des surfaces (et des variétés de dimen-

compte de la structure globale (holiste) de l'univers. Cette tendance est visible dans l'analyse des anomalies dans les théories de jauge[53] ; dans la théorie des transitions de phase entremises par des vortex[54] ; et dans les théories des cordes et des supercordes[55]. De nombreux livres et articles de revue sur la « topologie pour les physiciens » ont été publiés durant ces années[56].

À la même époque, dans les sciences sociales et psychologiques, Jacques Lacan a fait remarquer le rôle essentiel joué par la topologie différentielle :

> Ce diagramme [le ruban de Möbius] peut être considéré comme la base d'une sorte d'inscription essentielle à l'origine, dans le nœud qui constitue le sujet. Ceci va bien plus loin que vous ne pourriez le penser à première vue, car vous pouvez chercher le type de surface capable de recevoir de telles inscriptions. Vous verrez peut-être que la sphère, ce vieux symbole de la totalité, n'est pas approprié. Un tore, une bouteille de Klein, une surface cross-cut sont capables de recevoir une telle coupure. Et cette diversité est très importante car elle explique beaucoup de choses sur la structure de la maladie mentale. Si l'on peut symboliser le sujet par cette coupure fondamentale, de la même façon on peut montrer qu'une coupure sur un tore correspond au

sion supérieure) qui ne sont pas affectées par des déformations lisses. Les propriétés qu'elle étudie sont par conséquent principalement qualitatives plutôt que quantitatives, et ses méthodes sont holistes plutôt que cartésiennes.

53. Alvarez-Gaumé (1985). Le lecteur averti remarquera que des anomalies dans la « science normale » sont souvent les précurseurs d'un changement *futur* de paradigme (Kuhn 1983).

54. Kosterlitz et Thouless (1973). L'épanouissement de la théorie des transitions de phase dans les années 70 reflète probablement une emphase accrue sur la discontinuité et la rupture dans la culture ambiante : voir note 81 ci-dessous.

55. Green, Schwarz et Witten (1987).

56. Un exemple typique est le livre de Nash et Sen (1983).

sujet neurotique, et sur une surface cross-cut à une autre sorte de maladie mentale [57, 58].

Comme Althusser l'a remarqué, à juste titre : « Il suffit, à cette fin, de reconnaître que Lacan confère enfin à la pensée de Freud les concepts scientifiques qu'elle exige [59]. » Plus récemment, la *topologie du sujet* de Lacan a été appliquée fructueusement à la critique cinématographique [60] et à la psychanalyse du SIDA [61]. En termes mathématiques, Lacan fait remarquer ici que

---

57. Lacan (1970, p. 192-193), exposé fait en 1966. Pour une analyse approfondie de l'usage par Lacan des idées de topologie mathématique, voir Juranville (1984, chapitre VII), Granon-Lafont (1985, 1990), Vappereau (1985) et Nasio (1987, 1992) ; un bref résumé est donné par Leupin (1991). Voir Hayles (1990, p. 80) pour une connexion intrigante entre la topologie lacanienne et la théorie du chaos ; malheureusement, elle ne la développe pas. Voir aussi Žižek (1991, p. 38-39, 45-47) pour plus d'homologies entre la théorie de Lacan et la physique contemporaine. Par ailleurs, Lacan a utilisé abondamment des concepts de théorie ensembliste des nombres : voir, par exemple, Miller (1977/78) et Ragland-Sullivan (1990).

58. Dans la psychologie sociale bourgeoise, les idées topologiques ont été employées par Kurt Lewin dès les années 30, mais ce travail échoua pour deux raisons : d'abord à cause de ses préconceptions idéologiques individualistes ; et deuxièmement, parce qu'il se basait sur la vieille topologie générale plutôt que sur la topologie différentielle moderne et la théorie des catastrophes. Pour ce deuxième point, voir Back (1992).

59. Althusser (1993, p. 50). Ce célèbre article sur « Freud et Lacan » a d'abord été publié en 1964, avant que l'œuvre de Lacan n'ait atteint son sommet de rigueur mathématique. Il a été réimprimé en anglais en 1969 (*New Left Review*).

60. Miller (1977/78, particulièrement p. 24-25). Cet article a eu une grande influence sur la théorie cinématographique : voir, par exemple, Jameson (1982, p. 27-28) et les références qu'il cite. Comme l'indique Strathausen (1994, p. 69), l'article de Miller est difficile d'accès pour le lecteur qui n'est pas au courant de la théorie des ensembles. Mais cela en vaut la peine. Pour une introduction douce à la théorie des ensembles, voir Bourbaki (1970).

61. Dean (1993, particulièrement p. 107-108).

le premier groupe d'homologie[62] de la sphère est trivial, alors que ceux des autres surfaces sont profonds ; et cette homologie est reliée au fait que la surface devienne connectée ou disconnectée après une ou plusieurs coupures[63]. De plus, comme l'a soupçonné Lacan, il existe une relation intime entre la structure externe du monde physique et sa représentation interne *qua* théorie des nœuds : cette hypothèse a été récemment confirmée par la dérivation par Witten des invariants des nœuds (en particulier le polynôme de Jones[64]) à partir de la théorie quantique des champs tridimensionnelle de Chern-Simons[65].

Des structures topologiques analogues apparaissent en gravitation quantique, mais, vu que les variétés en jeu sont multidimensionnelles plutôt que bidimensionnelles, les groupes supérieurs d'homologie jouent également un rôle. Ces variétés multidimensionnelles ne sont plus visualisables dans l'espace cartésien conventionnel à trois dimensions : par exemple, l'espace projectif RP^3, qui s'obtient en identifiant les antipodes de la 3-sphère ordinaire, nécessiterait un espace euclidien

---

62. La théorie de l'homologie est une des deux principales branches du domaine des mathématiques appelé *topologie algébrique*. Pour une excellente introduction à la théorie de l'homologie, voir Munkres (1984) ; et pour une version plus populaire, voir Eilenberg et Steenrod (1952). Une théorie de l'homologie complètement relativiste est discutée, par exemple, dans Eilenberg et Moore (1965). Pour une approche dialectique à la théorie de l'homologie et à son dual, la théorie de la cohomologie, voir Massey (1978). Pour une approche cybernétique à l'homologie, voir Saludes i Closa (1984).

63. Pour la relation de l'homologie aux coupures, voir Hirsch (1976, p. 205-208) ; et pour une application aux mouvements collectifs en théorie quantique des champs, voir Caracciolo *et al.* (1993, particulièrement l'appendice A.1).

64. Jones (1985).

65. Witten (1989).

de plongement de dimension au moins égale à 5[66]. Néanmoins, les groupes supérieurs d'homologie peuvent être perçus, au moins approximativement, grâce à une logique (non linéaire) multidimensionnelle convenable[67, 68].

Théorie des variétés : T(r)ous et frontières

Luce Irigaray, dans son célèbre article « Le sujet de la science est-il sexué ? », a fait remarquer que

> Les *sciences mathématiques* s'intéressent, dans la théorie des ensembles, aux espaces fermés et ouverts [...] Elles s'attachent assez peu à la question de l'entrouvert, des ensembles flous, de tout ce qui analyse le problème des bords [...][69].

---

66. James (1971, p. 271-272). Il vaut néanmoins la peine de remarquer que l'espace RP^3 est homéomorphe au groupe $SO(3)$ des symétries de rotation de l'espace euclidien tridimensionnel. Par conséquent, certains aspects de l'euclidicité tridimensionnelle sont préservés (bien que sous une forme modifiée) dans la physique postmoderne, de la même façon que certains aspects de la physique newtonienne ont été préservés d'une façon modifiée dans la physique einsteinienne.

67. Kosko (1993). Voir aussi Johnson (1977, p. 481-482) pour une analyse des efforts de Derrida et de Lacan pour transcender la logique spatiale euclidienne.

68. Dans le même ordre d'idées, Ève Seguin (1994, p. 61) a remarqué que « la logique ne dit rien sur le monde et attribue au monde des propriétés qui ne sont que des constructions de la pensée théorique. Ceci explique pourquoi la physique depuis Einstein s'est fondée sur des logiques alternatives, telles que la logique trivalente qui rejette le principe du tiers exclu. » Un travail de pionnier dans cette direction (et qui est injustement oublié), inspiré également par la mécanique quantique, est dû à Lupasco (1951). Voir aussi Plumwood (1993b, p. 453-459) pour une perspective spécifiquement féministe sur les logiques non classiques. Pour une analyse critique d'une logique non classique (« la logique de frontière ») et sa relation à l'idéologie du cyberespace, voir Markley (1994).

69. Irigaray (1985, p. 315), essai paru originellement en 1982. Sa locution « ensembles flous » fait sans doute allusion au nouveau

En 1982, quand l'essai d'Irigaray est paru pour la première fois, c'était une critique incisive : la topologie différentielle a traditionnellement privilégié l'étude de ce qu'on appelle en termes techniques les « variétés sans bord ». Mais, dans la dernière décennie, sous l'impulsion de la critique féministe, certains mathématiciens ont accordé une nouvelle attention à la théorie des « variétés à bord[70] ». Ce n'est peut-être pas une coïncidence si ce sont précisément ces variétés-ci qui apparaissent dans la nouvelle physique de la théorie des champs conforme, de la théorie des supercordes et de la gravitation quantique.

En théorie des cordes, l'amplitude quantique pour l'interaction entre n cordes ouvertes ou fermées est représentée par une intégrale fonctionnelle (qui est essentiellement une somme) sur des champs qui vivent sur une variété à bord bidimensionnelle[71]. En gravitation quantique, nous pouvons nous attendre à ce qu'une représentation similaire ait lieu, excepté que la variété à bord bidimensionnelle sera remplacée par une variété multidimensionnelle. Malheureusement, la multidimensionnalité va à contre-courant de la pensée mathématique linéaire conventionnelle, et malgré une ouverture récente (associée principalement à l'étude de phénomènes multidimensionnels non linéaires dans la théorie du chaos), la théorie des variétés multidimensionnelles à bord reste un peu sous-développée. Néanmoins, le travail des physiciens sur l'approche de l'intégrale fonctionnelle à la gravitation quantique suit

---

domaine des mathématiques connu sous ce nom (Kaufmann 1973, Kosko 1993).

70. Voir, par exemple, Hamza (1990), McAvity et Osborn (1991), Alexander, Berg et Bishop (1993) et les références qui y sont citées.

71. Green, Schwarz et Witten (1987).

son chemin [72], et ce travail stimulera sans doute l'intérêt des mathématiciens [73].

Irigaray a anticipé une question importante dans toutes ces théories : peut-on transgresser (traverser) ces frontières et, dans ce cas, que se passe-t-il ? Ceci est connu techniquement sous le nom de « conditions aux frontières ». A un niveau purement mathématique, l'aspect le plus frappant de ces conditions aux frontières est la diversité des possibilités : par exemple, les « conditions aux frontières libres » (pas d'obstacles à franchir), les « conditions aux frontières réfléchissantes » (réflection spéculaire, comme dans un miroir), les « conditions aux frontières périodiques » (revenir en un autre endroit de la variété), et les « conditions aux frontières antipériodiques » (revenir avec une torsion de 180°). Voici la question que posent les physiciens : de toutes ces conditions aux frontières concevables, lesquelles apparaissent réellement dans la représentation de la gravitation quantique ? Ou, peut-être, apparaissent-elles *toutes* simultanément, et sur pied d'égalité, comme le suggère le principe de complémentarité [74] ?

Arrivé ici, je dois arrêter mon exposé sur les développements en physique, pour la simple raison que la réponse à ces questions — en supposant qu'elle soit

---

72. Hamber (1992), Nabutosky et Ben-Av (1993), Kontsevich (1994).

73. Dans l'histoire des mathématiques, il y a une longue dialectique entre le développement des branches « pures » et « appliquées » (Struik 1987). Évidemment, les « applications » traditionnellement privilégiées dans ce contexte sont celles qui sont rentables pour les capitalistes ou utiles à leurs forces militaires : par exemple, la théorie des nombres a été développée principalement à cause de ses applications à la cryptographie (Loxton 1990). Voir aussi Hardy (1967, p. 120-121, 131-132).

74. La représentation égale de toutes les conditions aux frontières est aussi suggérée par la théorie du bootstrap de Chew, appelée théorie de la « démocratie subatomique » : voir Chew (1977) pour une introduction, et voir Morris (1988) et Markley (1992) pour une analyse philosophique.

univoque — n'est pas encore connue. Dans le reste de cet essai, je me propose de partir des aspects de la théorie de la gravitation quantique qui *sont* relativement bien établis (du moins d'après les normes de la science conventionnelle) et je tenterai d'en tirer les implications philosophiques et politiques.

Transgresser les frontières :
vers une science libératoire

Au cours des deux dernières décennies, une vaste discussion a eu lieu entre théoriciens critiques à propos des caractéristiques de la culture moderne par rapport à postmoderne ; ces dernières années ces dialogues ont commencé à examiner attentivement les problèmes posés par les sciences naturelles [75]. En particulier, Madsen et Madsen ont récemment donné un résumé très clair des caractéristiques de la science moderne par opposition à postmoderne. Ils proposent deux critères pour identifier une science postmoderne :

> Un critère simple pour qu'une science soit admise comme postmoderne est qu'elle soit libre de toute dépendance du concept de vérité objective. En vertu de ce critère, par exemple, l'interprétation en termes de complémentarité de la physique quantique due à Niels Bohr et à l'école de Copenhague est vue comme postmoderne [76].

---

75. Parmi les nombreux travaux s'inscrivant dans une perspective politique progressiste, les livres de Merchant (1980), Keller (1985), Harding (1986), Aronowitz (1988b), Haraway (1991) et Ross (1991) ont été particulièrement influents. Voir aussi les références citées plus loin.

76. Madsen et Madsen (1990, p. 471). La principale limitation de l'analyse de Madsen et Madsen est qu'elle est essentiellement apolitique ; et il n'est guère nécessaire de faire remarquer que des disputes sur ce qui est *vrai* peuvent affecter profondément et peuvent à leur tour être profondément affectées par des disputes sur des *projets politiques*. Ainsi, Markley (1992, p. 270) fait une analyse

Il est clair que la gravitation quantique est à cet égard un archétype de science postmoderne. En deuxième lieu,

> L'autre concept qui peut être pris comme fondamental pour une science postmoderne est celui d'*essentialité*. Les théories scientifiques postmodernes sont construites à partir de ces éléments qui sont essentiels pour la consistance et l'utilité de la théorie[77].

Par conséquent, des quantités ou des objets qui sont en principe inobservables — tels que des points d'espace-temps, des positions exactes de particules, ou des quarks et des gluons — ne devraient pas être introduits dans la théorie[78]. Bien qu'une grande partie de la phy-

---

similaire à celle de Madsen et Madsen, mais la situe correctement dans son contexte politique :

> Les critiques radicales de la science qui tentent d'échapper aux contraintes de la dialectique déterministe doivent aussi dépasser des débats étroitement conçus autour du réalisme et de la vérité, pour investiguer quel type de réalités — de réalités politiques — peuvent être engendrées par un bootstrapping dialogique. Dans un environnement dialogiquement agité, les débats sur le réalisme deviennent, en termes pratiques, sans pertinence. En fin de compte, la « réalité » est une construction historique.

Voir Markley (1992, p. 266-272) et Hobsbawm (1993, p. 63-64) pour une discussion plus approfondie des implications politiques.

77. Madsen et Madsen (1990, p. 471-472).

78. Aronowitz (1988b, p. 292-293) fait une critique légèrement différente, mais également pénétrante, de la chromodynamique quantique (la théorie actuellement hégémonique qui représente les nucléons comme états liés de quarks et de gluons) : se basant sur le travail de Pickering (1984), il remarque que

> dans son compte rendu [celui de Pickering], les quarks sont les noms donnés aux phénomènes (absents) qui sont en cohérence avec des théories de particules plutôt que de champs qui, dans chaque cas, offrent des explications différentes, bien qu'également plausibles, de la même observation (inférée). Le fait qu'une majorité de la communauté scientifique ait choisi l'une plutôt que l'autre est fonction de la préférence des scientifiques pour la tradition plutôt que de la validité de l'explication.

sique moderne soit exclue par ce critère, la gravitation
quantique est de nouveau admise : lorsqu'on passe de
la relativité générale classique à la théorie quantique,
les points d'espace-temps (et même la variété d'espace-temps elle-même) disparaissent de la théorie.

Néanmoins, ces critères, pour admirables qu'ils
soient, sont insuffisants pour une science postmoderne
libératoire : ils libèrent les êtres humains de la tyrannie
de la « vérité absolue » et de la « réalité objective »,

> Mais Pickering ne remonte pas assez loin dans l'histoire
> de la physique pour trouver la base de la tradition de
> recherche d'où émane l'explication en termes de quarks. Elle
> ne se trouve pas dans la tradition mais dans l'idéologie de la
> science, dans les différences entre théories de champ par rap-
> port aux théories de particules, entre explications simples par
> rapport aux explications complexes, le biais en faveur de la
> certitude par rapport à l'indétermination.

Dans la même veine, Markley (1992, p. 269) observe que la préférence des physiciens pour la chromodynamique quantique par rapport à la théorie du bootstrap de Chew et sa « démocratie
subatomique » (Chew 1977) provient d'un choix idéologique plutôt
que des données :

> Il n'est pas surprenant, à cet égard, que la théorie du bootstrap
> soit tombée dans une certaine disgrâce parmi les physiciens
> qui cherchent une Grande Théorie Unifiée ou une Théorie de
> Tout pour expliquer la structure de l'univers. Les théories
> globales qui expliquent « tout » proviennent du fait que la
> science occidentale privilégie la cohérence et l'ordre. Le
> choix entre la théorie du bootstrap et les théories de tout
> auquel les physiciens sont confrontés n'est *pas* principale-
> ment lié à la valeur de vérité qu'ont ces façons de rendre
> compte des données disponibles, mais avec les structures nar-
> ratives — indéterminées ou déterministes — dans lesquelles
> ces données sont insérées et au moyen desquelles elles sont
> interprétées.

Malheureusement, l'immense majorité des physiciens ne sont pas
encore au courant de ces critiques incisives de l'un des dogmes
qu'ils défendent avec le plus de ferveur.

Pour une autre critique de l'idéologie cachée de la physique
contemporaine des particules, voir Kroker *et al.* (1989, p. 158-162,
204-207). Le style de cette critique est un peu trop baudrillardien
pour mon goût plutôt traditionnel, mais le contenu va droit au but
(à part quelques inexactitudes mineures).

mais pas nécessairement de la tyrannie des autres êtres humains. Comme le dit Andrew Ross, nous avons besoin d'une science « qui sera publiquement responsable et qui sera utile à des fins progressistes[79] ». D'un point de vue féministe, Kelly Oliver exprime une idée similaire :

> [...] pour être révolutionnaire, la théorie féministe ne peut prétendre décrire ce qui existe, ou des « faits naturels ». Au contraire, les théories féministes doivent être des outils politiques, des stratégies pour surmonter l'oppression dans des situations concrètes spécifiques. Donc, le but de la théorie féministe doit être de développer des théories *stratégiques* — pas des théories vraies, pas des théories fausses, mais des théories stratégiques[80].

Comment cela peut-il être réalisé ?

Dans ce qui suit, je discuterai les grandes lignes d'une science postmoderne libératoire à deux niveaux : tout d'abord, en ce qui concerne les thèmes et les attitudes généraux ; ensuite, j'aborderai les buts et les stratégies politiques.

Une caractéristique de la science postmoderne émergente est son emphase sur la non-linéarité et la discontinuité : ceci se manifeste, par exemple, dans la théorie du chaos et dans la théorie des transitions de phase ainsi que dans la gravitation quantique[81]. En même

---

79. Ross (1991, p. 29). Pour un exemple amusant qui montre comment cette exigence modeste a poussé des scientifiques de droite à des crises d'apoplexies, voir Gross et Levitt (1994, p. 91) (« effrayant de stalinisme » est l'épithète qu'ils choisissent).

80. Oliver (1989, p. 146).

81. Bien que la théorie du chaos ait été étudiée en profondeur par les analystes culturels — voir par exemple Hayles (1990, 1991), Argyros (1991), Best (1991), Young (1991, 1992), Assad (1993) parmi bien d'autres — la théorie des transitions de phase est passée largement inaperçue. (La discussion du groupe de renormalisation par Hayles (1990, p. 154-158) est une exception.) C'est regrettable, car la discontinuité et l'émergence d'échelles multiples sont des caractéristiques centrales de cette théorie ; et il serait intéressant de savoir comment le développement de ces thèmes dans les années

temps, des penseuses féministes ont souligné la nécessité d'une analyse adéquate de la fluidité, en particulier des flots turbulents[82]. Ces deux thèmes ne sont pas aussi contradictoires qu'il ne puisse paraître à première vue : la turbulence est liée à la forte non-linéarité, et le caractère lisse/fluide est parfois associé à la discontinuité (par exemple dans la théorie des catastrophes[83]) ; par conséquent une synthèse n'est pas exclue.

Deuxièmement, les sciences postmodernes déconstruisent et transcendent les distinctions métaphysiques cartésiennes entre humanité et Nature, Observateur et Observé, Sujet et Objet. Déjà la mécanique quantique, au début du siècle, a détruit la croyance newtonienne ingénue en un monde objectif pré-linguistique d'objets matériels « qui sont là » ; nous ne pouvons plus demander, comme le disait Heisenberg, si « ces particules existent "en elles-mêmes" dans l'espace et le temps ». Mais la formulation d'Heisenberg présuppose encore l'existence objective de l'espace et du temps comme arène neutre non problématique dans laquelle les particules-ondes interagissent (bien que de façon indéterministe) ; et c'est justement cette arène supposée que la gravitation quantique problématise. De même que la mécanique quantique nous dit que la position et la vitesse d'une particule existent seulement de par l'acte d'observation, ainsi la gravitation quantique nous dit que l'espace et le temps eux-mêmes sont

---

70 est lié à la culture ambiante. Je suggère donc ce domaine comme champ d'investigation potentiellement fructueux pour les analystes de la culture. Des théorèmes sur la discontinuité qui peuvent être pertinents pour cette analyse sont énoncés par Van Enter, Fernández et Sokal (1993).

82. Irigaray (1977), Hayles (1992). Voir, néanmoins, Schor (1989) pour une critique de la déférence excessive d'Irigaray envers la science conventionnelle (mâle), en particulier la physique.

83. Thom (1977, 1988), Arnol'd (1992).

contextuels, et leur signification n'est définie que relativement au monde d'observation[84].

En troisième lieu, les sciences postmodernes renversent les catégories ontologiques statiques et les hiérarchies qui caractérisent la science moderniste. À la place de l'atomisme et du réductionnisme, les nouvelles sciences insistent sur le réseau dynamique de relations entre le tout et la partie ; à la place des essences individuelles fixées (par exemple, les particules newtoniennes), elles conceptualisent les interactions et les flots (par exemple, les champs quantiques). Ce qui est intriguant, c'est que ces aspects homologues apparaissent dans de nombreux domaines scientifiques, apparemment sans liens entre eux, comme la gravitation quantique, la théorie du chaos ou encore la biophysique des systèmes auto-organisés. De cette façon, les sciences postmodernes semblent converger vers un nouveau paradigme épistémologique, qu'on pourrait appeler une perspective *écologique*, ce qui peut être compris, en gros, comme « reconnaiss[ant] l'interdépendance fondamentale de tous les phénomènes et le

---

84. Concernant la métaphysique cartésiano-baconienne, Robert Markley (1991, p. 6) a observé que

Les narrations du progrès scientifique dépendent de l'imposition d'oppositions binaires — vrai/faux, correct/incorrect — à la connaissance théorique et expérimentale, privilégiant la signification sur le bruit, la métonymie sur la métaphore, l'autorité monologique sur la confrontation dialogique. [...] Ces tentatives d'ancrage de la nature sont idéologiquement coercitives ainsi que descriptivement limitées. Elles concentrent l'attention sur un petit nombre de phénomènes — par exemple, la dynamique linéaire — qui semblent offrir des façons simples, souvent idéalisées, de modéliser et d'interpréter la relation de l'humanité à l'univers.

Bien que cette observation soit principalement fondée sur la théorie du chaos — et en deuxième lieu sur la mécanique quantique non relativiste — elle résume magnifiquement le défi radical posé à la métaphysique moderniste par la gravitation quantique.

fait que les individus et les sociétés sont plongés dans les motifs cycliques de la nature [85] ».

Un quatrième aspect de la science postmoderne est son insistance consciente sur le symbolisme et la représentation. Comme l'a fait remarquer Robert Markley, les sciences postmodernes transgressent de plus en plus les frontières entre disciplines, et prennent des aspects qui ont été jusqu'ici le propre des lettres :

> La physique quantique, la théorie du bootstrap hadronique, la théorie des nombres complexes et la théorie du chaos ont en commun l'hypothèse de base selon laquelle la réalité ne peut être décrite en termes linéaires, que des équations non linéaires — et insolubles — sont le seul moyen possible pour décrire une réalité complexe, chaotique et non déterministe. Ces théories postmodernes sont toutes — et ceci est significatif — métacritiques en ce sens qu'elles se présentent comme métaphores plutôt que comme descriptions « fidèles » de la réalité. Pour utiliser des termes qui sont plus familiers aux théoriciens de la littérature qu'aux physiciens théoriciens, nous pourrions dire que ces tentatives des scientifiques de développer de nouvelles stratégies de description représentent des ébauches tendant vers une théorie des théories et disant comment la représentation — mathématique, expérimentale, et verbale — est intrinsèquement complexe et problématisante, et n'est pas une solution mais une partie de la sémiotique de l'investigation de l'univers [86, 87].

---

85. Capra (1988, p. 145). Une précision : je suis fort réservé au sujet de l'usage fait ici par Capra du mot « cyclique », qui, s'il est interprété trop littéralement, pourrait promouvoir un quiétisme politiquement régressif. Pour d'autres analyses de ces problèmes, voir Bohm (1990), Merchant (1980, 1992), Berman (1981), Prigogine et Stengers (1984), Bowen (1985), Griffin (1988), Kitchener (1988), Callicott (1989, chapitres 6 et 9), Shiva (1990), Best (1991), Haraway (1991, 1994), Mathews (1991), Morin (1977), Santos (1992) et Wright (1992).

86. Markley (1992, p. 264). Pour un peu chicaner, il ne me semble pas évident que la théorie des nombres complexes, qui est une branche nouvelle et encore spéculative de la physique mathé-

Venant d'un autre point de départ, Aronowitz suggère également qu'une science libératoire peut surgir d'un partage interdisciplinaire des épistémologies :

> [...] Les objets naturels sont aussi socialement construits. La question n'est pas de savoir si les objets naturels, ou, pour être précis, les objets de la connaissance scientifique naturelle, existent indépendamment de l'acte de la connaissance. Cette question trouve sa réponse dans l'hypothèse d'un temps « réel » par opposition à la présupposition, commune chez les néo-kantiens, que le temps a toujours un référent, que la temporalité est donc une catégorie relative et non inconditionnée. La terre a sûrement évolué longtemps avant la vie. La question est de savoir si les objets de la connaissance scientifique naturelle sont constitués en dehors du champ social. Si c'est possible, nous pouvons supposer que la science ou l'art peuvent développer des procédures qui neutralisent effectivement les effets émanant des moyens par lesquels nous produisons la connaissance/art. L'art performatif [*performance art*] peut être une telle tentative[88].

Finalement, la science postmoderne offre une puissante réfutation de l'autoritarisme et de l'élitisme inhérents à la science traditionnelle, ainsi qu'une base empirique pour une approche démocratique au travail scientifique. En effet, comme le remarquait Bohr, « une élucidation complète d'un seul et même objet peut nécessiter des points de vue divers qui défient une description unique » ; c'est tout simplement ainsi que le monde est fait, et tant pis si les empiristes autoproclamés de la science moderniste préfèrent l'oublier.

---

matique, doive avoir le même statut épistémologique que les trois sciences fermement établies citées par Markley.

87. Voir Wallerstein (1993, p. 17-20) pour un compte rendu incisif et très analogue de la façon dont la physique postmoderne commence à emprunter des idées des sciences historiques et sociales ; et voir Santos (1989, 1992) pour des développements plus détaillés.

88. Aronowitz (1988b, p. 344).

Dans cette situation, comment une prêtrise séculière auto-perpétuée de « scientifiques » accrédités peut-elle prétendre maintenir un monopole sur la production de la connaissance scientifique ? (Laissez-moi souligner que je ne suis nullement opposé à une formation scientifique spécialisée ; je m'oppose seulement à une caste élitaire qui cherche à imposer ses canons de « haute science », avec le but d'exclure *a priori* les formes alternatives de production scientifique par ceux qui n'en sont pas membres[89].)

Le contenu et la méthodologie de la science postmoderne fournissent donc une puissante base intellectuelle

---

89. Ici, la réponse du scientifique traditionnel est que le travail qui ne se conforme pas aux normes épistémiques de la science conventionnelle est fondamentalement *irrationnelle*, c'est-à-dire logiquement déficiente et donc non digne de crédibilité. Mais cette réfutation est insuffisante : car, comme Porush (1993) l'a lucidement fait observer, les mathématiques modernes et la physique ont *elles-mêmes* admis une puissante « intrusion de l'irrationnel » dû à la mécanique quantique et au théorème de Gödel — bien que, comme on pouvait s'y attendre, les scientifiques modernistes, comme les Pythagoriens d'il y a 24 siècles, ont ténté d'exorciser autant qu'ils le pouvaient cet élément irrationnel. Porush plaide éloquemment en faveur d'une « épistémologie post-rationnelle » qui garderait le meilleur de la science conventionnelle occidentale tout en validant des façons alternatives de connaître.

Notons également que Jacques Lacan, venant d'un tout autre point de départ, en est arrivé à une appréciation similaire du rôle inévitable de l'irrationalité en mathématiques modernes :

> Si vous me permettez d'utiliser l'une de ces formules qui me viennent quand j'écris mes notes, la vie humaine pourrait être définie comme un calcul dans lequel zéro serait irrationnel. Cette formule n'est qu'une image, une métaphore mathématique. Quand je dis « irrationnel », je ne me réfère pas à quelque état émotionnel insondable mais précisément à ce qu'on appelle un nombre imaginaire. La racine carrée de moins un ne correspond à rien qui soit sujet de notre intuition, rien de réel — au sens mathématique du mot — et néanmoins, il doit être conservé, avec toute sa fonction.

[Lacan (1977, p. 28-29), séminaire originellement tenu en 1959.] Pour d'autres réflexions sur l'irrationalité en mathématiques modernes, voir Solomon (1988, p. 76) et Bloor (1991, p. 122-125).

pour le projet politique progressiste, entendu dans son sens le plus large : la transgression des frontières, le renversement des barrières, la démocratisation radicale de tous les aspects de la vie sociale, économique, politique et culturelle[90]. Réciproquement, une partie de ce projet doit inclure la construction d'une science nouvelle et vraiment progressiste qui puisse servir les besoins d'une société-à-venir démocratisée. Comme l'observe Markley, il semble qu'il y a deux choix plus ou moins mutuellement exclusifs qui sont accessibles à la communauté progressiste :

> D'une part, les scientifiques politiquement progressistes peuvent essayer de récupérer les pratiques existantes en faveur des valeurs morales qu'ils défendent, en soutenant que leur ennemis de droite défigurent la nature et qu'eux, le contre-mouvement, ont accès à la vérité. [Mais] l'état de la biosphère — la pollution de l'air, de l'eau, la disparition des forêts tropicales, les milliers d'espèces au bord de l'extinction, de grandes étendues de terre utilisées au-delà de leur capacité, les centrales nucléaires, les armes nucléaires, des clairières qui remplacent les forêts, la famine, la malnutrition, les marécages [*wetlands*] en voie de disparition, les prairies inexistantes, et un grand nombre de maladies dues à l'environnement — suggère que le rêve réaliste du progrès scientifique, de recapturer plutôt que de révolutionner les méthodes et les technologies existantes est, au pire, sans pertinence pour une lutte politique qui cherche autre chose qu'une réédition du socialisme étatique[91].

L'alternative est une profonde reconceptualisation de la science ainsi que de la politique :

> Le mouvement dialogique vers la redéfinition des systèmes, vers une vue du monde non seulement comme unité écologique mais comme ensemble de systèmes

---

90. Voir, par exemple, Aronowitz (1994) et la discussion qui suit.

91. Markley (1992, p. 271).

en compétition — un monde uni par les tensions entre divers intérêts naturels et humains — offre la possibilité de redéfinir ce qu'est la science et ce qu'elle fait, de restructurer les schémas déterministes de la formation scientifique en faveur de dialogues continuels sur la façon dont nous intervenons dans notre environnement[92].

Il va sans dire que la science postmoderne favorise sans hésiter cette dernière approche, qui est plus profonde.

Il est impératif, non seulement de redéfinir le contenu de la science, mais encore de restructurer et de redéfinir les lieux institutionnels dans lesquels le travail scientifique se réalise — les universités, les laboratoires de l'État, et les entreprises — et de recadrer le système de récompenses qui pousse les scientifiques à devenir, souvent contre le meilleur d'eux-mêmes, les sicaires des capitalistes et des militaires. Comme Aronowitz l'a fait remarquer : « Un tiers des 11 000 thésards en physique aux États-Unis sont dans le sous-domaine de la physique de l'état solide, et ils pourront tous trouver un emploi dans ce sous-domaine[93]. » Par comparaison, il y a relativement peu d'emplois disponibles en gravitation quantique ou en physique de l'environnement.

---

92. Markley (1992, p. 271). Dans une démarche parallèle, Donna Haraway (1991, p. 191-192) a plaidé éloquemment pour une science démocratique comprenant « des connaissances partielles, localisables, critiques, soutenant la possibilité de réseaux de connexions qu'on appelle solidarité en politique et conversations partagées en épistémologie » et fondée sur « une doctrine et une pratique d'objectivité qui privilégie la contestation, la déconstruction, la construction passionnée, les connexions en réseau, et l'espoir d'une transformation des systèmes de connaissance et des façons de voir. » Ces idées sont développées dans Haraway (1994) et Doyle (1994).

93. Aronowitz (1988b, p. 351). Bien que cette observation ait été faite en 1988, elle est encore plus vraie aujourd'hui.

Mais tout ceci n'est qu'une première étape : le but fondamental de tout mouvement émancipatoire doit être de démystifier et de démocratiser la production de la connaissance scientifique, de briser les barrières artificielles qui séparent les « scientifiques » et le « public ». Pour être réaliste, cette tâche doit commencer avec la jeune génération, à travers une profonde réforme du système éducatif[94]. L'enseignement de la science et des mathématiques doit être purgé de ses caractéristiques autoritaires et élitistes[95], et le contenu de ces sujets doit être enrichi par l'incorporation des aperçus dus aux critiques féministes[96], homosexuelles[97], multiculturelles[98] et écologiques[99].

Finalement, le contenu de toute science est profondément conditionné par le langage dans lequel ses discours sont formulés ; et la science physique occidentale dominante a, depuis Galilée, été formulée dans le lan-

---

94. Freire (1974), Aronowitz et Giroux (1991, 1993).

95. Pour un exemple situé dans le contexte de la révolution sandiniste, voir Sokal (1987).

96. Merchant (1980), Easlea (1981), Keller (1985, 1992), Harding (1986, 1991), Haraway (1989, 1991), Plumwood (1993a). Voir Wylie *et al.* (1990) pour une bibliographie exhaustive. La critique féministe de la science a été, ce qui n'est pas surprenant, l'objet de contre-attaques de droite virulentes : voir, par exemple, Levin (1988), Haack (1992, 1993), Sommers (1994), Gross et Levitt (1994, chapitre 5) et Patai et Koertge (1994).

97. Trebilcot (1988), Hamill (1994).

98. Ezeabasili (1977), Van Sertima (1983), Frye (1987), Sardar (1988), Adams (1990), Nandy (1990), Alvares (1992), Harding (1994). Comme pour les critiques féministes, la perspective multiculturelle a été ridiculisée par les critiques de droite, avec une condescendance qui dans certains cas frise le racisme. Voir, par exemple, Ortiz de Montellano (1991), Martel (1991/92), Hughes (1993, chapitre 2) et Gross et Levitt (1994, p. 203-214).

99. Merchant (1980, 1992), Berman (1981), Callicott (1989, chapitres 6 et 9), Mathews (1991), Wright (1992), Plumwood (1993a), Ross (1994).

gage des mathématiques [100, 101]. Mais les mathématiques *de qui* ? La question est fondamentale car, comme l'a fait remarquer Aronowitz, « ni la logique ni les mathé-

---

100. Voir Wojciehowski (1991) pour une déconstruction de la rhétorique de Galilée, en particulier de sa thèse selon laquelle la méthode mathématico-scientifique peut mener à une connaissance directe et fiable de la « réalité ».

101. Une contribution très récente mais importante à la philosophie des mathématiques se trouve dans le travail de Deleuze et Guattari (1991, chapitre 5). Ils y introduisent la notion fructueuse de « fonctif », qui n'est ni une fonction ni une fonctionnelle mais plutôt une entité conceptuelle plus fondamentale :

> La science n'a pas pour objet des concepts, mais des fonctions qui se présentent comme des propositions dans des systèmes discursifs. Les éléments des fonctions s'appellent des *fonctifs*. [p. 111-112]

Cette idée apparemment simple a des conséquences subtiles et qui vont loin ; son élucidation nécessite un détour par la théorie du chaos (voir aussi Rosenberg 1993 et Canning 1994) :

> [...] la première différence est dans l'attitude respective de la science et de la philosophie par rapport au chaos. On définit le chaos moins par son désordre que par la vitesse infinie avec laquelle se dissipe toute forme qui s'y ébauche. C'est un vide qui n'est pas un néant, mais un *virtuel*, contenant toutes les particules possibles et tirant toutes les formes possibles qui surgissent pour disparaître aussitôt, sans consistance ni référence, sans conséquence. C'est une vitesse infinie de naissance et d'évanouissement. [p. 111]

Mais la science, contrairement à la philosophie, ne peut pas s'accommoder de vitesses infinies :

> [...] c'est par ralentissement que la matière s'actualise, mais aussi la pensée scientifique capable de la pénétrer [*sic*] par propositions. Une fonction est une Ralentie. Certes, la science ne cesse de promouvoir des accélérations, non seulement dans les catalyses, mais dans les accélérateurs de particules, dans les expansions qui éloignent les galaxies. Ces phénomènes cependant ne trouvent pas dans le ralentissement primordial un instant-zéro avec lequel ils rompent, mais plutôt une condition coextensive à leur développement tout entier. Ralentir, c'est poser une limite dans le chaos sous laquelle toutes les vitesses passent, si bien qu'elles forment une variable déterminée comme abscisse, en même temps que la limite forme une constante universelle qu'on ne peut pas dépasser (par exemple un maximum de contraction). *Les pre-*

matiques n'échappent à la "contamination" du social [102] ». Et comme les intellectuelles féministes l'ont fait remarquer de façon répétée, cette contamination, dans la culture actuelle, est principalement capitaliste, patriarcale et militariste : « les mathématiques sont décrites comme une femme dont la nature désire être

---

> *miers fonctifs sont donc la limite et la variable*, et la référence est un rapport entre valeurs de la variable, ou plus profondément le rapport de la variable comme abscisse des vitesses avec la limite. [p. 112, italiques ajoutées]

Une analyse plutôt compliquée (trop longue pour être citée ici) mène à une conclusion d'une profonde importance pour les sciences fondées sur la modélisation mathématique :

> L'indépendance respective des variables apparaît en mathématiques lorsque l'une est à une puissance plus élevée que la première. C'est pourquoi Hegel montre que la variabilité dans la fonction ne se contente pas de valeurs qu'on peut changer ($\frac{2}{3}$ et $\frac{4}{6}$), ni qu'on laisse indéterminées ($a = 2b$), mais exige que l'une des variables soit à une puissance supérieure ($y^2/x = P$). [p. 115]

Remarquons que dans la traduction anglaise il est écrit, suite à une faute d'inattention, $y^{2/x} = P$, erreur amusante qui détruit complètement la logique de l'argument.)

Ce qui est surprenant pour un travail technique de philosophie, ce livre (*Qu'est-ce que la philosophie ?*) a été un best-seller en France en 1991. Il a paru récemment en anglais, mais il est, malheureusement, peu probable qu'il puisse faire concurrence à Rush Limbaugh et à Howard Stern sur la liste des best-sellers dans ce pays.

102. Aronowitz (1988b, p. 346). Pour une vicieuse attaque de droite contre cette proposition, voir Gross et Levitt (1994, p. 52-54). Voir Ginzberg (1989), Cope-Kasten (1989), Nye (1990) et Plumwood (1993b) pour des critiques féministes lucides de la logique mathématique conventionnelle (masculine), en particulier du *modus ponens* et du syllogisme. Pour le *modus ponens*, voir aussi Woolgar (1988, p. 45-46) et Bloor (1991, p. 182) ; et, concernant le syllogisme, voir aussi Woolgar (1988, p. 47-48) et Bloor (1991, p. 131-135). Pour une analyse des images sociales soustendant les conceptions mathématiques de l'infini, voir Harding (1986, p. 50). Pour une démonstration de la contextualité sociale des énoncés mathématiques, voir Woolgar (1988, p. 43) et Bloor (1991, p. 107-130).

l'Autre conquise [103, 104] ». Donc, une science libératoire
ne peut être complète sans une révision profonde du

---

103. Campbell et Campbell-Wright (1993, p. 11). Voir Merchant (1980) pour une analyse détaillée des thèmes du contrôle et de la domination dans les mathématiques et la science occidentales.

104. Laissez-moi mentionner en passant deux autres exemples de sexisme et de militarisme en mathématiques qui n'ont pas été remarqués précédemment :

Le premier exemple concerne la théorie des processus de branchement, qui est apparu dans l'Angleterre victorienne à partir du « problème de l'extinction des familles », et qui joue aujourd'hui un rôle-clé entre autres dans l'analyse des réactions nucléaires en chaîne (Harris 1963). Dans l'article séminal (et ce terme sexiste est approprié) sur ce sujet, Francis Galton et le Révérend H.W. Watson (1874) écrivaient :

> La décadence des familles d'hommes qui ont occupé des positions importantes dans le passé a été un sujet fréquent de recherche, et a donné lieu à de multiples conjectures [...] Il existe de nombreux cas de noms de famille qui furent très répandus et qui sont devenus rares ou ont complètement disparu. La tendance est universelle et, pour l'expliquer, on a tiré hâtivement la conclusion que l'élévation du confort matériel et des capacités intellectuelles est nécessairement accompagnée d'une diminution de la « fertilité »...
>
> Soit p_0, p_1, p_2, ... les probabilités respectives qu'un homme ait 0, 1, 2, ... garçons, et supposons que chaque garçon ait la même probabilité d'avoir lui-même un garçon et ainsi de suite. Quelle est la probabilité que la ligne mâle soit éteinte après r générations, et plus généralement, quelle est la probabilité d'un nombre donné de descendants dans la ligne mâle à une génération donnée ?

On ne peut qu'être charmé par l'implication touchante d'archaïsme selon laquelle les mâles se reproduisent de façon asexuée ; néanmoins, le classisme, le darwinisme social et le sexisme de ce passage sont évidents.

Le second exemple est le livre de Laurent Schwartz sur *Les Mesures de Radon* (1973). Bien que techniquement fort intéressant, ce livre est marqué, comme le montre clairement son titre, par la vision du monde favorable à l'énergie nucléaire qui a caractérisé la gauche française depuis le début des années 60. Malheureusement, la gauche française — en particulier mais pas seulement le PCF — a traditionnellement été aussi enthousiaste pour l'énergie nucléaire que la droite (voir Touraine *et al.* 1980).

canon des mathématiques[105]. Pour le moment, il n'existe aucune mathématique émancipatoire et nous ne pouvons que spéculer sur ce que sera son contenu. Nous pouvons en apercevoir des indications dans la logique multidimensionnelle et non linéaire des systèmes flous[106] ; mais cette approche est encore fortement marquée par ses origines dans la crise des relations de production du capitalisme tardif[107]. La théorie des catastrophes[108], avec ses insistances dialectiques sur le caractère lisse/discontinu et sur la métamorphose/le dépliage jouera indubitablement un rôle majeur dans les mathématiques futures ; mais beaucoup de travail théorique reste à faire avant que cette approche ne puisse devenir un outil concret de la praxis politique progressiste[109]. Finalement, la théorie du chaos — qui nous fournit notre plus profonde compréhension du phénomène, à la fois mystérieux et doué d'ubiquité, de la non-linéarité — sera au centre de toutes les mathématiques futures. Ces images des mathématiques futures ne peuvent pourtant être qu'une lueur diffuse : car, à ces trois jeunes branches de l'arbre de la science, viendront s'ajouter de nouveaux troncs et de nouvelles branches — des cadres théo-

---

105. De même que les féministes libérales sont souvent satisfaites par un agenda minimal revendiquant l'égalité légale et sociale pour les femmes ainsi que le libre choix d'avorter [*pro-choice* en anglais], les mathématiciens libéraux (et même parfois socialistes) se contentent souvent de travailler dans le cadre hégémonique de Zermelo-Fraenkel (qui, reflétant ainsi ses origines libérales du dix-neuvième siècle, incorpore déjà l'axiome de l'égalité) auquel on ajoute seulement l'axiome du choix. Mais ce cadre est notoirement insuffisant pour une mathématique libératoire, comme l'a démontré Cohen il y a bien longtemps (1966).

106. Kosko (1993).

107. La théorie des systèmes flous a été fort développée par les compagnies transnationales — d'abord au Japon et ensuite ailleurs — pour résoudre les problèmes pratiques d'efficacité dans l'automation qui supprime des postes de travail.

108. Thom (1977, 1988), Arnol'd (1992).

109. Schubert (1989) offre un commencement intéressant d'une telle approche.

riques totalement nouveaux — que nous, avec nos œillères idéologiques présentes, ne pouvons même pas concevoir.

Je remercie Giacomo Caracciolo, Lucía Fernández-Santoro, Lia Gutiérrez et Elizabeth Meiklejohn pour d'agréables discussions qui ont beaucoup contribué à cet article. Inutile de dire qu'il ne faut pas supposer que ces personnes soient en accord total avec les vues scientifiques et politiques exprimées dans cet article ; et elles ne sont nullement responsables des erreurs ou des obscurités qui pourraient s'y trouver accidentellement.

Bibliographie

Adams, Hunter Havelin III. 1990. African and African-American contributions to science and technology. Dans : *African-American Baseline Essays*. Portland, Ore : Multnomah School District 1J, Portland Public Schools.

Albert, David Z. 1992. *Quantum Mechanics and Experience*. Cambridge : Harvard University Press.

Alexander, Stephanie B., I. David Berg and Richard L. Bishop. 1993. Geometric curvature bounds in Riemannian manifolds with boundary. *Transactions of the American Mathematical Society* **339** : 703-716.

Althusser, Louis. 1993. *Écrits sur la Psychanalyse : Freud et Lacan*. Paris : Stock-IMEC.

Alvares, Claude. 1992. *Science. Development and Violence : The Revolt against Modernity*. Delhi : Oxford University Press.

Alvarez-Gaumé, Luís. 1985. Topology and anomalies. Dans : *Mathematics and Physics : Lectures on*

Recent Results, vol. 2, p. 50-83, édité par L. Streit. Singapore : World Scientific.

Argyros, Alexander J. 1991. *A Blessed Rage for Order : Deconstruction, Evolution, and Chaos*. Ann Arbor : University of Michigan Press.

Arnol'd, Vladimir I. 1992. *Catastrophe Theory*. 3rd ed. Traduit par G.S. Wassermann et R.K. Thomas. Berlin : Springer.

Aronowitz, Stanley. 1981. *The Crisis in Historical Materialism : Class, Politics and Culture in Marxist Theory*. New York : Praeger.

Aronowitz, Stanley. 1988a. The production of scientific knowledge : Science, ideology, and Marxism. Dans : *Marxism and the Interpretation of Culture*, p. 519-541, édité par Cary Nelson et Lawrence Grossberg. Urbana and Chicago : University of Illinois Press.

Aronowitz, Stanley. 1988b. *Science as Power : Discourse and Ideology in Modern Society*. Minneapolis : University of Minnesota Press.

Aronowitz, Stanley. 1994. The situation of the left in the United States. *Socialist Review* 23(3) : 5-79.

Aronowitz, Stanley and Henry A. Giroux. 1991. *Postmodern Education : Politics, Culture, and Social Criticism*. Minneapolis : University of Minnesota Press.

Aronowitz, Stanley and Henry A. Giroux. 1993. *Education Still Under Siege*. Westport, Conn. : Bergin & Garvey.

Ashtekar, Abhay, Carlo Rovelli and Lee Smolin. 1992. Weaving a classical metric with quantum threads. *Physical Review Letters* 69 : 237-240.

Aspect, Alain, Jean Dalibard and Gérard Roger. 1982. Experimental test of Bell's inequalities using time-varying analyzers. *Physical Review Letters* 49 : 1804-1807.

Assad, Maria L. 1993. Portrait of a nonlinear dynamical system : The discourse of Michel Serres. *Sub-Stance* **71/72** : 141-152.

Back, Kurt W. 1992. This business of topology. *Journal of Social Issues* **48**(2) : 51-66.

Bell, John S. 1987. *Speakable and Unspeakable in Quantum Mechanics : Collected Papers on Quantum Philosophy*. New York : Cambridge University Press.

Berman, Morris. 1981. *The Reenchantment of the World*. Ithaca, N.Y. : Cornell University Press.

Best, Steven. 1991. Chaos and entropy : Metaphors in postmodern science and social theory. *Science as Culture* **2**(2) (no. 11) : 188-226.

Bloor, David. 1991. *Knowledge and Social Imagery*. 2nd ed. Chicago : University of Chicago Press.

Bohm, David. 1990. *La Plénitude de l'univers*. Traduit de l'anglais par Tchalai Unger. Monaco : Le Rocher. [Version originale : *Wholeness and the Implicate Order*. London : Routledge & Kegan Paul, 1980.]

Bohr, Niels. 1963. Quantum physics and philosophy — causality and complementarity. Dans : *Essays 1958-1962 on Atomic Physics and Human Knowledge* (The Philosophical Writings of Niels Bohr, Volume III), p. 1-7. New York : Wiley.

Bohr, Niels. 1991. *Physique atomique et connaissance humaine*. Traduction de l'anglais par Edmond Bauer et Roland Omnès. Paris : Gallimard.

Booker, M. Keith. 1990. Joyce, Planck, Einstein, and Heisenberg : A relativistic quantum mechanical discussion of *Ulysses. James Joyce Quarterly* **27** : 577-586.

Boulware, David G. and S. Deser. 1975. Classical general relativity derived from quantum gravity. *Annals of Physics* **89** : 193-240.

Bourbaki, Nicolas. 1970. *Théorie des Ensembles*. Paris : Hermann.

Bowen, Margarita. 1985. The ecology of knowledge : Linking the natural and social sciences. *Geoforum* **16** : 213-225.

Bricmont, Jean. 1995. Contre la philosophie de la mécanique quantique. Dans : *Les Sciences et la philosophie. Quatorze essais de rapprochement*, édité par R. Franck. Pages 131-179. Paris : Vrin.

Briggs, John and F. David Peat. 1984. *Looking Glass Universe : The Emerging Science of Wholeness*. New York : Cornerstone Library.

Brooks, Roger and David Castor. 1990. Morphisms between supersymmetric and topological quantum field theories. *Physics Letters B* **246** : 99-104.

Callicott, J. Baird. 1989. *In Defense of the Land Ethic : Essays in Environmental Philosophy*. Albany, N.Y. : State University of New York Press.

Campbell, Mary Anne and Randall K. Campbell-Wright. 1993. Toward a feminist algebra. Article présenté à une rencontre de la Mathematical Association of America (San Antonio, Texas). À paraître dans *Teaching the Majority : Science, Mathematics, and Engineering That Attracts Women*, édité par Sue V. Rosser. New York : Teachers College Press, 1995.

Canning, Peter. 1994. The crack of time and the ideal game. Dans : *Gilles Deleuze and the Theater of Philosophy*, p. 73-98, édité par Constantin V. Boundas et Dorothea Olkowski. New York : Routledge.

Capra, Fritjof. 1975. *The Tao of Physics : An Exploration of the Parallels Between Modern Physics and Eastern Mysticism*. Berkeley, California : Shambhala.

Capra, Fritjof. 1988. The role of physics in the current change of paradigms. Dans : *The World View of Contemporary Physics : Does It Need a New Metaphysics ?*, p. 144-155, édité par Richard F. Kitchener. Albany. N.Y. : State University of New York Press.

Caracciolo, Sergio, Robert G. Edwards, Andrea Pelissetto and Alan D. Sokal. 1993. Wolff-type embedding algorithms for general nonlinear σ-models. *Nuclear Physics B* **403** : 475-541.

Chew, Geoffrey. 1977. Impasse for the elementary-particle concept. Dans : *The Sciences Today*, p. 366-

399, édité par Robert M. Hutchins et Mortimer Adler. New York : Arno Press.

Chomsky, Noam. 1977. *Dialogues avec Mitsou Ronat*. Paris : Flammarion.

Cohen, Paul J. 1966. *Set Theory and the Continuum Hypothesis*. New York : Benjamin.

Coleman, Sidney. 1993. Quantum mechanics in your face. Lecture at New York University, November 12, 1993.

Cope-Kasten, Vance. 1989. A portrait of dominating rationality. *Newsletters on Computer Use, Feminism, Law, Medicine, Teaching (American Philosophical Association)* **88**(2) (March) : 29-34.

Corner, M.A. 1966. Morphogenetic field properties of the forebrain area of the neural plate in an anuran. *Experientia* **22** : 188-189.

Craige, Betty Jean. 1982. *Literary Relativity : An Essay on Twentieth-Century Narrative*. Lewisburg : Bucknell University Press.

Culler, Jonathan. 1982. *On Deconstruction : Theory and Criticism after Structuralism*. Ithaca, N.Y. : Cornell University Press.

Dean, Tim. 1993. The psychoanalysis of AIDS. *October* **63** : 83-116.

Deleuze, Gilles et Félix Guattari. 1991. *Qu'est-ce que la philosophie ?* Paris : Éditions de Minuit. [Traduction anglaise : *What is Philosophy ?* Traduit par Hugh Tomlinson et Graham Burchell. New York : Columbia University Press, 1994.]

Derrida, Jacques. 1970. Structure, sign and play in the discourse of the human sciences. Dans : *The Languages of Criticism and the Sciences of Man : The Structuralist Controversy*, p. 247-272, édité par Richard Macksey et Eugenio Donato. Baltimore : Johns Hopkins Press.

Doyle, Richard. 1994. Dislocating knowledge, thinking out of joint : Rhizomatics, *Caenorhabditis elegans* and the importance of being multiple.

Configurations : A Journal of Literature, Science, and Technology **2** : 47-58.

Dürr, Detlef, Sheldon Goldstein and Nino Zanghí. 1992. Quantum equilibrium and the origin of absolute uncertainty. *Journal of Statistical Physics* **67** : 843-907.

Easlea, Brian. 1981. *Science and Sexual Oppression : Patriarchy's Confrontation with Women and Nature*. London : Weidenfeld and Nicolson.

Eilenberg, Samuel and John C. Moore. 1965. *Foundations of Relative Homological Algebra*. Providence. R.I. : American Mathematical Society.

Eilenberg, Samuel and Norman E. Steenrod. 1952. *Foundations of Algebraic Topology*. Princeton, N.J. : Princeton University Press.

Einstein, Albert and Leopold Infeld. 1938. *L'Évolution des idées en physique*. Traduit de l'anglais par Maurice Solovine. Paris : Flammarion. [Version originale : *The Evolution of Physics*. New York : Simon and Schuster, 1961.]

Ezeabasili, Nwankwo. 1977. *African Science : Myth or Reality ?* New York : Vantage Press.

Feyerabend, Paul. 1979. *Contre la méthode : Esquisse d'une théorie anarchiste de la connaissance*. Traduit de l'anglais par Baudouin Jurdant et Agnès Schlumberger. Paris : Seuil. [Version originale : *Against Method*. London : New Left Books, 1975.]

Freire, Paulo. 1974. *Pédagogie des opprimés* suivi de *Conscientisation et révolution*. Paris : Maspero. [Version anglaise : *Pedagogy of the Oppressed*. Traduit par Myra Bergman Ramos. New York : Continuun, 1970.]

Froula, Christine. 1985. Quantum physics/postmodern metaphysics : The nature of Jacques Derrida. *Western Humanities Review* **39** : 287-313.

Frye, Charles A. 1987. Einstein and African religion and philosophy : The hermetic parallel. Dans : *Einstein and the Humanities*, p. 59-70, édité par Dennis P. Ryan. New York : Greenwood Press.

Galton, Francis and H.W. Watson. 1874. On the probability of the extinction of families. *Journal of the Anthropological Institute of Great Britain and Ireland* **4** : 138-144.

Gierer, A., R.C. Leif, T. Maden and J.D. Watson. 1978. Physical aspects of generation of morphogenetic fields and tissue forms. Dans : *Differentiation and Development*, édité par F. Ahmad, J. Schultz, T.R. Russell et R. Werner. New York : Academic Press.

Ginzberg, Ruth. 1989. Feminism, rationality, and logic. *Newsletters on Computer Use, Feminism, Law, Medicine, Teaching (American Philosophical Association)* **88**(2) (March) : 34-39.

Gleick, James. 1989. *La Théorie du chaos : Vers une nouvelle science*. Traduit de l'anglais par Christian Jeanmougin. Paris : Albin Michel. [Version originale : *Chaos : Making a New Science*. New York : Viking, 1987.]

Gödel, Kurt. 1949. An example of a new type of cosmological solutions of Einstein's field equations of gravitation. *Reviews of Modern Physics* **21** : 447-450.

Goldstein, Rebecca. 1983. *The Mind-Body Problem*. New York : Random House.

Granero-Porati, M.I. and A. Porati. 1984. Temporal organization in a morphogenetic field. *Journal of Mathematical Biology* **20** : 153-157.

Granon-Lafont, Jeanne. 1985. *La Topologie Ordinaire de Jacques Lacan*. Paris : Point Hors Ligne.

Granon-Lafont, Jeanne. 1990. *Topologie Lacanienne et Clinique Analytique*. Paris : Point Hors Ligne.

Green, Michael B., John H. Schwarz and Edward Witten. 1987. *Superstring Theory*. 2 vols. New York : Cambridge University Press.

Greenberg, Valerie D. 1990. *Transgressive Readings : The Texts of Franz Kafka and Max Planck*. Ann Arbor : University of Michigan Press.

Greenberger, D.M., M.A. Horne and Z. Zeilinger. 1989. Going beyond Bell's theorem. Dans : *Bell's Theorem, Quantum Theory and Conceptions of the Universe*, p. 73-76, édité par M. Kafatos. Dordrecht : Kluwer.

Greenberger, D.M., M.A. Horne, A. Shimony and Z. Zeilinger. 1990. Bell's theorem without inequalities. *American Journal of Physics* **58** : 1131-1143.

Griffin, David Ray, ed. 1988. *The Reenchantment of Science : Postmodern Proposals*. Albany, N.Y. : State University of New York Press.

Gross, Paul R. and Norman Levitt. 1994. *Higher Superstition : The Academic Left and its Quarrels with Science*. Baltimore : Johns Hopkins University Press.

Haack, Susan. 1992. Science « from a feminist perspective ». *Philosophy* **67** : 5-18.

Haack, Susan. 1993. Epistemological reflections of an old feminist. *Reason Papers* **18** (fall) : 31-43.

Hamber, Herbert W. 1992. Phases of four-dimensional simplicial quantum gravity. *Physical Review D* **45** : 507-512.

Hamill, Graham. 1994. The epistemology of expurgation : Bacon and *The Masculine Birth of Time*. Dans : *Queering the Renaissance*, p. 236-252, édité par Jonathan Goldberg. Durham, N.C. : Duke University Press.

Hamza, Hichem. 1990. Sur les transformations conformes des variétés riemanniennes à bord. *Journal of Functional Analysis* **92** : 403-447.

Haraway, Donna J. 1989. *Primate Visions : Gender, Race, and Nature in the World of Modern Science*. New York : Routledge.

Haraway, Donna J. 1991. *Simians, Cyborgs, and Women : The Reinvention of Nature*. New York : Routledge.

Haraway, Donna J. 1994. A game of cat's cradle : Science studies, feminist theory, cultural studies.

Configurations : A Journal of Literature, Science, and Technology **2** : 59-71.

Harding, Sandra. 1986. *The Science Question in Feminism*. Ithaca : Cornell University Press.

Harding, Sandra. 1991. *Whose Science ? Whose Knowledge ? Thinking from Women's Lives*. Ithaca : Cornell University Press.

Harding, Sandra. 1994. Is science multicultural ? Challenges, resources, opportunities, uncertainties. *Configurations : A Journal of Literature, Science, and Technology* **2** : 301-330.

Hardy, G.H. 1967. *A Mathematician's Apology*. Cambridge : Cambridge University Press.

Harris, Theodore E. 1963. *The Theory of Branching Processes*. Berlin : Springer.

Hayles, N. Katherine. 1984. *The Cosmic Web : Scientific Field Models and Literary Strategies in the Twentieth Century*. Ithaca : Cornell University Press.

Hayles, N. Katherine. 1990. *Chaos Bound : Orderly Disorder in Contemporary Literature and Science*. Ithaca : Cornell University Press.

Hayles, N. Katherine, ed. 1991. *Chaos and Order : Complex Dynamics in Literature and Science*. Chicago : University of Chicago Press.

Hayles, N. Katherine. 1992. Gender encoding in fluid mechanics : Masculine channels and feminine flows. *Differences : A Journal of Feminist Cultural Studies* **4**(2) : 16-44.

Heinonen, J., T. Kilpeläinen and O. Martio. 1992. Harmonic morphisms in nonlinear potential theory. *Nagoya Mathematical Journal* **125** : 115-140.

Heisenberg, Werner. 1962. *La Nature dans la physique contemporaine*. Traduit de l'allemand par Ugné Karvelis et A. E. Leroy. Paris : Gallimard.

Hirsch, Morris W. 1976. *Differential Topology*. New York : Springer.

Hobsbawm, Eric. 1993. The new threat to history. *New York Review of Books* (16 December) : 62-64.

Hochroth, Lysa. 1995. The scientific imperative : Improductive expenditure and energeticism. *Configurations : A Journal of Literature, Science, and Technology* 3 : 47-77.

Honner, John. 1994. Description and deconstruction : Niels Bohr and modern philosophy. Dans : *Niels Bohr and Contemporary Philosophy* (Boston Studies in the Philosophy of Science #153), p. 141-153, édité par Jan Faye and Henry J. Folse. Dordrecht : Kluwer.

Hughes, Robert. 1993. *Culture of Complaint : The Fraying of America*. New York : Oxford University Press.

Irigaray, Luce. 1977. « La "Mécanique" des Fluides ». Dans : *Ce sexe qui n'en est pas un*. Paris : Éditions de Minuit. [Publication originale : *L'Arc*, n° 58 (1974). Traduction anglaise : *This Sex Which Is Not One*. Ithaca : Cornell University Press, 1985.]

Irigaray, Luce. 1985. « Le Sujet de la Science Est-Il Sexué ? » Dans : *Parler n'est jamais neutre*. Paris : Éditions de Minuit. [Publication originale : *Les Temps Modernes* 9, n° 436 (novembre 1982), 960-974. Traduction anglaise : *Hypatia* 2(3) (1987) : 65-87.]

Isham, C.J. 1991. Conceptual and geometrical problems in quantum gravity. Dans : *Recent Aspects of Quantum Fields* (Lecture Notes in Physics #396), édité par H. Mitter et H. Gausterer. Berlin : Springer.

Itzykson, Claude and Jean-Bernard Zuber. 1980. *Quantum Field Theory*. New York : McGraw-Hill International.

James, I.M. 1971. Euclidean models of projective spaces. *Bulletin of the London Mathematical Society* 3 : 257-276.

Jameson, Frederic. 1982. Reading Hitchcock. *October* 23 : 15-42.

Jammer, Max. 1974. *The Philosophy of Quantum Mechanics*. New York : Wiley.

Johnson, Barbara. 1977. The frame of reference :

Poe, Lacan, Derrida. *Yale French Studies* **55/56** : 457-505.

Johnson, Barbara. 1989. *A World of Difference*. Baltimore : Johns Hopkins University Press.

Jones, V.F.R. 1985. A polynomial invariant for links via Von Neumann algebras. *Bulletin of the American Mathematical Society* **12** : 103-112.

Juranville, Alain. 1984. *Lacan et la philosophie*. Paris : Presses Universitaires de France.

Kaufmann, Arnold. 1973. *Introduction à la théorie des sous-ensembles flous à l'usage des ingénieurs*. Paris : Masson.

Kazarinoff, N.D. 1985. Pattern formation and morphogenetic fields. In *Mathematical Essays on Growth and the Emergence of Form*, p. 207-220, édité par Peter L. Antonelli. Edmonton : University of Alberta Press.

Keller, Evelyn Fox. 1985. *Reflections on Gender and Science*. New Haven : Yale University Press.

Keller, Evelyn Fox. 1992. *Secrets of Life, Secrets of Death : Essays on Language, Gender, and Science*. New York : Routledge.

Kitchener, Richard F., ed. 1988. *The World View of Contemporary Physics : Does It Need a New Metaphysics ?* Albany, N.Y. : State University of New York Press.

Kontsevich, M. 1994. Résultats rigoureux pour modèles sigma topologiques. Conférence au XIᵉ Congrès International de Physique Mathématique, Paris, 18-23 juillet 1994. Édité par Daniel Iagolnitzer et Jacques Toubon. À paraître.

Kosko, Bart. 1993. *Fuzzy Thinking : The New Science of Fuzzy Logic*. New York : Hyperion.

Kosterlitz, J.M. and D.J. Thouless. 1973. Ordering, metastability and phase transitions in two-dimensional systems. *Journal of Physics C* **6** : 1181-1203.

Kroker, Arthur, Marilouise Kroker and David Cook.

1989. *Panic Encyclopedia : The Definitive Guide to the Postmodern Scene*. New York : St. Martin's Press.

Kuhn, Thomas. 1983. *La Structure des révolutions scientifiques*. Paris : Flammarion. [Version originale : *The Structure of Scientific Revolutions, 2*nd ed. Chicago : University of Chicago Press, 1970.]

Lacan, Jacques. 1970. Of structure as an inmixing of an otherness prerequisite to any subject whatever. Dans : *The Languages of Criticism and the Sciences of Man*, p. 186-200, édité par Richard Macksey et Eugenio Donato. Baltimore : Johns Hopkins Press.

Lacan, Jacques. 1977. Desire and the interpretation of desire in *Hamlet*. Traduit par James Hulbert. *Yale French Studies* **55/56** : 11-52.

Latour, Bruno. 1995. *La Science en action*. Paris : Gallimard. [Version originale : *Science in Action : How to Follow Scientists and Engineers through Society*. Cambridge : Harvard University Press, 1987.]

Latour, Bruno. 1988. A relativistic account of Einstein's relativity. *Social Studies of Science* **18** : 3-44.

Leupin, Alexandre. 1991. Introduction : Voids and knots in knowledge and truth. Dans : *Lacan and the Human Sciences*, p. 1-23, édité par Alexandre Leupin. Lincoln, Neb. : University of Nebraska Press.

Levin, Margarita. 1988. Caring new world : Feminism and science. *American Scholar* **57** : 100-106.

Lorentz, H.A., A. Einstein, H. Minkowski and H. Weyl. 1952. *The Principle of Relativity*. Traduit par W. Perrett et G.B. Jeffery. New York : Dover.

Loxton, J.H., ed. 1990. *Number Theory and Cryptography*. Cambridge-New York : Cambridge University Press.

Lupasco, Stéphane. 1951. *Le Principe d'antagonisme et la logique de l'énergie*. Actualités Scientifiques et Industrielles #1133. Paris : Hermann.

Lyotard, Jean-François. 1988. *L'Inhumain : Causeries sur le temps*. Paris : Galilée.

Madsen, Mark and Deborah Madsen. 1990. Structuring postmodern science. *Science and Culture* **56** : 467-472.

Markley, Robert. 1991. What now ? An introduction to interphysics. *New Orleans Review* **18**(1) : 5-8.

Markley, Robert. 1992. The irrelevance of reality : Science, ideology and the postmodern universe. *Genre* **25** : 249-276.

Markley, Robert. 1994. Boundaries : Mathematics, alienation, and the metaphysics of cyberspace. *Configurations : A Journal of Literature, Science, and Technology* **2** : 485-507.

Martel, Erich. 1991/92. How valid are the Portland baseline essays ? *Educational Leadership* **49**(4) : 20-23.

Massey, William S. 1978. *Homology and Cohomology Theory*. New York : Marcel Dekker.

Mathews, Freya. 1991. *The Ecological Self*. London : Routledge.

Maudlin, Tim. 1994. *Quantum Non-Locality and Relativity : Metaphysical Intimations of Modern Physics*. Aristotelian Society Series, vol. 13. Oxford : Blackwell.

McAvity, D.M. and H. Osborn. 1991. A DeWitt expansion of the heat kernel for manifolds with a boundary. *Classical and Quantum Gravity* **8** : 603-638.

McCarthy, Paul. 1992. Postmodern pleasure and perversity : Scientism and sadism. *Postmodern Culture* **2**, no. 3. Disponible sur Internet à
http://muse.jhu.edu/journals/postmodern_culture/toc/pmcv002.html#v002.3 ou
http://www.iath.virginia.edu/pmc/text-only/issue.592/mccarthy.592 Réimprimé également dans *Essays in Postmodern Culture*, p. 99-132, édité par Eyal Amiran et John Unsworth. New York : Oxford University Press, 1993.

Merchant, Carolyn. 1980. *The Death of Nature : Women, Ecology, and the Scientific Revolution*. New York : Harper & Row.

Merchant, Carolyn. 1992. *Radical Ecology : The Search for a Livable World*. New York : Routledge.

Mermin, N. David. 1990. Quantum mysteries revisited. *American Journal of Physics* **58** : 731-734.

Mermin, N. David. 1993. Hidden variables and the two theorems of John Bell. *Reviews of Modern Physics* **65** : 803-815.

Merz, Martina and Karin Knorr Cetina. 1994. Deconstruction in a « thinking » science : Theoretical physicists at work. Geneva : European Laboratory for Particle Physics (CERN), preprint CERN-TH.7152/94. [Paru dans *Social Studies of Science* **27** (1997) : 73-111.]

Miller, Jacques-Alain. 1977/78. Suture (elements of the logic of the signifier). *Screen* **18** (4) : 24-34.

Morin, Edgar. 1977. *La Méthode. 1 : La nature de la nature*. Paris : Seuil. [Traduction anglaise : *The Nature of Nature* (Method : Towards a Study of Humankind, vol. 1). Traduit par J.L. Roland Bélanger. New York : Peter Lang, 1992.]

Morris, David B. 1988. Bootstrap theory : Pope, physics, and interpretation. *The Eighteenth Century : Theory and Interpretation* **29** : 101-121.

Munkres, James R. 1984. *Elements of Algebraic Topology*. Menlo Park, California : Addison-Wesley.

Nabutosky. A. and R. Ben-Av. 1993. Noncomputability arising in dynamical triangulation model of four-dimensional quantum gravity. *Communications in Mathematical Physics* **157** : 93-98.

Nandy, Ashis, ed. 1990. *Science, Hegemony and Violence : A Requiem for Modernity*. Delhi : Oxford University Press.

Nash, Charles and Siddhartha Sen. 1983. *Topology and Geometry for Physicists*. London : Academic Press.

Nasio, Juan-David. 1987. *Les Yeux de Laure : Le concept d'objet a dans la théorie de J. Lacan. Suivi d'une introduction à la topologie psychanalytique*. Paris : Aubier.

Nasio, Juan-David. 1992. Le concept de sujet de l'inconscient. Texte d'une intervention realisée dans le cadre du séminaire de Jacques Lacan « La topologie et le temps », le mardi 15 mai 1979. Dans : *Cinq leçons sur la théorie de Jacques Lacan*. Paris : Éditions Rivages.

Nye, Andrea. 1990. *Words of Power : A Feminist Reading of the History of Logic*. New York : Routledge.

Oliver, Kelly. 1989. Keller's gender/science system : Is the philosophy of science to science as science is to nature ? *Hypatia* **3**(3) : 137-148.

Ortiz de Montellano, Bernard. 1991. Multicultural pseudoscience : Spreading scientific illiteracy among minorities : Part I. *Skeptical Inquirer* **16**(2) : 46-50.

Overstreet, David. 1980. Oxymoronic language and logic in quantum mechanics and James Joyce. *SubStance* **28** : 37-59.

Pais, Abraham. 1991. *Niels Bohr's Times : In Physics, Philosophy, and Polity*. New York : Oxford University Press.

Patai, Daphne and Noretta Koertge. 1994. *Professing Feminism : Cautionary Tales from the Strange World of Women's Studies*. New York : Basic Books.

Pickering, Andrew. 1984. *Constructing Quarks : A Sociological History of Particle Physics*. Chicago : University of Chicago Press.

Plotnitsky, Arkady. 1994. *Complementarity : Anti-Epistemology after Bohr and Derrida*. Durham, N.C. : Duke University Press.

Plumwood, Val. 1993a. *Feminism and the Mastery of Nature*. London : Routledge.

Plumwood, Val. 1993b. The politics of reason : Towards a feminist logic. *Australasian Journal of Philosophy* **71** : 436-462.

Porter, Jeffrey. 1990. « Three quarks for Muster

Mark » : Quantum wordplay and nuclear discourse in Russell Hoban's *Riddley Walker*. *Contemporary Literature* **21** : 448-469.

Porush, David. 1989. Cybernetic fiction and postmodern science. *New Literary History* **20** : 373-396.

Porush, David. 1993. Voyage to Eudoxia : The emergence of a post-rational epistemology in literature and science. *SubStance* **71/72** : 38-49.

Prigogine, Ilya and Isabelle Stengers. 1984. *Order out of Chaos : Man's New Dialogue with Nature*. New York : Bantam.

Primack, Joel R. and Nancy Ellen Abrams. 1995. « In a beginning... » : Quantum cosmology and Kabbalah. *Tikkun* **10**(1) (January/February) : 66-73.

Psarev, V.I. 1990. Morphogenesis of distributions of microparticles by dimensions in the coarsening of dispersed systems. *Soviet Physics Journal* **33** : 1028-1033.

Ragland-Sullivan, Ellie. 1990. Counting from 0 to 6 : Lacan, « suture », and the imaginary order. Dans : *Criticism and Lacan : Essays and Dialogue on Language, Structure, and the Unconscious*, p. 31-63, édité par Patrick Colm Hogan et Lalita Pandit. Athens, Ga. : University of Georgia Press.

Rensing, Ludger, ed. 1993. Oscillatory signals in morphogenetic fields. Part II of *Oscillations and Morphogenesis*, p. 133-209. New York : Marcel Dekker.

Rosenberg, Martin E. 1993. Dynamic and thermodynamic tropes of the subject in Freud and in Deleuze and Guattari. *Postmodern Culture* **4**, n°. 1. Disponible sur Internet à http://muse.jhu.edu/journals/postmodern_culture/v004/4. 1rosenberg.html ou http://www.iath. virginia.edu/pmc/text-only/issue.993/rosenber.993

Ross, Andrew. 1991. *Strange Weather : Culture, Science, and Technology in the Age of Limits*. London : Verso.

Ross, Andrew. 1994. *The Chicago Gangster Theory of Life : Nature's Debt to Society*. London : Verso.

Saludes i Closa, Jordi. 1984. Un programa per a calcular l'homologia simplicial. *Butlletí de la Societat Catalana de Ciències* (segona època) **3** : 127-146.

Santos, Boaventura de Sousa. 1989. *Introdução a uma Ciência Pós-Moderna*. Porto : Edições Afrontamento.

Santos, Boaventura de Sousa. 1992. A discourse on the sciences. *Review (Fernand Braudel Center)* **15**(1) : 9-47.

Sardar, Ziauddin, ed. 1988. *The Revenge of Athena : Science, Exploitation and the Third World*. London : Mansell.

Schiffmann, Yoram. 1989. The second messenger system as the morphogenetic field. *Biochemical and Biophysical Research Communications* **165** : 1267-1271.

Schor, Naomi. 1989. This essentialism which is not one : Coming to grips with Irigaray. *Differences : A Journal of Feminist Cultural Studies* **1**(2) : 38-58.

Schubert, G. 1989. Catastrophe theory, evolutionary extinction, and revolutionary politics. *Journal of Social and Biological Structures* **12** : 259-279.

Schwartz, Laurent. 1973. *Radon Measures on Arbitrary Topological Spaces and Cylindrical Measures*. London : Oxford University Press.

Seguin, Eve. 1994. A modest reason. *Theory, Culture & Society* **11**(3) : 55-75.

Serres, Michel. 1992. *Éclaircissements : Cinq entretiens avec Bruno Latour*. Paris : François Bourin.

Sheldrake, Rupert. 1981. *A New Science of Life : The Hypothesis of Formative Causation*. Los Angeles : J.P. Tarcher.

Sheldrake, Rupert. 1991. *The Rebirth of Nature*. New York : Bantam.

Shiva, Vandana. 1990. Reductionist science as epistemological violence. Dans : *Science, Hegemony and Violence : A Requiem for Modernity*, p. 232-256, édité par Ashis Nandy. Delhi : Oxford University Press.

Smolin, Lee. 1992. Recent developments in nonperturbative quantum gravity. Dans : *Quantum Gravity and Cosmology* (Proceedings 1991, Sant Feliu de Guixols, Estat Lliure de Catalunya), p. 3-84, édité par J. Pérez-Mercader, J. Sola et E. Verdaguer. Singapore : World Scientific.

Sokal, Alan D. 1982. An alternate constructive approach to the φ_3^4 quantum field theory, and a possible destructive approach to φ_4^4. *Annales de l'Institut Henri Poincaré A* **37** : 317-398.

Sokal, Alan. 1987. Informe sobre el plan de estudios de las carreras de Matemática, Estadística y Computación. Report to the Universidad Nacional Autónoma de Nicaragua, Managua, non publié.

Solomon, J. Fisher. 1988. *Discourse and Reference in the Nuclear Age*. Oklahoma Project for Discourse and Theory, vol. 2. Norman : University of Oklahoma Press.

Sommers, Christina Hoff. 1994. *Who Stole Feminism ? : How Women Have Betrayed Women*. New York : Simon & Schuster.

Stauffer, Dietrich. 1985. *Introduction to Percolation Theory*. London : Taylor & Francis.

Strathausen, Carsten. 1994. Althusser's mirror. *Studies in 20th Century Literature* **18** : 61-73.

Struik, Dirk Jan. 1987. *A Concise History of Mathematics*. 4th rev. ed. New York : Dover.

Thom, René. 1977. *Stabilité structurelle et morphogénèse : essai d'une théorie générale des modèles*. 2e éd. revue et augmentée. Paris : InterÉditions. [Traduction anglaise de la première édition : *Structural Stability and Morphogenesis*. Traduit par D.H. Fowler. Reading, Mass. : Benjamin, 1975.]

Thom, René. 1988. *Esquisse d'une sémiophysique*. Paris : InterÉditions. [Traduction anglaise : *Semio Physics : A Sketch*. Traduit par Vendla Meyer. Redwood City, California : Addison-Wesley, 1990.]

't Hooft, G. 1993. Cosmology in 2+1 dimensions.

Nuclear Physics B (Proceedings Supplement) **30** : 200-203.

Touraine, Alain, Zsuzsa Hegedus, François Dubet and Michel Wievorka. 1980. *La Prophétie Anti-Nucléaire*. Paris : Éditions du Seuil.

Trebilcot, Joyce. 1988. Dyke methods, or Principles for the discovery/creation of the withstanding. *Hypatia* **3**(2) : 1-13.

Van Enter, Aernout C.D., Roberto Fernández and Alan D. Sokal. 1993. Regularity properties and pathologies of position-space renormalization-group transformations : Scope and limitations of Gibbsian theory. *Journal of Statistical Physics* **72** : 879-1167.

Van Sertima, Ivan, ed. 1983. *Blacks in Science : Ancient and Modern*. New Brunswick, N.J. : Transaction Books.

Vappereau, Jean Michel. 1985. *Essaim : Le groupe fondamental du nœud*. Psychanalyse et Topologie du Sujet. Paris : Point Hors Ligne.

Virilio, Paul. 1984. *L'Espace critique*. Paris : Christian Bourgois. [Traduction anglaise : *The Lost Dimension*. Traduit par Daniel Moshenberg. New York : Semiotext(e), 1991.]

Waddington, C.H. 1965. Autogenous cellular periodicities as (a) temporal templates and (b) basis of 'morphogenetic fields'. *Journal of Theoretical Biology* **8** : 367-369.

Wallerstein, Immanuel. 1993. The TimeSpace of world-systems analysis : A philosophical essay. *Historical Geography* **23**(1/2) : 5-22.

Weil, Simone. 1968. *On Science, Necessity, and the Love of God*. Traduit et édité par Richard Rees. London : Oxford University Press.

Weinberg, Steven. 1992. *Dreams of a Final Theory*. New York : Pantheon.

Wheeler, John A. 1964. Geometrodynamics and the issue of the final state. Dans : *Relativity, Groups and*

Topology, édité par Cécile M. DeWitt et Bryce S. DeWitt. New York : Gordon and Breach.

Witten, Edward. 1989. Quantum field theory and the Jones polynominal. *Communications in Mathematical Physics* **121** : 351-399.

Wojciehowski, Dolora Ann. 1991. Galileo's two chief word systems. *Stanford Italian Review* **10** : 61-80.

Woolgar, Steve. 1988. *Science : The Very Idea*. Chichester, England : Ellis Horwood.

Wright, Will. 1992. *Wild Knowledge : Science, Language, and Social Life in a Fragile Environment*. Minneapolis : University of Minnesota Press.

Wylie, Alison, Kathleen Okruhlik, Sandra Morton and Leslie Thielen-Wilson. 1990. Philosophical feminism : A bibliographic guide to critiques of science. *Resources for Feminist Research/Documentation sur la Recherche Féministe* **19**(2) (June) : 2-36.

Young, T.R. 1991. Chaos theory and symbolic interaction theory : Poetics for the post-modern sociologist. *Symbolic Interaction* **14** : 321-334.

Young, T.R. 1992. Chaos theory and human agency : Humanist sociology in a postmodern era. *Humanity & Society* **16** : 441-460.

Žižek, Slavoj. 1991. *Looking Awry : An Introduction to Jacques Lacan through Popular Culture*. Cambridge, Mass. : MIT Press.

Appendice B

COMMENTAIRES SUR LA PARODIE

Notons d'abord que toutes les références dans la parodie sont réelles et que toutes les citations sont exactes ; rien n'est inventé (malheureusement). Par ailleurs, tout le texte illustre ce que David Lodge appelle « une loi de la vie académique : *il est impossible d'exagérer lorsqu'on flatte ses pairs* [110] ».

Les commentaires qui suivent ont pour but d'expliquer certains « trucs » utilisés pour flatter les éditeurs, d'indiquer ce dont se moquent réellement certains passages et de préciser notre position par rapport à ce qui est parodié. Ce dernier point est fort important car il est dans la nature d'une parodie de cacher les véritables opinions de l'auteur ; en effet, dans certains passages, Sokal a parodié des versions extrêmes ou ambiguës d'idées auxquelles il adhère sous une forme plus nuancée et précise. Néanmoins, nous n'expliquerons pas tout et nous laisserons au lecteur le plaisir de découvrir pas mal d'autres plaisanteries cachées dans le texte.

Introduction

Le début de l'article met en avant un constructivisme social extrêmement radical, en particulier l'idée

---

110. Lodge (1984, p. 152), italiques dans l'original.

selon laquelle la réalité physique (et non seulement nos théories sur celle-ci) est « une construction linguistique et sociale ». Le but de ces paragraphes n'était pas de résumer les vues des éditeurs de *Social Text*, et encore moins celles des auteurs cités dans les notes 1-3, mais de tester si l'affirmation brutale de cette thèse extrême, qui n'est accompagnée d'aucun argument, ferait sourciller les éditeurs. Nous ne connaissons pas leurs réactions, mais en tout cas ils n'ont pas fait de critiques de fond, malgré les demandes réitérées de Sokal pour obtenir commentaires et suggestions. Voir le chapitre 3 pour nos véritables idées sur ces questions.

Les travaux dont l'auteur fait l'éloge dans cette section sont au mieux d'une qualité douteuse. La mécanique quantique n'est pas principalement le produit d'un « climat culturel », mais la référence à l'un des éditeurs de la revue (Aronowitz) ne pouvait pas faire de tort. Idem pour la référence à Ross, dans laquelle l'expression « discours oppositionnels dans la science post-quantique » est un euphémisme pour la communication avec les morts, les champs morphogénétiques et autres folies « New Age ». Pour les références à Irigaray et à Hayles, voir le chapitre 4 ci-dessus.

Dire que l'espace-temps cesse d'être une réalité objective dans une théorie de la gravitation quantique est prématuré pour deux raisons : d'une part parce qu'une telle théorie n'existe pas encore ; mais surtout parce que le fait que notre vision de l'espace-temps change dans une théorie ultérieure — par exemple, que celui-ci cesse d'être un élément fondamental dans la théorie et devienne une description approximative valable à certaines échelles (plus grandes que 10^{-33} centimètres) [111] — ne signifie nullement qu'il cesse d'être objectif, sauf dans le sens banal que les tables et les chaises ne sont pas « objectives » parce

---

111. Ceci est dix millions de milliards de milliards (10^{25}) fois plus petit qu'un atome.

qu'elles sont composées d'atomes. Finalement, il est fort improbable qu'une théorie à propos de l'espace-temps à l'échelle de 10^{-33} cm puisse avoir des implications *politiques* valides !

Notons au passage l'adhésion au jargon postmoderne, soulignée par l'usage des mots « problématisé » et « relativisé » (en particulier, à propos de l'existence elle-même !).

La mécanique quantique

Cette section illustre deux aspects des méditations postmodernes sur la mécanique quantique : d'une part, la tendance à confondre le sens technique de certains mots, comme « incertitude » ou « discontinuité », avec leur sens ordinaire ; d'autre part, le privilège accordé aux écrits plus subjectivistes de Bohr et Heisenberg, interprétés d'une façon radicale qui va souvent bien au-delà des idées réelles de ces auteurs (idées qui, à leur tour, sont critiquées par bon nombre de physiciens et de philosophes des sciences). Mais la philosophie postmoderne adore la multiplicité des points de vue, l'importance de l'observateur, l'indéterminisme et le holisme. Pour une analyse sérieuse des problèmes philosophiques soulevés par la mécanique quantique, nous renvoyons le lecteur aux références de la note 8 (en particulier, le livre d'Albert est une excellente introduction pour non-spécialistes).

La note 13 sur Porush est une plaisanterie sur l'économisme vulgaire : en réalité, toute la technologie contemporaine dépend de la physique des semiconducteurs, qui à son tour est fondée sur la mécanique quantique.

L'analyse de McCarthy (note 20) commence par énoncer les profondes pensées suivantes :

Cette étude retrace la nature et les conséquences de la circulation du désir dans un ordre postmoderne des choses (un ordre implicitement modélisé sur un archétype réprimé des flots fluides de particules de la nouvelle physique), et elle révèle une complicité entre le scientisme, qui sous-tend la condition postmoderne, et le sadisme de la déconstruction incessante, qui accroît l'intensité du moment de recherche du plaisir dans le postmodernisme.

Le reste de l'article est dans le même style.

Le texte d'Aronowitz (note 25) est un tissu de confusions et il serait trop long de les démêler toutes. Quels que soient les problèmes soulevés par la mécanique quantique et surtout par le théorème de Bell, ils n'ont que très peu à voir avec le « renversement du temps » et rien à voir avec « la segmentation en heures et en minutes » ou avec « la discipline industrielle ».

Le livre de Goldstein sur le problème de l'esprit et du corps (cité dans la note 26) est un agréable *roman*.

Finalement, les spéculations de Capra sur les liens entre la mécanique quantique et la philosophie orientale (note 27) sont, à notre avis, pour le moins douteuses. Les fantaisies « New Age » de Sheldrake sur les « champs morphogénétiques » (note 27) sont loin d'être « en général solides ».

L'herméneutique de la relativité générale classique

Ce qui se rapporte à la physique dans cette section, comme dans la suivante, est, en gros, correct mais est décrit dans un style volontairement emphatique : l'auteur parodie ici une certaine littérature de vulgarisation scientifique. Le texte est néanmoins truffé d'absurdités. Par exemple, les équations non linéaires d'Einstein sont difficiles à résoudre pour tout le monde, et surtout pour ceux qui *n'ont pas* une solide formation mathématique « traditionnelle ». Cette référence à la « non-linéarité » est le début d'une plaisanterie récurrente, qui imite les malentendus typiques du discours post-moderne (voir p. 197 ci-dessus). Les trous de ver et l'espace-temps de Gödel sont des idées théoriques plu-tôt spéculatives ; un des défauts d'une partie de la vul-garisation scientifique contemporaine est justement de mettre sur le même pied les aspects les mieux établis et les plus spéculatifs de la physique.

On trouve plusieurs délices dans les textes cités en note. Nous renvoyons aux chapitres correspondants pour les commentaires sur les citations de Latour et de Virilio. Les propos de Lyotard (note 36) mélangent la terminologie d'au moins trois branches de la physique — physique des particules élémentaires, cosmologie, théorie du chaos et de la complexité — de façon tout à fait arbitraire. La poésie de Serres sur la théorie du chaos (note 36) confond l'état du système, qui peut se déplacer d'une façon complexe et imprévisible (voir le chapitre 6), avec la nature du temps, qui évolue d'une manière tout à fait banale (« selon une ligne »). D'ail-leurs, la théorie de la percolation s'occupe de l'écoule-ment des fluides dans des milieux poreux[112] et ne dit strictement rien sur la nature de l'espace et du temps.

Mais toute cette section n'est qu'une façon d'intro-duire en douce la première grande absurdité de l'ar-ticle, à savoir le commentaire de Derrida sur la relativité (« la constante einsteinienne n'est pas une constante... »). Il ne nous semble pas évident que Der-rida sache de quoi il parle, mais comme cet abus est isolé dans son œuvre et provient d'une conférence orale, nous n'insisterons pas là-dessus[113]. Le dernier

---

112. Voir, par exemple, de Gennes (1976).

113. Pour une tentative amusante, due à un auteur postmoderne qui connaît la physique, de réinterpréter le texte de Derrida de façon à lui donner un sens, voir Plotnitsky (1997). Le problème est que Plotnitsky donne au moins *deux* interprétations techniques différentes de l'expression « la constante einsteinienne » utilisée par Derrida, sans donner d'arguments convaincants pour montrer

paragraphe est caractérisé par un crescendo dans l'absurde. L'allusion à l'« inéluctable historicité » de π ; est une parodie des discours confus sur la géométrie non euclidienne [114].

La gravitation quantique

La première énormité dans cette section concerne l'expression « non commutatif, donc non linéaire ». En réalité, la mécanique quantique utilise des opérateurs non commutatifs et parfaitement *linéaires*. Cette plaisanterie est inspirée par un texte de Markley cité plus tard dans l'article (p. 338).

Les cinq paragraphes suivants sont un survol, superficiel mais essentiellement correct, des diverses tentatives de construction d'une théorie de la gravitation quantique. Remarquons néanmoins l'emphase démesu-

---

que Derrida se référait à (ou même comprenait) l'une d'entre elles. Voir aussi Crew et Plotnitsky (1998).

Pour une autre tentative, peut-être plus plausible, d'interpréter le texte de Derrida, voir Khalfa (1998, p. 240-245). Nous restons cependant convaincus que l'invocation de la théorie de la relativité par Hyppolite et Derrida n'éclaire nullement leur discussion.

114. Nous avons donc été fort surpris de voir l'article de Fujimura (1998), qui essaie de défendre « l'historicité de π » en utilisant précisément un discours confus sur la géométrie non euclidienne. Contrairement à ce qu'affirme Fujimura, la constante mathématique π — qui peut être définie, par exemple, par la série infinie

$$\pi = 4 - \frac{4}{3} + \frac{4}{5} - \frac{4}{7} + \ldots$$

et qui est utilisée dans beaucoup de branches des mathématiques en dehors de la géométrie — a la même valeur en géométrie euclidienne ou non euclidienne. Il se fait qu'en géométrie euclidienne le rapport entre la circonférence et le diamètre d'un cercle est toujours égal à π, tandis qu'en géométrie non euclidienne ce rapport n'a aucune valeur universelle (il dépend de la grandeur du cercle et de la « courbure » de l'espace) et est, en général, différent de π.

rée sur « les métaphores et les images » et surtout sur la « non-linéarité », le « flux » et « l'interconnexion ».

L'allusion enthousiaste au champ morphogénétique est, par contre, complètement arbitraire. Rien dans la science actuelle ne peut être invoqué pour appuyer cette fantaisie « New Age », qui, en tout cas, n'a rien à voir avec la gravitation quantique. Sokal a été amené à cette « théorie » par l'allusion favorable de Ross (note 46), l'un des éditeurs de *Social Text*.

La référence à Chomsky sur « l'effet plates-bandes » (note 50) était dangereuse. En effet, les éditeurs pouvaient très bien connaître ou chercher ce texte : c'est celui que nous citons dans l'introduction (p. 47, note 15) et il dit essentiellement le contraire de ce qui est suggéré dans la parodie.

La discussion de la non-localité en mécanique quantique est délibérément confuse, mais comme ce problème est relativement technique, nous ne pouvons que renvoyer le lecteur, par exemple, au livre de Maudlin [115].

Pour finir, remarquons l'expression « espace-temps subjectif » : que l'espace-temps ne soit pas une entité fondamentale dans une future théorie de la gravitation quantique ne le rend pas pour autant « subjectif ».

La topologie différentielle

Dans cette section on trouve la deuxième grande absurdité de l'article, à savoir le texte de Lacan sur la topologie psychanalytique, que nous avons analysé dans le chapitre 1. Les références aux applications de la topologie lacanienne à la critique cinématographique et à la psychanalyse du SIDA sont malheureusement authentiques. On trouve en effet de belles applications de la théorie mathématique des nœuds dans les théories

---

115. Maudlin (1994).

physiques récentes, mais cela n'a rien à voir avec le lacanisme.

Dans le dernier paragraphe, l'auteur joue sur la prédilection postmoderne pour tout ce qui est « multidimensionnel » et « non linéaire » afin d'insérer une absurdité de plus, la logique (non linéaire) multidimensionnelle.

La théorie des variétés

Pour la citation d'Irigaray, voir le chapitre 4. De nouveau, la parodie suggère que la science « normale » a une aversion pour tout ce qui est « multidimensionnel », alors qu'en réalité toutes les variétés intéressantes sont multidimensionnelles [116]. Les variétés à bord sont un sujet classique de la géométrie différentielle.

La note 73 concernant les applications militaires est délibérément exagérée, bien que nous pensions effectivement que les luttes pour le pouvoir économique et militaire affectent la façon dont la science se traduit en applications technologiques et au service de qui. Il est vrai que la cryptographie a des applications militaires (ainsi que commerciales) et a utilisé de plus en plus, au cours des dernières années, certains aspects de la théorie des nombres. Mais cette dernière a fasciné les mathématiciens depuis l'Antiquité et n'avait, jusqu'à une époque récente, que peu d'applications pratiques : c'était la branche par excellence des mathématiques pures. La référence à Hardy était dangereuse : son livre est une autobiographie fort accessible où il se vante justement de faire des mathématiques qui n'ont aucune application. (Il y a une ironie supplémentaire dans cette référence. Écrivant en 1941, Hardy affirme qu'il y a deux branches de la science « pure » qui n'auront

---

116. « Variété » est un concept géométrique qui étend la notion de « surface » à des espaces de dimension supérieure à deux.

jamais d'applications militaires : la théorie des
nombres et la relativité d'Einstein. La futurologie est
vraiment un métier à risques.)

Vers une science libératoire

Cette section mélange d'énormes malentendus à propos des sciences avec une réflexion politique et philosophique extrêmement brouillonne. Néanmoins, cette
section contient également certaines idées (sur le lien
entre scientifiques et militaires, sur les biais idéologiques et sur la pédagogie des sciences) avec lesquelles
nous sommes en partie d'accord, du moins si elles
étaient exprimées de façon plus soigneuse. Nous ne
voulons pas que la parodie suscite une raillerie sans
nuances à l'encontre de toutes ces idées, et nous renvoyons le lecteur à l'épilogue pour connaître nos opinions réelles sur certaines d'entre elles.

Cette section commence par l'affirmation que la
science « postmoderne » s'est libérée de la vérité
objective. Mais, quelle que soit l'opinion des scientifiques sur le chaos ou sur la mécanique quantique, il
est évident qu'ils ne sentent nullement « libérés » de
l'objectivité comme but ; si c'était le cas, ils auraient
tout simplement cessé de faire de la science. Néanmoins, il faudrait tout un livre pour démêler les confusions concernant certains thèmes scientifiques (chaos,
mécanique quantique, auto-organisation...) qui sous-
tendent ce genre d'idées. Voir le chapitre 6 pour une
brève analyse.

D'autre part, l'auteur appelle, à la fois dans le texte
et dans les nombreuses citations et références, à politi-
ser la science dans le plus mauvais sens du terme,
c'est-à-dire à juger les théories scientifiques non pas
en vertu de leur correspondance avec la réalité, mais
en vertu de leur compatibilité avec ses propres préjugés
idéologiques. Mais, comme le dit fort bien Brecht

(p. 289), la tyrannie n'est pas celle de la vérité — si c'était le cas, comment pourrions-nous y échapper ? — mais celle d'autres êtres humains. Les propos de Kelly Oliver soulèvent le problème habituel de l'auto-réfutation : comment choisir une « théorie stratégique » sans se poser la question de savoir si cette théorie est *vraiment, objectivement* efficace pour promouvoir les buts déclarés ? On ne se débarrasse pas si facilement de la vérité. L'affirmation de Markley (« en fin de compte, la "réalité" est une construction historique », note 76) est à la fois philosophiquement confuse et politiquement néfaste : elle ouvre la porte aux pires excès nationalistes et religieux, comme le montre éloquemment Hobsbawm (p. 302).

Voici, pour finir, quelques exemples d'absurdités criantes énoncées dans cette section :

— Markley (p. 338) met la théorie des nombres complexes — théorie qui remonte au moins au début du dix-neuvième siècle et qui fait partie des mathématiques, pas de la physique — dans le même sac que la mécanique quantique ou la théorie du chaos. (Il pense probablement aux théories récentes, et très spéculatives, de la *complexité*.) La note 86 est une plaisanterie ironique à son égard.

— Pas mal de thésards qui travaillent en physique de l'état solide seraient heureux (et fort surpris) d'apprendre qu'ils pourront tous trouver un emploi dans leur sous-domaine (p. 342).

— Le mot « Radon » dans le titre du livre de Laurent Schwartz (note 104) est le nom d'un mathématicien. Le livre traite des mathématiques les plus pures et n'a rien à voir avec l'énergie nucléaire.

— L'axiome de l'égalité (note 105) dit que deux ensembles sont égaux s'ils ont les mêmes éléments. Établir un lien entre cet axiome et le libéralisme du dix-neuvième siècle, c'est faire de l'histoire intellectuelle sur la base d'identifications verbales. C'est la même chose avec l'axiome du choix[117] et le mouvement pour le droit à l'avortement. Cohen a effectivement montré que ni l'axiome du choix ni sa négation ne peuvent être déduits des autres axiomes de la théorie des ensembles, mais ce résultat mathématique n'indique rien sur le caractère « libératoire » ou non des axiomes de Zermelo-Fraenkel.

Finalement, toutes les références sont rigoureusement exactes, à part un clin d'œil à Mr Allgood (voir référence Kontsevitch) et au nationalisme catalan (voir référence Smolin).

---

117. Voir p. 81-82 pour une brève explication de celui-ci.

BIBLIOGRAPHIE

Albert, David Z. 1992. *Quantum Mechanics and Experience*. Cambridge : Harvard University Press.

Albert, Michael. 1992-93. « Not all stories are equal : Michael Albert answers the pomo advocates ». *Z Papers Special Issue on Postmodernism and Rationality*. Disponible sur Internet à http://www.zmag.org/zmag/articles/albertpomoreply.html

Albert, Michael. 1996. « Science, post modernism and the left ». *Z Magazine* **9**(7/8) (July/August) : 64-69.

Alliez, Eric. 1993. *La Signature du monde, ou Qu'est-ce que la philosophie de Deleuze et Guattari ?* Paris : Éditions du Cerf.

Althusser, Louis. 1993. *Écrits sur la psychanalyse : Freud et Lacan*. Paris : Stock/IMEC.

Amsterdamska, Olga. 1990. « Surely you are joking, Monsieur Latour ! » *Science, Technology, & Human Values* **15** : 495-504.

Andreski, Stanislav. 1975. *Les Sciences sociales : Sorcellerie des temps modernes ?*. Traduit par Anne et Claude Rivière. Paris : Presses Universitaires de France. [Version originale : *Social Sciences as Sorcery*. London : André Deutsch, 1972.]

Arnol'd, Vladimir I. 1992. *Catastrophe Theory*, 3e éd. Traduit par G.S. Wassermann et R.K. Thomas. Berlin : Springer-Verlag.

Babich, Babette E. 1996. « Physics vs. *Social Text* : Anatomy of a Hoax ». *Telos* **107** (spring) : 45-61.

Badiou, Alain. 1982. *Théorie du sujet*. Paris : Seuil.

Badiou, Alain. 1998. *Abrégé de métapolitique*. Paris : Seuil.

Bahcall, John N. 1990. « The solar-neutrino problem ». *Scientific American* **262**(5) (May 1990) : 54-61.

Bahcall, John N., Frank Calaprice, Arthur B. McDonald et Yoji Totsuka. 1996. « Solar neutrino experiments : The next generation ». *Physics Today* **49**(7) (July 1996) : 30-36.

Balan, Bernard. 1996. « L'œil de la coquille Saint Jacques, — Bergson et les faits scientifiques ». *Raison Présente* **119** : 87-106.

Barnes, Barry et David Bloor. 1981. « Relativism, rationalism and the sociology of knowledge ». Dans : *Rationality and Relativism*, p. 21-47. Édité par Martin Hollis et Steven Lukes. Oxford : Blackwell.

Barnes, Barry, David Bloor et John Henry. 1996. *Scientific Knowledge : A Sociological Analysis*. Chicago : University of Chicago Press.

Barreau, Hervé. 1973. « Bergson et Einstein : À propos de *Durée et simultanéité* ». *Les Études Bergsoniennes* **10** : 73-134.

Barsky, Robert F. 1997. *Noam Chomsky : A Life of Dissent*. Cambridge, Massachusetts : MIT Press.

Barthes, Roland. 1970. « L'étrangère ». *La Quinzaine Littéraire* **94** (1-15 mai 1970) : 19-20.

Baudrillard, Jean. 1983. *Les Stratégies fatales*. Paris : Bernard Grasset.

Baudrillard, Jean. 1990. *La Transparence du mal*. Paris : Galilée.

Baudrillard, Jean. 1991. *La Guerre du Golfe n'a pas eu lieu*. Paris : Galilée.

Baudrillard, Jean. 1992. *L'Illusion de la fin*. Paris : Galilée.

Baudrillard, Jean. 1995a. *Fragments ; Cool memories III 1990-1995*. Paris : Galilée.

Baudrillard, Jean. 1995b. *Le Crime parfait*. Paris : Galilée.

Becquerel, Jean. 1922. *Le Principe de relativité et la théorie de la gravitation*. Paris : Gauthier-Villars.

Bergeron, Andrée. 1998. « Élargir le cercle de la science ? » Dans : *Impostures scientifiques : Les Malentendus de l'affaire Sokal*, édité par Baudouin Jurdant. Paris : La Découverte/Alliage. P. 143-153.

Bergson, Henri. 1922. « Remarques sur la théorie de la relativité ». *Bulletin de la société française de philosophie* **18** : 102-113. (Séance du 6 avril 1922.)

Bergson, Henri. 1924a. « Les temps fictifs et le temps réel ». *Revue de philosophie* **31** : 241-260.

Bergson, Henri. 1924b. [Réplique à Metz 1924b.] *Revue de philosophie* **31** : 440.

Bergson, Henri. 1960 [1934]. *La Pensée et le mouvant : Essais et conférences*. Paris : Presses Universitaires de France.

Bergson, Henri. 1968 [1923]. *Durée et simultanéité. À propos de la théorie d'Einstein*. 2ᵉ éd. Paris : Presses Universitaires de France.

Bergson, Henri. 1972. *Mélanges*. Textes publiés et annotés par André Robinet. Paris : Presses Universitaires de France.

Best, Steven. 1991. « Chaos and entropy : Metaphors in postmodern science and social theory. » *Science as Culture* **2**(2) (n° 11) : 188-226.

Bloor, David. 1991. *Knowledge and Social Imagery*. 2ᵉ éd. Chicago : University of Chicago Press. [Traduction française de la première édition : *Sociologie de la logique ou les limites de l'épistémologie*. Paris : Pandore, 1983.]

Boghossian, Paul. 1996. « What the Sokal hoax ought to teach us ». *Times Literary Supplement* (December 13, 1996) : 14-15. [Traduction française : « Les Leçons à tirer de la mystification de Sokal », *Les Temps Modernes* **594** (juin/juillet 1997) : 134-147.]

Bourbaki, Nicolas. 1974. *Éléments d'histoire des mathématiques*. Nouvelle éd. revue, corrigée et augmentée. Paris : Hermann.

Bouveresse, Jacques. 1984. *Rationalité et cynisme*. Paris : Éditions de Minuit.

Bouveresse, Jacques. 1998. « Qu'appellent-ils "penser" ? » *Les Cahiers Rationalistes* **528** (octobre) : 5-14 et **529** (novembre) : 5-20.

Boyer, Carl B. 1959 [1949]. *The History of the Calculus and its Conceptual Development*. With a foreword by R. Courant. New York : Dover.

Brecht, Bertolt. 1972. *Écrits sur le théâtre 1*. Paris : L'Arche.

Bricmont, Jean. 1995a. « Science of chaos or chaos in science ? » *Physicalia Magazine* **17**, n° 3-4. Disponible sur Internet à

http://www.fyma.ucl.ac.be/reche/1996/1996.html

[Une version légèrement antérieure de cet article est parue dans Paul R. Gross, Norman Levitt et Martin W. Lewis, éditeurs, *The Flight from Science and Reason, Annals of the New York Academy of Sciences* **775** (1996), p. 131-175.]

Bricmont, Jean. 1995b. « Contre la philosophie de la mécanique quantique ». Dans : *Les Sciences et la philosophie. Quatorze essais de rapprochement*, édité par R. Franck. Pages 131-179. Paris : Vrin.

Bricmont, Jean. 1997. « La vraie signification de l'affaire Sokal ». *Le Monde* (14 janvier 1997) : 15.

Bricmont, Jean et Alan Sokal. 1997. « Réponse à Vincent Fleury et Yun Sun Limet ». *Libération* (18-19 octobre) : 5.

Broch, Henri. 1992. *Au Cœur de l'extraordinaire*. Bordeaux : L'Horizon Chimérique.

Bruckner, Pascal. 1997. « Le risque de penser ». *Le Nouvel Observateur*, n° 1716 (25 septembre-1er octobre) : 121.

Brunet, Pierre. 1931. *L'Introduction des théories de Newton en France au XVIIIᵉ siècle*. Paris : A. Blanchard. Réimprimé par Slatkine, Genève, 1970.

Brush, Stephen. 1989. « Prediction and theory evaluation : The case of light bending ». *Science* **246** : 1124-1129.

Canning, Peter. 1994. The crack of time and the ideal game. Dans *Gilles Deleuze and the Theater of Philosophy*, p. 73-98, édité par Constantin V. Boundas et Dorothea Olkowski. New York : Routledge.

Charraud, Nathalie. 1998. « Mathématiques avec Lacan ». Dans : *Impostures scientifiques : Les Malentendus de l'affaire Sokal*, édité par Baudouin Jurdant. Paris : La Découverte/Alliage. P. 237-249.

Chomsky, Noam. 1977. *Dialogues avec Mitsou Ronat*. Paris : Flammarion.

Chomsky, Noam. 1992-93. « Rationality/Science ». *Z Papers Special Issue on Postmodernism and Rationality*. Disponible sur Internet à
http://www.zmag.org/zmag/articles/chompomoart.html [Traduction française : « Le vrai visage de la critique postmoderne ». *Agone : Philosophie, Critique et Littérature* **18-19** (1998) : 47-62.]

Chomsky, Noam. 1994a. *L'An 501 : La conquête continue*. Traduit de l'américain par Christian Labarre. Bruxelles/Montréal : EPO/Ecosociété. [Version originale : *Year 501 : The Conquest Continues*. Boston : South End Press, 1993.]

Chomsky, Noam. 1994b. *Keeping the Rabble in Line : Interviews with David Barsamian*. Monroe, Maine (USA) : Common Courage Press.

Clavelin, Maurice. 1994. « L'histoire des sciences devant la sociologie de la science ». Dans : *Le Relativisme est-il résistible ? Regards sur la sociologie des sciences*, édité par Raymond Boudon et Maurice Clavelin. Paris : Presses Universitaires de France. P. 229-247.

Coutty, Marc. 1998. « Des normaliens jugent l'affaire Sokal ». Interview avec Mikaël Cozic, Grégoire Kantardjian et Léon Loiseau. *Le Monde de l'Éducation* **255** (janvier) : 8-10.

Crane, H. R. 1968. « The *g* factor of the electron ». *Scientific American* **218**(1) (January) : 72-85.

Crépu, Michel. 1997. « Les intellectuels sont-ils des imposteurs ? » *La Croix* (6 octobre).

Crew, Richard et Arkady Plotnitsky. 1998. « An exchange » [à propos de Plotnitsky 1997]. *Postmodern Culture* **8**, n° 2. Disponible sur Internet à
http://muse.jhu.edu/journals/postmodern_culture/v008/8.2exchange.html ou http://www.iath.virginia.edu/pmc/text-only/issue.198/8.2exchange

Cribier, Michel, Michel Spiro et Daniel Vignaud. 1995a. « Le neutrino, une particule à problèmes ». *La Recherche* **26** (avril 1995) : 408-414.

Cribier, Michel, Michel Spiro et Daniel Vignaud. 1995b. *La Lumière des neutrinos*. Paris : Seuil.

Dahan-Dalmedico, Amy. 1997. « Rire ou frémir ? » *La Recherche* **304** (décembre) : 10. [Une version plus étendue de cet article apparaît dans la *Revue de l'Association Henri Poincaré* **9**(7), décembre 1997 : 15-18.]

Dahan Dalmedico, Amy et Dominique Pestre. 1998. « Comment parler des sciences aujourd'hui ? » Dans : *Impostures scientifiques : Les Malentendus de l'affaire Sokal*, édité par Baudouin Jurdant. Paris : La Découverte/Alliage. P. 77-105.

Damarin, Suzanne K. 1995. « Gender and mathematics from a feminist standpoint ». Dans : *New directions for equity in mathematics education*. Édité par Walter G. Secada. Elizabeth Fennema et Lisa Byrd Adajian. Publié en collaboration avec le National Council of Teachers of Mathematics (États-Unis). New York : Cambridge University Press : 242-257.

Darmon, Marc. 1990. *Essais sur la topologie lacanienne*. Paris : Éditions de l'Association Freudienne.

Darmon, Marc et Charles Melman. 1998. « Lacan est-il scientifique ? » *La Recherche* **306** (février) : 10.

Davenas, E. *et al.* 1988. « Human basophil degranulation triggered by very dilute antiserum against IgE ». *Nature* **333** : 816-818.

Davis, Donald M. 1993. *The Nature and Power of Mathematics*. Princeton : Princeton University Press.

Dawkins, Richard. 1989. *L'Horloger aveugle*. Traduit de l'anglais par Bernard Sigaud. Paris : Laffont. [Version originale : *The Blind Watchmaker*. New York : Norton, 1986.]

Debray, Régis. 1980. *Le Scribe : Genèse du politique*. Paris : Bernard Grasset.

Debray, Régis. 1981. *Critique de la raison politique*. Paris : Gallimard.

Debray, Régis. 1994. *Manifestes médiologiques*. Paris : Gallimard.

Debray, Régis. 1996. « L'incomplétude, logique du religieux ? ». *Bulletin de la société française de philosophie* **90** : 1-35. (Séance du 27 janvier 1996.)

de Gennes, Pierre-Gilles. 1976. « La percolation : un concept unificateur ». *La Recherche* **72** : 919-927.

Deleuze, Gilles. 1968a. *Différence et répétition*. Paris : Presses Universitaires de France.

Deleuze, Gilles. 1968b. *Le Bergsonisme*. Paris : Presses Universitaires de France.

Deleuze, Gilles. 1969. *Logique du sens*. Paris : Éditions de Minuit.

Deleuze, Gilles et Félix Guattari. 1988. *Mille plateaux*. Paris : Éditions de Minuit.

Deleuze, Gilles et Félix Guattari. 1991. *Qu'est-ce que la philosophie ?* Paris : Éditions de Minuit.

Derrida, Jacques. 1970. « Structure, sign and play in the discourse of the human sciences ». Dans : *The Languages of Criticism and the Sciences of Man : The Structuralist Controversy*. Édité par Richard Macksey et Eugenio Donato. Baltimore : Johns Hopkins Press, 1970. P. 247-272.

Derrida, Jacques. 1997. « Sokal et Bricmont ne sont pas sérieux ». *Le Monde* (20 novembre) : 17.

Desanti, Jean Toussaint. 1975. *La Philosophie silencieuse, ou critique des philosophies de la science*. Paris : Éditions du Seuil.

Devitt, Michael. 1997. *Realism and Truth*, 2nd ed. Princeton : Princeton University Press.

Dhombres, Jean. 1994. « L'histoire des sciences mise en question par les approches sociologiques : le cas de la communauté scientifique française (1789-1815) ». Dans : *Le Relativisme est-il résistible ? Regards sur la sociologie des sciences*, édité par Raymond Boudon et Maurice Clavelin. Paris : Presses Universitaires de France. P. 159-205.

Dieudonné, Jean Alexandre. 1989. *A History of Algebraic and Differential Topology, 1900-1960*. Boston : Birkhäuser.

Dobbs, Betty Jo Teeter et Margaret C. Jacob. 1995. *Newton and the Culture of Newtonianism*. Atlantic Highlands, New Jersey : Humanities Press.

Donovan, Arthur, Larry Laudan et Rachel Laudan. 1988. *Scrutinizing Science : Empirical Studies of Scientific Change*. Dordrecht, Boston : Kluwer Academic Publishers.

Dorra, Max. 1997. « Métaphore et politique ». *Le Monde* (20 novembre) : 17.

Droit, Roger-Pol. 1997. « Au risque du "scientifiquement correct" ». *Le Monde* (30 septembre) : 27.

D'Souza, Dinesh. 1993. *L'Éducation contre les libertés : Politiques de la race et du sexe sur les campus américains*. Traduit de l'anglais par Philippe Delamare. Paris : Gallimard. [Version originale : *Illiberal Education : The Politics of Race and Sex on Campus*. New York : Free Press, 1991.]

Duclos, Denis. 1997. « Sokal n'est pas Socrate ». *Le Monde* (3 janvier 1997) : 10.

Duhem, Pierre. 1914. *La Théorie physique : son*

objet, sa structure, 2ᵉ éd. revue et augmentée. Paris : Rivière.

Eagleton, Terry. 1995. « Where do postmodernists come from ? » *Monthly Review* **47**(3) (July/August 1995) : 59-70. [Republié dans Ellen Meiksins Wood et John Bellamy Foster, éditeurs, *In Defense of History* (New York : Monthly Review Press, 1997), p. 17-25 ; et aussi dans Terry Eagleton, *The Illusions of Postmodernism* (Oxford : Blackwell, 1996).]

Economist (anonyme). 1997. « You can't follow the science wars without a battle map ». *The Economist* (13 décembre) : 77-79.

Ehrenreich, Barbara. 1992-93. « For the rationality debate ». *Z Papers Special Issue on Postmodernism and Rationality*. Disponible sur Internet à http://www.zmag.org/zmag/articles/ehrenrationpiece. html

Einstein, Albert. 1949. « Remarks concerning the essays brought together in this co-operative volume ». Dans : *Albert Einstein, philosopher-scientist*, p. 665-688. Édité par Paul Arthur Schilpp. Evanston, Illinois (USA) : Library of Living Philosophers.

Einstein, Albert. 1960 [1920]. *Relativity : The Special and the General Theory*. London : Methuen.

Einstein, Albert. 1976 [1920]. *La Relativité*. Traduit de l'allemand par Maurice Solovine. Paris : Payot.

Épstein, Barbara. 1995. « Why poststructuralism is a dead end for progressive thought ». *Socialist Review* **25**(2) : 83-120.

Epstein, Barbara. 1997. « Postmodernism and the left ». *New Politics* **6**(2) (Winter 1997) : 130-144.

Éribon, Didier. 1994. *Michel Foucault et ses contemporains*. Paris : Fayard.

Euler, Leonhard. 1911 [1761]. Lettres à une princesse d'Allemagne, lettre 97. Dans : *Leonhardi Euleri Opera Omnia*, série III, volume 11, p. 219-220. Turici.

Farouki, Nayla et Michel Serres [interview]. 1997.

Propos recueillis par Fabienne Rubert. *Enseignant Magazine* (novembre/décembre) : 12-14.

Feyerabend, Paul. 1979. *Contre la méthode : Esquisse d'une théorie anarchiste de la connaissance*. Traduit de l'anglais par Baudouin Jurdant et Agnès Schlumberger. Paris : Seuil. [Version originale : *Against Method*. London : New Left Books, 1975.]

Feyerabend, Paul. 1988. *Against Method*, 2ᵉ éd. London : Verso.

Feyerabend, Paul. 1992. « Atoms and consciousness ». *Common Knowledge* **1**(1) : 28-32.

Feyerabend, Paul. 1993. *Against Method*, 3ᵉ éd. London : Verso.

Feyerabend, Paul. 1996. *Tuer le temps : Une autobiographie*. Traduit de l'anglais par Baudouin Jurdant. Paris : Seuil.

Feynman, Richard. 1980. *La Nature de la physique*. Traduit de l'américain par Hélène Isaac *et al*. Paris : Seuil. [Version originale : *The Character of Physical Law*. Cambridge, Massachusetts : MIT Press, 1965.]

Fleury, Vincent et Yun Sun Limet. 1997. « L'escroquerie Sokal-Bricmont ». *Libération* (6 octobre) : 5.

Foucault, Michel. 1970. « Theatrum philosophicum ». *Critique* **282** : 885-908.

Fourez, Gérard. 1992. *La Construction des sciences*, 2ᵉ édition revue. Bruxelles : De Boeck Université.

Fourez, Gérard, Véronique Englebert-Lecomte et Philippe Mathy. 1997. *Nos Savoirs sur nos savoirs : Un lexique d'épistémologie pour l'enseignement*. Bruxelles : De Boeck Université.

Fourez, Gérard. 1998. « Deux conceptions du monde ». *La Revue Nouvelle* **107**(2) (février) : 98-100.

Frank, Tom. 1996. « Textual reckoning ». *In These Times* **20**(14) (27 May) : 22-24.

Franklin, Allan. 1990. *Experiment, Right or Wrong*. Cambridge : Cambridge University Press.

Franklin, Allan. 1994. « How to avoid the experimenters' regress ». *Studies in the History and Philosophy of Science* **25** : 97-121.

Fujimira, Joan H. 1998. « L'autorité du savoir en question ». Dans : *Impostures scientifiques : Les Malentendus de l'affaire Sokal*, édité par Baudouin Jurdant. Paris : La Découverte/Alliage. P. 214-236. [Version originale : « Authorizing knowledge in science and anthropology ». *American Anthropologist* **100** (1998) : 347-360.]

Fuller, Steve. 1993. *Philosophy, Rhetoric, and the End of Knowledge : The Coming of Science and Technology Studies*. Madison : University of Wisconsin Press.

Fuller, Steve. 1998. « What does the Sokal hoax say about the prospects for positivism ? » À paraître dans : *Positivismes. Philosophie, Sociologie, Histoire, Sciences*, Actes du colloque international tenu à l'Université Libre de Bruxelles, 10-12 décembre 1997, édité par A. Despy-Meyer et D. Devriese. Bruxelles : Turnhout.

Gabon, Alain. 1994. Compte rendu de *Rethinking Technologies*. *SubStance* #75 : 119-124.

Galilei, Galileo. 1992 [1632]. *Dialogue sur les deux grands systèmes du monde*. Traduit de l'italien par René Fréreux avec le concours de François de Gandt. Paris : Seuil.

Gautero, Jean-Luc. 1998. « Raisonner sans entraves : les enjeux politiques de l'affaire ». Dans : *Impostures scientifiques : Les Malentendus de l'affaire Sokal*, édité par Baudouin Jurdant. Paris : La Découverte/Alliage. P. 59-74.

Ghins, Michel. 1992. « Scientific realism and invariance ». Dans : *Rationality in Epistemology*, p. 249-262. Édité par Enrique Villanueva. Atascadero, California : Ridgeview.

Gingras, Yves. 1995. « Un air de radicalisme : Sur quelques tendances récentes en sociologie de la science et de la technologie ». *Actes de la recherche en sciences sociales* **108** : 3-17.

Gingras, Yves et Silvan S. Schweber. 1986. « Constraints on construction ». *Social Studies of Science* **16** : 372-383.

Gottfried, Kurt et Kenneth G. Wilson. 1997. « Science as a cultural construct ». *Nature* **386** : 545-547.

Granon-Lafont, Jeanne. 1985. *La Topologie ordinaire de Jacques Lacan*. Paris : Point Hors Ligne.

Granon-Lafont, Jeanne. 1990. *Topologie lacanienne et clinique analytique*. Paris : Point Hors Ligne.

Greenberg, Marvin Jay. 1980. *Euclidean and Non-Euclidean Geometries : Development and History*, 2nd ed. San Francisco : W.H. Freeman.

Gross, Paul R. et Norman Levitt. 1994. *Higher Superstition : The Academic Left and its Quarrels with Science*. Baltimore : Johns Hopkins University Press.

Gross, Paul R., Norman Levitt et Martin W. Lewis (éditeurs). 1996. *The Flight from Science and Reason. Annals of the New York Academy of Sciences* **775.**

Grosser, Morton. 1962. *The Discovery of Neptune*. Cambridge : Harvard University Press.

Guattari, Félix. 1988. « Les énergétiques sémiotiques ». Dans : *Temps et devenir : À partir de l'œuvre d'Ilya Prigogine*. Actes du colloque international de 1983 sous la direction de Jean-Pierre Brans, Isabelle Stengers et Philippe Vincke. Genève : Patiño. P. 83-100.

Guattari, Félix. 1992. *Chaosmose*. Paris : Galilée.

Guerlain, Pierre. 1997. « Haro français sur le professeur américain ». *Le Monde* (14 janvier 1997) : 15.

Guille-Escuret, Georges. 1998. « Des modèles aux patrons : Les sciences humaines en tenaille ». *Les Temps Modernes* **600** (juillet-septembre) : 265-284.

Hafele, J.C. et Richard E. Keating. 1972. « Around-the-world atomic clocks : Predicted relativistic gains ». *Science* **177** : 166-168. « Around-the-world atomic clocks : Observed relativistic gains ». *Science* **177** : 168-170.

Harding, Sandra. 1996. « Science is "good to think with" ». *Social Text* **46/47** (Spring/Summer) : 15-26.

Havel, Václav. 1992. « The End of the Modern Era ». *New York Times* (March 1) : E-15.

Hawkins, Harriett. 1995. *Strange Attractors : Literature, Culture and Chaos Theory*. New York : Prentice-Hall/Harvester Wheatsheaf.

Hayles, N. Katherine. 1992. « Gender encoding in fluid mechanics : Masculine channels and feminine flows ». *Differences : A Journal of Feminist Cultural Studies* **4**(2) : 16-44.

Hegel, G. W. F. 1972 [1812]. *Science de la logique. Premier tome. Premier livre. L'être*. Traduit par Pierre-Jean Labarrière et Gwendoline Jarczyk. Paris : Aubier-Montaigne.

Henley, Jon. 1997. « Euclidean, Spinozist or existentialist ? Er, no. It's simply a load of old tosh ». *The Guardian* [Londres] (1 October) : 3.

Hobsbawm, Eric. 1993. « The new threat to history ». *New York Review of Books* (16 December) : 62-64. [Reproduit dans : Eric Hobsbawm, *On History* (London : Weidenfeld & Nicolson, 1997), chapitre 1.]

Holton, Gerald. 1993. *Science and Anti-Science*. Cambridge, Massachusetts : Harvard University Press.

Houellebecq, Michel et Philippe Sollers. 1998. « Réponse aux "imbéciles" ». Propos recueillis par Jérôme Garcin et Fabrice Pliskin. *Le Nouvel Observateur* **1770** (8-14 octobre) : 54-58.

Hume, David. 1982 [1748]. *Enquête sur l'entendement humain*. Traduit par Didier Deleule. Paris : Fernand Nathan.

Huth, John. 1998. « Latour's relativity ». Dans : *A House Built on Sand : Exposing Postmodernist Myths About Science*, édité par Noretta Koertge, p. 181-192. New York : Oxford University Press.

Irigaray, Luce. 1977. « La "mécanique" des fluides ». Dans : *Ce sexe qui n'en est pas un*. Paris : Éditions de Minuit. [Publication originale : *L'Arc*, n° 58 (1974).]

Irigaray, Luce. 1985. « Le sujet de la science est-il sexué ? » Dans : *Parler n'est jamais neutre*. Paris : Éditions de Minuit. [Publication originale : *Les Temps Modernes* **9**, n° 436 (novembre 1982), 960-974.]

Irigaray, Luce. 1987a. « Une chance de vivre : Limites au concept de neutre et d'universel dans les sciences et les savoirs ». Dans : *Sexes et parentés*. Paris : Éditions de Minuit.

Irigaray, Luce. 1987b. « Sujet de la science, sujet sexué ? » Dans : *Sens et place des connaissances dans la société*, p. 95-121. Paris : Centre National de Recherche Scientifique.

Jankélévitch, Vladimir. 1931. *Henri Bergson*. Paris : Félix Alcan.

Jeanneret, Yves. 1998. *L'Affaire Sokal ou la querelle des impostures*. Paris : Presses Universitaires de France.

Johnson, George. 1996. « Indian tribes' creationists thwart archeologists ». *New York Times* (22 October) : A1, C13.

Jurdant, Baudouin, éd. 1998. *Impostures scientifiques : Les Malentendus de l'affaire Sokal*. Paris : La Découverte/Alliage.

Kadanoff, Leo P. 1986. « Fractals : Where's the physics ? » *Physics Today* **39** (février) : 6-7.

Khalfa, Jean. 1998. « Mathémagie : Sokal, Bricmont et les doctrines informes ». *Les Temps Modernes* **600** (juillet-septembre) : 220-249.

Kimball, Roger. 1990. *Tenured Radicals : How Politics Has Corrupted Higher Education*. New York : Harper & Row.

Kinoshita, Toichiro. 1995. « New value of the α^3 electron anomalous magnetic moment ». *Physical Review Letters* **75** : 4728-4731.

Koertge, Noretta, éd. 1998. *A House Built on Sand : Exposing Postmodernist Myths About Science*. New York : Oxford University Press.

Kristeva, Julia. 1969. Σημειωτικὴ : *Recherches pour une sémanalyse*. Paris : Éditions du Seuil.

Kristeva, Julia. 1974. *La Révolution du langage poétique*. Paris : Éditions du Seuil.

Kristeva, Julia. 1977. *Polylogue*. Paris : Éditions du Seuil.

Kristeva, Julia. 1997. « Une désinformation ». *Le Nouvel Observateur*, n° 1716 (25 septembre-1er octobre) : 122.

Kuhn, Thomas. 1983. *La Structure des révolutions scientifiques*. Paris : Flammarion. [Version originale : *The Structure of Scientific Revolutions*, 2nd ed. Chicago : University of Chicago Press, 1970.]

Lacan, Jacques. 1970. « Of structure as an inmixing of an otherness prerequisite to any subject whatever ». Dans : *The Languages of Criticism and the Sciences of Man*. Édité par Richard Macksey et Eugenio Donato. Baltimore : Johns Hopkins Press. P. 186-200.

Lacan, Jacques. 1971a. « Subversion du sujet et dialectique du désir dans l'inconscient freudien ». Dans : *Écrits 2*. Paris : Éditions du Seuil. P. 151-191.

Lacan, Jacques. 1971b. « Position de l'inconscient ». Dans : *Écrits 2*. Paris : Éditions du Seuil. P. 193-217.

Lacan, Jacques. 1973. « L'Étourdit ». *Scilicet*, n° 4, 5-52.

Lacan, Jacques. 1975a. *Le Séminaire de Jacques Lacan. Livre XX : Encore, 1972-1973*. Texte établi par Jacques-Alain Miller. Paris : Éditions du Seuil.

Lacan, Jacques. 1975b. Le séminaire de Jacques Lacan (XXII). Texte établi par J.A. Miller. R.S.I. [Réel, Symbolique, Imaginaire] Année 1974-75. Séminaires du 10 et du 17 décembre 1974. *Ornicar ? : Bulletin périodique du champ freudien* n° 2 (1975) : 87-105.

Lacan, Jacques. 1975c. Le séminaire de Jacques Lacan (XXII). Texte établi par J.A. Miller. R.S.I. [Réel, Symbolique, Imaginaire] Année 1974-75. Séminaires du 14 et du 21 janvier 1975. *Ornicar ? : Bulletin périodique du champ freudien* n° 3 (mai 1975) : 95-110.

Lacan, Jacques. 1975d. Le séminaire de Jacques Lacan (XXII). Texte établi par J.A. Miller. R.S.I. [Réel, Symbolique, Imaginaire] Année 1974-75. Séminaires du 11 et du 18 février 1975. *Ornicar ? : Bulletin périodique du champ freudien* n° 4 (rentrée 1975) : 91-106.

Lacan, Jacques. 1975e. Le séminaire de Jacques Lacan (XXII). Texte établi par J.A. Miller. R.S.I. [Réel, Symbolique, Imaginaire] Année 1974-75. Séminaires du 11 et du 18 mars, du 8 et du 15 avril, et du 13 mai 1975. *Ornicar ? : Bulletin périodique du champ freudien* n° 5 (hiver 1975/76) : 17-66.

Lacan, Jacques. 1977. « Desire and the interpretation of desire in *Hamlet* ». Traduit par James Hulbert. *Yale French Studies* **55/56** : 11-52.

Lacan, Jacques. 1978. *Le Séminaire de Jacques Lacan. Livre II : Le Moi dans la théorie de Freud et dans la technique de la psychanalyse, 1954-1955.* Paris : Éditions du Seuil.

Lamont, Michèle. 1987. « How to become a dominant French philosopher : The case of Jacques Derrida ». *American Journal of Sociology* **93** : 584-622.

Laplace, Pierre Simon. 1986 [5ᵉ éd. 1825]. *Essai philosophique sur les probabilités*. Paris : Christian Bourgois.

Lather, Patti. 1991. *Getting Smart : Feminist Research and Pedagogy With/in the Postmodern*. New York-London : Routledge.

Latour, Bruno. 1988. « A relativistic account of Einstein's relativity ». *Social Studies of Science* **18** : 3-44.

Latour, Bruno. 1995a. *La Science en action : Intro-*

duction à la sociologie des sciences. Traduit de l'anglais par Michel Biezunski. Texte révisé par l'auteur. Paris : Gallimard. [Version originale : *Science in Action : How to Follow Scientists and Engineers through Society*. Cambridge, Massachusetts : Harvard University Press, 1987.]

Latour, Bruno. 1995b. « Who Speaks For Science ? » *The Sciences* **35** (2) (March-April) : 6-7.

Latour, Bruno. 1997. « Y a-t-il une science après la guerre froide ? » *Le Monde* (18 janvier 1997) : 17.

Latour, Bruno. 1998. « Ramsès II est-il mort de la tuberculose ? ». *La Recherche* **307** (mars) : 84-85. Voir également les errata **308** (avril) : 85 et **309** (mai) : 7.

Laudan, Larry. 1981. « The pseudo-science of science ? » *Philosophy of the Social Sciences* **11** : 173-198.

Laudan, Larry. 1990a. *Science and Relativism*. Chicago : University of Chicago Press.

Laudan, Larry. 1990b. « Demystifying underdetermination ». *Minnesota Studies in the Philosophy of Science* **14** : 267-297.

Lechte, John. 1990. *Julia Kristeva*. London-New York : Routledge.

Lechte, John. 1994. *Fifty Key Contemporary Thinkers : From Structuralism to Postmodernity*. London-New York : Routledge.

Le Monde. 1984a. *Entretiens avec Le Monde. 1. Philosophies*. Introduction de Christian Delacampagne. Paris : Éditions La Découverte et Journal *Le Monde*.

Le Monde. 1984b. *Entretiens avec Le Monde. 3. Idées contemporaines*. Introduction de Christian Descamps. Paris : Éditions La Découverte et Journal *Le Monde*.

Leplin, Jarrett. 1984. *Scientific Realism*. Berkeley : University of California Press.

Leupin, Alexandre. 1991. « Introduction : Voids and knots in knowledge and truth ». Dans : *Lacan and the Human Sciences*. Édité par Alexandre Leupin. Lincoln, Neb. : University of Nebraska Press. P. 1-23.

Levisalles, Natalie. 1996. « Le canular du professeur Sokal. » *Libération* (3 décembre 1996) : 28.

Lévy-Leblond, Jean-Marc. 1997. « Le cow-boy et l'apothicaire ». *La Recherche* **304** (décembre) : 10.

Lévy-Leblond. Jean-Marc. 1998. « La méprise et le mépris ». Dans : *Impostures scientifiques : Les Malentendus de l'affaire Sokal*, édité par Baudouin Jurdant. Paris : La Découverte/Alliage. P. 27-42. [Une ébauche de ce texte est parue, sous le titre « La paille des philosophes et la poutre des physiciens », dans *La Recherche* **299** (juin 1997) : 9-10.]

Lodge, David. 1984. *Small World*. New York : Macmillan. [Traduction française : *Un tout petit monde*. Paris : Rivages. 1991.]

Lusson, Pierre et Jacques Roubaud. 1970. « Sur la "sémiologie des paragrammes" de J. Kristeva ». *Action Poétique* **45** : 31-36.

Lyotard, Jean-François. 1979. *La Condition postmoderne : Rapport sur le savoir*. Paris : Éditions de Minuit.

Maddox, John, James Randi et Walter W. Stewart. 1988. « "High-dilution" experiments a delusion ». *Nature* **334** : 287-290.

Maggiori, Robert. 1997. « Fumée sans feu ». *Libération* (30 septembre) : 29.

Markley, Robert. 1992. « The irrelevance of reality : Science, ideology and the postmodern universe. » *Genre* **25** : 249-276.

Matheson, Carl et Evan Kirchhoff. 1997. « Chaos and literature ». *Philosophy and Literature* **21** : 28-45.

Maudlin, Tim. 1994. *Quantum Non-Locality and Relativity : Metaphysical Intimations of Modern Physics*. Aristotelian Society Series, vol. 13. Oxford : Blackwell.

Maudlin, Tim. 1996. « Kuhn édenté : incommensurabilité et choix entre théories. » Traduit de l'américain par Jean-Pierre Deschepper et Michel Ghins. [Titre original : « Kuhn defanged : incommensurability and theory-choice. »] *Revue Philosophique de Louvain* **94** : 428-446.

Maxwell, James Clerk. 1952 [1ʳᵉ éd. 1876]. *Matter and Motion*. New York : Dover.

Merleau-Ponty, Maurice. 1968. « Einstein et la crise de la raison ». Dans : *Éloge de la philosophie et autres essais*, p. 309-320. Paris : Gallimard.

Merleau-Ponty, Maurice. 1995. *La Nature*. Cours du Collège de France (1956-1960). Établi et annoté par Dominique Séglard. Paris : Seuil.

Mermin, N. David. 1996a. « What's wrong with this sustaining myth ? » *Physics Today* **49**(3) (March 1996) : 11-13.

Mermin, N. David. 1996b. « The Golemization of relativity ». *Physics Today* **49**(4) (April 1996) : 11-13.

Mermin, N. David. 1996c. « Sociologists, scientist continue debate about scientific process ». *Physics Today* **49**(7) (July 1996) : 11-15, 88.

Mermin, N. David. 1997. « Sociologists, scientist pick at threads of argument about science ». *Physics Today* **50**(1) (January 1997) : 92-95.

Mermin, N. David. 1998a. « Physiciens, encore un effort ! » Traduit de l'anglais par Baudouin Jurdant. Dans : *Impostures scientifiques : Les Malentendus de l'affaire Sokal*, édité par Baudouin Jurdant. Paris : La Découverte/Alliage. P. 194-201. [Version originale : « What's wrong with this reading ». *Physics Today* **50**(10) (October 1997) : 11-13.]

Mermin, N. David. 1998b. « The science of science : A physicist reads Barnes, Bloor and Henry ». *Social Studies of Science* **28** : 603-623.

Metz, André. 1923. *La Relativité*. Paris : Étienne Chiron.

Metz, André. 1924a. « Le temps d'Einstein et la philosophie ». *Revue de philosophie* **31** : 56-88.

Metz, André. 1924b. [Réplique à Bergson 1924a.] *Revue de philosophie* **31** : 437-439.

Metz, André. 1926. *Les Nouvelles Théories scientifiques et leurs adversaires. La relativité.* 15ᵉ éd. revue et augmentée [de Metz 1923]. Paris : Étienne Chiron.

Milner, Jean-Claude. 1995. *L'Œuvre claire : Lacan, la science, la philosophie.* Paris : Seuil.

Moi, Toril. 1986. Introduction à *The Kristeva Reader.* New York : Columbia University Press.

Monod, Jacques. 1970. *Le Hasard et la nécessité.* Paris : Seuil.

Moore, Patrick. 1996. *The Planet Neptune,* 2ᵉ éd. Chichester : John Wiley & Sons.

Mortley, Raoul. 1991. *French Philosophers in Conversation : Levinas, Schneider, Serres, Irigaray, Le Dœuff, Derrida.* London : Routledge.

Murphy, Paul. 1980. « Formalisation of poetic language ». *Essays in Poetics* [Department of Russian, University of Keele, UK] **5.2.**

Nagel, Ernest, James R. Newman, Kurt Gödel et Jean-Yves Girard. 1989. *Le Théorème de Gödel.* Traductions de l'anglais et de l'allemand par Jean-Baptiste Scherrer. Paris : Seuil. [Version originale : Nagel, Ernest et James R. Newman. *Gödel's Proof.* New York : New York University Press, 1958.]

Nancy, Jean-Luc et Philippe Lacoue-Labarthe. 1990. *Le Titre de la lettre,* 3ᵉ éd. Paris : Galilée.

Nanda, Meera. 1997. « The Science Wars in India ». *Dissent* **44**(1) (Winter 1997) : 78-83.

Nasio, Juan-David. 1987. *Les Yeux de Laure : Le concept d'objet « a » dans la théorie de J. Lacan. Suivi d'une Introduction à la topologie psychanalytique.* Paris : Aubier.

Nasio, Juan-David. 1992. « Le concept de sujet de l'inconscient ». Texte d'une intervention realisée dans le cadre du séminaire de Jacques Lacan « La topologie et le temps », le mardi 15 mai 1979. Reproduit dans : *Cinq leçons sur la théorie de Jacques Lacan.* Paris : Éditions Rivages.

Nelkin, Dorothy. 1996. « What are the Science Wars really about ? », *Chronicle of Higher Education* (July 26) : A52. [Voir également Lettres (September 6) : B6-B7.]

Newton-Smith, W.H. 1981. *The Rationality of Science*. London-New York : Routledge and Kegan Paul.

Nordon, Didier. 1998. « Analyse du livre *Impostures intellectuelles* ». *Pour la Science* **243** (janvier).

Norris, Christopher. 1992. *Uncritical Theory : Postmodernism, Intellectuals and the Gulf War*. London : Lawrence and Wishort.

Orwell, George. 1953 [1946]. « Politics and the English language ». Dans : *A Collection of Essays*. New York : Harcourt Brace Jovanovich.

Perrin, Jean. 1970 [1913]. *Les Atomes*. Paris : Presses Universitaires de France.

Petitjean, Patrick. 1998. « La critique des sciences en France ». Dans : *Impostures scientifiques : Les Malentendus de l'affaire Sokal*, édité par Baudouin Jurdant. Paris : La Découverte/Alliage. P. 118-133.

Pierssens, Michel. 1998. « Science-en-culture Outre-Atlantique ». Dans : *Impostures scientifiques : Les Malentendus de l'affaire Sokal*, édité par Baudouin Jurdant. Paris : La Découverte/Alliage. P. 106-117.

Pinker, Steven. 1995. *The Language Instinct*. London : Penguin. À paraître en français chez Odile Jacob.

Plotnitsky, Arkady. 1997. « "But it is above all not true" : Derrida, relativity, and the "Science Wars" ». *Postmodern Culture* **7**, n° 2. Disponible sur Internet à http://muse.jhu.edu/journals/postmodern_culture/v007/7.2plotnitsky.html
ou
http://www.iath.virginia.edu/pmc/text-only/issue.197/plotnitsky.197

Poincaré, Henri. 1909. *Science et méthode*. Paris : Flammarion.

Pollitt, Katha. 1996. « Pomolotov cocktail ». *The Nation* (June 10) : 9.

Popper, Karl. 1974. « Replies to my critics ». Dans : *The Philosophy of Karl Popper*, vol. 2, édité par Paul A. Schilpp. LaSalle, Illinois (USA) : Open Court Publishing Company.

Popper, Karl. 1978. *La Logique de la découverte scientifique*. Paris : Payot. [Version originale : *The Logic of Scientific Discovery*. London : Hutchinson, 1959.]

Portevin, Catherine. 1997. « Le canular boiteux ». *Télérama* **2494** (29 octobre) : 40.

Prado, Bento Jr. 1998. « Quinze minutos de notoriedade ». *Folha de São Paulo* (9 mai).

Prigogine, Ilya et Isabelle Stengers. 1988. *Entre le temps et l'éternité*. Paris : Fayard.

Putnam, Hilary. 1974. « The "corroboration" of theories ». Dans : *The Philosophy of Karl Popper*, vol. 1, édité par Paul A. Schilpp. LaSalle, Illinois (USA) : Open Court Publishing Company. P. 221-240.

Putnam, Hilary. 1978. « A critic replies to his philosopher ». Dans : *Philosophy As It Is*, édité par Ted Honderich et M. Burnyeat, p. 377-380. New York : Penguin.

Quine, Willard Van Orman. 1980. « Two dogmas of empiricism ». Dans : *From a Logical Point of View*, 2e édition, révisée. [1re édition 1953] Cambridge, Massachusetts : Harvard University Press.

Ragon, Marc. 1998. « L'affaire Sokal, blague à part ». *Libération* (6 octobre) : 31.

Raskin, Marcus G. et Herbert J. Bernstein. 1987. *New Ways of Knowing : The Sciences, Society, and Reconstructive Knowledge*. Totowa, New Jersey : Rowman & Littlefield.

Rees, Martin. 1997. *Before the Beginning : Our Universe and Others*. Reading, Massachusetts : Addison-Wesley.

Revel, Jean-François. 1997. « Les faux prophètes ». *Le Point* (11 octobre) : 120-121.

Richelle, Marc. 1998. *Défense des sciences humaines : Vers une désokalisation ?* Sprimont (Belgique) : Mardaga.

Rio, Michel. 1997. « Grâce au ciel, à Sokal et à ses pareils ». *Le Monde* (11 février) : 15.

Rosenberg, Martin E. 1993. Dynamic and thermodynamic tropes of the subject in Freud and in Deleuze and Guattari. *Postmodern Culture* **4**, n° 1. Disponible sur Internet à
http://muse.jhu.edu/journals/postmodern_culture/v004/4.1rosenberg.html ou
http://www.iath.virginia.edu/pmc/text-only/issue.993/rosenber.993

Roseveare, N.T. 1982. *Mercury's Perihelion from Le Verrier to Einstein*. Oxford : Clarendon Press.

Ross, Andrew. 1995. « Science backlash on technoskeptics ». *The Nation* **261** (10) (October 2, 1995) : 346-350.

Ross, Andrew. 1996. « Introduction ». *Social Text* **46/47** : 1-13.

Rötzer, Florian. 1994. *Conversations with French Philosophers*. Traduit de l'allemand par Gary E. Aylesworth. Atlantic Highlands, New Jersey (USA) : Humanities Press.

Roubaud, Jacques et Pierre Lusson. 1969. « Sur la "sémiologie des paragrammes" de J. Kristeva ». *Action Poétique* **41-42** : 56-61.

Roudinesco, Élisabeth. 1993. *Jacques Lacan : Esquisse d'une vie, histoire d'un système de pensée*. Paris : Fayard.

Roudinesco, Élisabeth. 1998. « Sokal et Bricmont sont-ils des imposteurs ? » *L'Infini* **62** (été) : 25-27.

Roustang, François. 1986. *Lacan, de l'équivoque à l'impasse*. Paris : Éditions de Minuit.

Ruelle, David. 1993. *Hasard et chaos*. Paris : Odile Jacob.

Ruelle, David. 1994. « Where can one hope to profitably apply the ideas of chaos ? » *Physics Today* **47** (7) (July) : 24-30.

Russell, Bertrand. 1948. *Human Knowledge : Its Scope and Limits*. London : George Allen & Unwin.

Russell, Bertrand. 1949 [1920]. *The Practice and Theory of Bolshevism*, 2nd ed. London : George Allen and Unwin.

Russell, Bertrand. 1951. « My mental development ». Dans : *The Philosophy of Bertrand Russell*, édité par Paul Arthur Schilpp. New York : Tudor.

Russell, Bertrand. 1961a [1re éd. 1946]. *History of Western Philosophy*, 2e éd. London : George Allen & Univin. Republié par Routledge, 1991. [Traduction française de la première édition : *Histoire de la philosophie occidentale*. Traduit de l'anglais par Hélène Kern. Paris : Gallimard, 1952.]

Russell, Bertrand. 1961b. *The Basic Writings of Bertrand Russell, 1903-1959*. Édité par Robert E. Egner et Lester E. Denonn. New York : Simon and Schuster.

Russell, Bertrand. 1995 [1959]. *My Philosophical Development*. London : Routledge.

Salanskis, Jean-Michel. 1998. « Pour une épistémologie de la lecture ». Dans : *Impostures scientifiques : Les Malentendus de l'affaire Sokal*, édité par Baudouin Jurdant. Paris : La Découverte/Alliage. P. 157-194.

Salomon, Jean-Jacques. 1997. « L'éclat de rire de Sokal ». *Le Monde* (31 janvier 1997) : 15.

Sartori, Leo. 1996. *Understanding Relativity : A Simplified Approach to Einstein's Theories*. Berkeley : University of California Press.

Sauval, Michel. 1997-98. « Ciencia, psicoanálisis y posmodernismo ». *Acheronta* **6** (diciembre 1997) et **7** (julio 1998). Disponible sur Internet à http://psiconet.com/acheronta/

Scott, Janny. 1996. « Postmodern gravity deconstructed, slyly ». *New York Times* (May 18, 1996) : 1, 22.

Scruton, Roger. 1981. « Jacques Lacan ». Dans : *The Politics of Culture, and Other Essays*, p. 194-199. Manchester : Carcanet Press.

Serres, Michel. 1989. « Paris 1800 ». Dans : *Éléments d'histoire des sciences*, p. 337-361. Sous la direction de Michel Serres. Paris : Bordas.

Shimony, Abner. 1976. « Comments on two epistemological theses of Thomas Kuhn ». Dans : *Essays in memory of Imre Lakatos*. Édité par R. Cohen *et al.* Dordrecht : D. Reidel Academic Publishers.

Sibony, Daniel. 1997. « Postures et impostures ». *Le Figaro* (21 octobre).

Siegel, Harvey. 1987. *Relativism Refuted : A Critique of Contemporary Epistomological Relativism*. Dordrecht : D. Reidel.

Silk, Joseph. 1997. *Le Big Bang*. Traduit de l'anglais par Isabelle Souriau et Elisabeth Vangioni-Flam. Paris : Odile Jacob. [Version originale : *The Big Bang*, revised and updated edition. New York : W.H. Freeman, 1989.]

Simont, Juliette. 1998. « La haine de la philosophie ». *Les Temps Modernes* **600** (juillet-septembre) : 250-264.

Slezak, Peter. 1994. « A second look at David Bloor's *Knowledge and Social Imagery* ». *Philosophy of the Social Sciences* **24** : 336-361.

Sokal, Alan D. 1996a. « Transgressing the boundaries : Toward a transformative hermeneutics of quantum gravity ». *Social Text* **46/47** : 217-252.

Sokal, Alan. 1996b. « A physicist experiments with cultural studies ». *Lingua Franca* **6**(4) (May/June 1996) : 62-64.

Sokal, Alan D. 1996c. « Transgressing the boundaries : An afterword ». *Dissent* **43**(4) (Fall 1996) : 93-99. [Une version légèrement abrégée de cet article fut publiée dans *Philosophy and Literature* **20**(2) (October 1996) : 338-346.]

Sokal, Alan. 1997a. « A plea for reason, evidence and logic ». *New Politics* **6**(2) (Winter) : 126-129.

Sokal, Alan. 1997b. « Pourquoi j'ai écrit ma parodie ». *Le Monde* (31 janvier 1997) : 15.

Sokal, Alan. 1998. « What the *Social Text* affair does and does not prove ». Dans : *A House Built on Sand : Exposing Postmodernist Myths About Science*, édité par Noretta Koertge, pages 9-22. New York : Oxford University Press.

Soulez, Philippe. 1997. *Bergson : Biographie*. Completée par Frédéric Worms. Paris : Flammarion.

Staune, Jean. 1998. « Le Réel voilé et la fin des certitudes ». *Convergences* **6** (printemps) : 28-32.

Stengers, Isabelle. 1996. *Cosmopolitiques. Tome 1. La guerre des sciences*. Paris : La Découverte/Les Empêcheurs de penser en rond.

Stengers, Isabelle. 1997. « Un impossible débat ». Interview réalisée par Éric de Bellefroid. *La Libre Belgique* (1er octobre) : 21.

Stengers, Isabelle. 1998. « La guerre des sciences : et la paix ? » Dans : *Impostures scientifiques : Les Malentendus de l'affaire Sokal*, édité par Baudouin Jurdant. Paris : La Découverte/Alliage. P. 268-292.

Stove, D. C. 1982. *Popper and After : Four Modern Irrationalists*. Oxford : Pergamon Press.

Sturrock, John. 1998. « Le pauvre Sokal ». *London Review of Books* **20**(14) (16 July) : 8-9.

Sussmann, Hector J. et Raphael S. Zahler. 1978. « Catastrophe theory as applied to the social and biological sciences : A critique ». *Synthese* **37** : 117-216.

Taylor, Edwin F. et John Archibald Wheeler. 1970. *À la découverte de l'espace-temps et de la physique relativiste*. Traduit par C. Roux. Paris : Dunod. [Version originale : *Spacetime Physics*. San Francisco : W. H. Freeman, 1966.]

Traimond, Bernard. 1998. « Les interstices des *cultural studies* ». Dans : *Impostures scientifiques : Les*

Malentendus de l'affaire Sokal, édité par Baudouin Jurdant. Paris : La Découverte/Alliage. P. 134-142.

University of Warwick. 1997. « DeleuzeGuattari and Matter : A conference ». Philosophy Department, University of Warwick (UK), 18-19 October 1997. Description disponible sur Internet à http://www.csv.warwick.ac.uk/fac/soc/Philosophy/matter.html

Van Dyck, Robert S., Jr., Paul B. Schwinberg et Hans G. Dehmelt. 1987. « New high-precision comparison of electron and positron g factors ». *Physical Review Letters* **59** : 26-29.

Van Peer, Willie. 1998. « Sense and nonsense of chaos theory in literary studies ». Dans : *The Third Culture : Literature and Science*, édité par Elinor S. Shaffer, p. 40-48. Berlin-New York : Walter de Gruyter.

Vappereau, Jean Michel. 1985. *Essaim : Le Groupe fondamental du nœud*. Psychanalyse et Topologie du Sujet. Paris : Point Hors Ligne.

Vappereau, Jean Michel. 1995. « Surmoi ». *Encyclopaedia Universalis* **21** : 885-889.

Virilio, Paul. 1984. *L'Espace critique*. Paris : Christian Bourgois.

Virilio, Paul. 1989. « Trans-Appearance ». Traduit par Diana Stoll. *Artforum* **27**, n° 10 (June 1, 1989), 129-130.

Virilio, Paul. 1990. *L'Inertie polaire*. Paris : Christian Bourgois.

Virilio, Paul. 1993. « The Third Interval : A Critical Transition ». Traduit par Tom Conley. Dans : *Rethinking Technologies*. Édité par Verena Andermatt Conley pour le Miami Theory Collective. Minneapolis : University of Minnesota Press. P. 3-12.

Virilio, Paul. 1995. *La Vitesse de libération*. Paris : Galilée.

Virilio, Paul. 1997. *Open Sky*. [Traduction anglaise de Virilio 1995.] Translated by Julie Rose. London : Verso.

Weill, Nicolas. 1996. « La mystification pédagogique du professeur Sokal ». *Le Monde* (20 décembre) : 1, 16.

Weinberg, Steven. 1978. *Les Trois premières minutes de l'univers*. Traduit par Jean-Benoît Yelnik. Paris : Éditions du Seuil. [Version originale : *The First Three Minutes : A Modern View of the Origin of the Universe*. New York : Basic Books, 1977.]

Weinberg, Steven. 1995. « Reductionism redux ». *New York Review of Books* **42**(15) (October 5) : 39-42.

Weinberg, Steven. 1996a. « Sokal's hoax ». *New York Review of Books* **43**(13) (August 8) : 11-15.

Weinberg, Steven *et al.* 1996b. « Sokal's hoax : An exchange ». *New York Review of Books* **43**(15) (October 3) : 54-56.

Weinberg, Steven. 1997. *Le Rêve d'une théorie ultime*. Paris : Odile Jacob. [Version originale : *Dreams of a Final Theory*. New York : Pantheon, 1992.]

Weinberg, Steven. 1998. « The revolution that didn't happen ». *New York Review of Books* **45**(15) (October 8) : 48-52.

Willis, Ellen. 1996. « My Sokaled life ». *Village Voice* [New York] (25 June) : 20-21.

Zahler, Raphael S. et Hector J. Sussmann. 1977. « Claims and accomplishments of applied catastrophe theory ». *Nature* **269** : 759-763.

INDEX